Mary Lynn Bracht

Américaine d'origine sud-coréenne, Mary Lynn Bracht vit aujourd'hui à Londres. Elle a passé son enfance et sa jeunesse au Texas, au sein d'une communauté sud-coréenne, et a été influencée par les épreuves qu'ont endurées sa mère ainsi que des milliers d'autres femmes qui ont grandi en Corée après la guerre. *Filles de la mer* est son premier roman. Il a paru en 2018 chez Robert Laffont.

FILLES DE LA MER

MARY LYNN BRACHT

FILLES DE LA MER

Traduit de l'anglais
par Sarah Tardy

Titre original :
WHITE CHRYSANTHEMUM

Pocket, une marque d'Univers Poche,
est un éditeur qui s'engage pour la préservation
de l'environnement et qui utilise du papier fabriqué
à partir de bois provenant de forêts gérées
de manière responsable.

ISBN : 978-2-266-28754-8

Dépôt légal : février 2019

Pour Nico

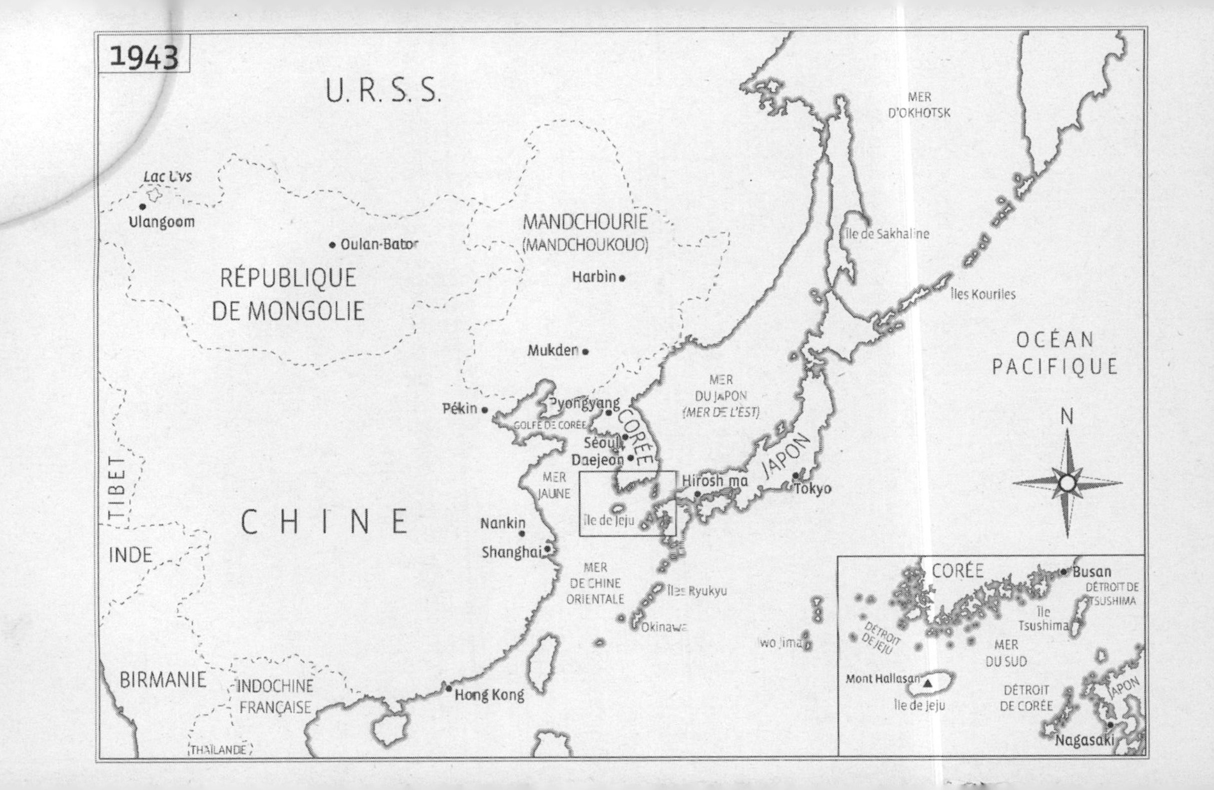
1943
U. R. S. S.
Lac Uvs
Ulangoom
Oulan-Bator
RÉPUBLIQUE
DE MONGOLIE
MANDCHOURIE
(MANDCHOUKOUO)
Harbin
Mukden
Pékin
Pyongyang
GOLFE DE CORÉE
Séoul
Daejeon
CORÉE
MER
DU JAPON
(MER DE L'EST)
MER D'OKHOTSK
Île de Sakhaline
Îles Kouriles
OCÉAN
PACIFIQUE
N
JAPON
Tokyo
Hirosh ma
MER
JAUNE
Île de Jeju
TIBET
CHINE
INDE
Nankin
Shanghai
MER
DE CHINE
ORIENTALE
Îles Ryukyu
Okinawa
Iwo Jima
BIRMANIE
INDOCHINE
FRANÇAISE
THAÏLANDE
Hong Kong
CORÉE
Busan
DÉTROIT DE
TSUSHIMA
Île
Tsushima
DÉTROIT
DE JEJU
MER
DU SUD
Mont Hallasan
Île de Jeju
DÉTROIT
DE CORÉE
JAPON
Nagasaki

L'aube est à peine levée et, dans l'obscurité du demi-jour, d'étranges ombres s'étirent sur le sentier. Hana s'efforce de chasser de ses pensées les monstres qui tentent de lui attraper les chevilles. Elle suit sa mère jusqu'au rivage. Le vent léger soulève sa chemise de nuit. Des bruits de pas discrets s'élèvent derrière elle ; sans même se retourner, Hana sait que son père les suit avec sa petite sœur dans les bras. Sur la côte, une poignée de femmes les attendent déjà. Dans la lumière du jour naissant, elle reconnaît leur visage, mais la chamane est une étrangère. La femme sacrée est vêtue de la robe traditionnelle, un hanbok *rouge et bleu roi. Sitôt Hana et sa famille sur le sable, elle commence à danser.*

Les silhouettes s'écartent de ce corps tournoyant et se rassemblent en un petit groupe, subjuguées par sa grâce. La chamane entonne le chant de salutation au dieu Dragon des mers, pour lui souhaiter la bienvenue sur leur île, pour l'appeler à franchir les portes de bambou et entrer sur les rives tranquilles de l'île de Jeju. Le soleil scintille à l'horizon, minuscule point d'or éclatant, et Hana ferme à demi les yeux devant la clarté du jour naissant. C'est une cérémonie interdite, illégale aux yeux du gouvernement d'occupation japonais, mais sa mère tenait à ce qu'elle assiste au gut, *leur rituel, avant sa première plongée en tant que véritable* haenyeo. *La chamane demande que les pêcheuses soient protégées et que le fruit de leur travail soit abondant. Tandis qu'elle répète ses incantations, la mère d'Hana pose ses mains sur ses épaules pour l'inviter à s'incliner, et toutes les deux se prosternent, le front posé sur le sable mouillé, pour honorer l'arrivée prochaine du dieu Dragon des mers. Tandis qu'elle se relève, la voix endormie de sa sœur lui murmure « Moi aussi, je veux plonger », et l'envie sincère qu'Hana décèle lui serre le cœur. « Toi aussi, ton jour viendra, Petite Sœur, et ce jour-là, je serai à tes côtés pour te souhaiter la bienvenue parmi nous », chuchote-t-elle en retour, confiante en l'avenir qui se prépare pour elles.*

Des gouttes d'eau salée dégringolent sur ses tempes. Du revers de la main, Hana les essuie. Je suis une haenyeo maintenant, pense-t-elle en regardant la chamane marcher le long du rivage derrière ses rubans blancs tourbillonnants. Elle attrape la petite main de sa sœur et reste ainsi près d'elle à écouter les vagues qui déferlent sur la plage. Sans autre bruit que celui de l'océan, le petit groupe accepte silencieusement son entrée dans leur ordre. Lorsque le soleil se dressera au-dessus des vagues, Hana plongera dans les eaux profondes avec les haenyeo et prendra sa place parmi les femmes de la mer. Mais, au préalable, toutes doivent regagner leur maison en secret, à l'abri des regards indiscrets.

*

Hana, reviens. La voix de sa petite sœur détone dans ses oreilles et, dans un sursaut, ramène Hana au présent, la ramène à cette chambre où le soldat dort toujours par terre, à côté d'elle. La cérémonie se fond dans l'obscurité. Hana ferme très fort les yeux pour l'empêcher de s'effacer.

Voilà maintenant deux mois qu'elle est retenue prisonnière, mais le temps dans cet endroit défile à une lenteur atroce. Elle essaie de ne pas repenser à ce qu'elle a déjà enduré, à ce qu'ils la forcent à faire, à ce qu'ils l'obligent à être. Chez elle, Hana était une autre personne. Sa vie n'avait rien à voir.

Mille ans semblent s'être écoulés depuis cette époque. Hana se sent plus proche de la tombe que de ses souvenirs de chez elle, le visage de sa mère remontant pour la rejoindre sous les flots, l'eau salée sur ses lèvres – tous ces fragments d'une vie plus heureuse.

La cérémonie était forte et puissante, comme les femmes de la mer, comme Hana elle-même. Le soldat allongé à côté d'elle remue. Il ne la vaincra pas, se promet-elle. Elle reste éveillée toute la nuit à imaginer comment elle s'évadera.

Hana

Île de Jeju, été 1943

Hana a seize ans et ne connaît rien d'autre qu'une vie sous l'occupation. Le Japon a annexé la Corée en 1910, et Hana parle couramment le japonais, a appris à l'école l'histoire et la culture japonaises et n'a pas le droit de parler, de lire ou d'écrire dans sa langue maternelle, le coréen. Elle est dans son propre pays une citoyenne de seconde zone à qui ne sont laissés que des droits de seconde zone, mais cela n'entache en rien sa fierté d'être coréenne. Hana et sa mère sont des haenyeo, des femmes de la mer, des femmes qui travaillent pour leur propre compte. Leur communauté, issue d'un petit village côtier du sud de l'île de Jeju, plonge dans une crique invisible depuis la route principale menant à la ville. Le père d'Hana est pêcheur. Il parcourt la mer du Sud avec les autres hommes du village, esquivant les bateaux de l'empire qui pillent les eaux coréennes pour rapatrier leurs prises sur l'archipel japonais. Hana et sa mère ont uniquement affaire aux soldats japonais lorsqu'elles se rendent au marché pour vendre leur pêche du jour. Ce commerce leur procure un sentiment de liberté que peu de gens connaissent sur la côte opposée de l'île ou même sur le continent, à cent kilomètres au nord. L'occupation est un sujet tabou, surtout au marché ; seuls les plus courageux osent en parler, et seulement en chuchotant ou en dissimulant leurs lèvres derrière leur main. Les villageois sont épuisés de subir les lourdes taxes, les « dons » à l'armée qui leur sont imposés, de voir les hommes raflés pour être jetés en première ligne sur les champs de bataille ainsi que les enfants pour travailler dans des usines au Japon.

Sur l'île d'Hana, plonger est un travail de femmes. Leur corps est mieux adapté que celui des hommes aux profondeurs glaciales. Elles peuvent retenir leur souffle plus longtemps, nager plus profond et réguler plus facilement leur température corporelle, si bien que depuis des siècles les femmes de Jeju jouissent d'une indépendance rare. Hana avait commencé très tôt à suivre sa mère. Elle avait appris à nager dès le moment où elle avait su tenir sa tête, même s'il lui avait fallu attendre ses onze ans pour que sa mère l'emmène en eaux profondes et lui montre comment couper les abalones accrochés sur les roches au fond de la mer. Hana était si excitée qu'elle s'était retrouvée à court d'air plus tôt qu'elle ne le pensait. Elle avait été obligée de remonter précipitamment pour ne pas suffoquer. Ses poumons brûlaient. Et lorsqu'elle était enfin réapparue à la surface, prise de panique, elle avait avalé plus d'eau que d'air, désorientée, toussant, le menton à moitié hors de l'eau. Une vague sournoise l'avait brièvement engloutie. Elle avait de nouveau bu la tasse en disparaissant sous les flots.

D'une main, sa mère l'avait tirée à la surface. Hana s'était remise à tousser, cherchant désespérément à reprendre de l'air. Son nez et sa gorge brûlaient. La main de sa mère, étroitement refermée sur sa nuque, l'avait rassurée jusqu'à ce qu'elle récupère.

« Toujours regarder vers la côte quand tu remontes à la surface, sinon tu peux te perdre », lui avait dit sa mère, et Hana s'était tournée vers le rivage. Là-bas, assise sur le sable, sa petite sœur veillait sur les seaux qui renfermaient les prises du jour. « Cherche ta sœur après chaque plongée. N'oublie jamais. Si tu la vois, tu es en sécurité. »

Sa mère avait attendu qu'Hana retrouve son souffle pour la lâcher et reprendre la pêche, s'inclinant lentement pour plonger vers les fonds. Pendant quelques instants encore, Hana avait guetté la plage, réconfortée par la vue de sa sœur assise là-bas, qui attendait que sa famille revienne de la mer. À présent bien remise, elle avait nagé jusqu'à la bouée et ajouté son abalone à la pêche de sa mère, en lieu sûr dans un filet. Ce fut alors son tour de basculer vers l'avant pour s'enfoncer dans le grondement de l'océan, à la recherche d'une nouvelle créature qui compléterait leur récolte.

Sa sœur était trop jeune pour plonger avec elle lorsqu'elles partaient si loin. Parfois, en refaisant surface, Hana la trouvait en train de courir après les mouettes en agitant furieusement des bâtons. On aurait dit un papillon qui dansait sur l'horizon.

Hana était déjà âgée de sept ans à la naissance de sa sœur. Sa plus grande crainte était de rester fille unique toute sa vie. Elle désirait depuis si longtemps avoir un petit frère ou une petite sœur – tous ses amis en avaient au moins deux ou trois, parfois même quatre – pour jouer chaque jour avec eux et partager les corvées domestiques, alors qu'elle-même devait tout faire seule. Et puis sa mère était tombée enceinte et Hana s'était remplie d'un si grand espoir que son visage rayonnait chaque fois qu'elle apercevait son ventre rond.

« Tu es beaucoup plus grosse aujourd'hui, Maman, pas vrai ? avait-elle demandé au matin de la naissance de sa sœur.

— Très, très grosse et très lourde ! » avait répondu sa mère en chatouillant le petit ventre d'Hana.

Hana s'était écroulée sur le dos en riant de joie puis, une fois remise de ses émotions, s'était assise à côté de sa mère, une main posée au sommet de son ventre arrondi.

« Ma sœur ou mon frère doit être presque prêt, Maman, pas vrai ?

— Presque prêt ? Tu parles comme si c'était du riz qui cuisait à l'intérieur de mon ventre, ma fille !

— Je ne parle pas de riz, je parle de ma petite sœur… ou de mon petit frère », s'était empressée d'ajouter Hana. Elle avait alors senti un très léger coup sous sa main. « Quand est-ce qu'elle ou il va sortir ?

— Quelle impatiente petite fille, avait dit sa mère en secouant la tête d'un air résigné. Qu'est-ce que tu préférerais, une sœur ou un frère ? »

Hana savait que la réponse à donner était un frère, pour que son père ait un fils à qui transmettre son savoir-faire, mais tout au fond d'elle elle pensait l'inverse. *J'espère que tu auras une fille pour qu'un jour elle vienne nager avec moi.*

Sa mère avait ressenti ses premières contractions le soir même, et lorsqu'il fut montré à Hana une petite fille, elle fut incapable de contenir son bonheur. Son visage n'avait jamais connu de plus grand sourire que celui qui se dessina sur ses lèvres, et pourtant, Hana s'efforça de faire comme si elle était déçue.

« Je suis désolée que ce ne soit pas un fils, Maman, avait-elle dit en secouant la tête, faussement attristée. Vraiment désolée. »

Puis elle s'était tournée vers son père en tirant sur sa manche. Son père s'était baissé et Hana lui avait soufflé à l'oreille, les mains autour de sa bouche :

« Papa, il faut que je te dise quelque chose. Je suis vraiment désolée pour toi, je suis vraiment désolée qu'elle ne soit pas un garçon à qui tu aurais pu apprendre à devenir pêcheur, mais moi… » Il lui avait fallu reprendre sa respiration avant de continuer. « Mais moi, je suis très contente d'avoir une petite sœur que j'emmènerai nager.

— Vraiment ? avait-il demandé.

— Vraiment, mais ne le dis pas à Maman. »

À sept ans, Hana n'était pas encore très douée pour être discrète, si bien qu'une vague de rires bienveillants avait parcouru le petit groupe d'amis réunis autour de ses parents. Les oreilles en feu, Hana s'était tue. Elle était allée se réfugier derrière son père et, en regardant sous son bras, avait guetté si sa mère l'avait entendue. Celle-ci s'était tournée vers elle, sa fille aînée, avant de baisser les yeux vers sa plus jeune enfant qui tétait goulûment et de murmurer, juste assez fort pour qu'Hana puisse l'entendre :

« Tu es la petite sœur la plus aimée de toute l'île de Jeju. Tu sais, je crois que personne au monde ne t'aimera aussi fort que ta grande sœur. »

Puis elle avait levé les yeux vers Hana en lui faisant signe d'approcher. Le silence était retombé dans la pièce tandis qu'Hana s'agenouillait à ses pieds.

« Hana, tu es sa protectrice désormais », lui avait-elle dit d'un ton sérieux.

Les yeux rivés sur ce minuscule bébé, Hana avait tendu une main pour caresser le duvet noir sur son crâne.

« Elle est si douce, avait-elle dit, émerveillée.

— Tu m'as entendue ? avait demandé sa mère d'un air grave. Tu es une grande sœur désormais et ce rôle implique des responsabilités, dont la première est de la protéger. Je ne serai pas toujours là ; nous avons de quoi manger grâce à la plongée et à la pêche que nous vendons au marché. À partir de maintenant, c'est à toi qu'il reviendra de veiller sur ta petite sœur lorsque je ne pourrai pas le faire. Est-ce que je peux compter sur toi ? »

Hana avait aussitôt retiré sa main. Puis elle s'était inclinée pour répondre avec respect :

« Oui, Maman, je la protégerai. Je te le promets.

— Quand on promet, on promet pour la vie, Hana. Ne l'oublie jamais.

— Je ne l'oublierai jamais, Maman », avait dit Hana sans pouvoir détacher son regard du visage paisible de sa petite sœur endormie.

Par sa bouche entrouverte coulait un filet de lait que sa mère avait essuyé avec son pouce.

Les années passant, Hana avait commencé à plonger en eaux profondes avec sa mère et pris l'habitude de chercher sa sœur du regard à l'horizon, cette petite fille qui, la nuit, dormait sous les mêmes couvertures qu'elle et lui racontait des histoires idiotes en chuchotant avant de tomber de sommeil. Cette petite fille qui riait pour tout et pour rien, riait d'un rire si contagieux. Elle était devenue le point d'ancrage d'Hana, qui la reliait au rivage, qui la reliait à la vie.

*

Hana sait que protéger sa sœur signifie la tenir à l'écart des soldats japonais. Les mots de sa mère sont gravés dans son esprit : *Ne les laisse jamais vous voir ! Et plus important que tout, ne te fais jamais prendre toute seule avec l'un d'entre eux !* Les avertissements de sa mère sont chargés d'une peur inquiétante et, à seize ans maintenant, Hana s'estime chanceuse que rien ne lui soit jamais arrivé. Jusqu'à cette chaude journée d'été.

L'après-midi touche à sa fin, les autres pêcheuses sont parties depuis bien longtemps au marché lorsque Hana aperçoit pour la première fois le caporal Morimoto. Sa mère, toujours la première pour aider, souhaitait rapporter un filet supplémentaire pour une amie malade qui n'avait pas pu partir à la pêche ce jour-là. Hana remonte à la surface reprendre de l'air et regarde la côte. Sa sœur est accroupie sur le sable, la main en visière devant les yeux. Elle guette Hana et sa mère. À neuf ans, sa sœur est assez grande pour rester toute seule sur le rivage, mais encore trop jeune pour aller nager dans les eaux profondes avec Hana et sa mère. C'est une enfant de petite taille, et qui ne sait pas encore suffisamment bien nager.

Hana vient de pêcher une grosse conque qu'elle s'apprête à montrer de loin à sa sœur quand elle remarque un homme qui marche vers la plage. Battant des pieds dans l'eau pour se dresser du mieux possible, Hana s'aperçoit qu'il s'agit d'un soldat japonais. Son ventre se noue. Que fait-il ici ? Les soldats ne s'éloignent jamais autant des villages. Elle parcourt la crique du regard, à la recherche d'autres soldats. L'homme semble seul. Il se dirige droit vers sa sœur.

Un éperon rocheux la cache, mais plus pour longtemps maintenant. Si l'homme ne dévie pas de sa trajectoire, il finira par tomber sur elle, puis il l'emmènera – l'enverra dans une usine au Japon comme les autres jeunes filles disparues dans les villages. Sa sœur n'est pas suffisamment forte pour survivre au travail à l'usine ou à des conditions de vie aussi brutales. Sa sœur est trop jeune, et trop aimée, pour vivre ailleurs qu'au village.

Hana scrute l'horizon, elle recherche sa mère, mais cette dernière se trouve encore sous l'eau, ignorant tout de ce soldat japonais qui s'approche du rivage. Impossible d'attendre qu'elle remonte et, de toute façon, sa mère serait trop loin, partie pêcher à la limite du récif dans des abysses caverneux, profonds de plusieurs kilomètres. Il revient à Hana de protéger sa petite sœur. Elle en a fait la promesse à sa mère, et compte bien la tenir.

Hana s'engouffre sous les vagues, elle nage le plus vite possible vers la plage. Son seul espoir est d'arriver à sa sœur avant le soldat. En faisant diversion suffisamment longtemps, peut-être parviendra-t-elle à s'échapper et à se réfugier dans la crique voisine avant qu'Hana ne retourne dans l'océan. Le soldat n'irait tout de même pas jusqu'à la suivre dans l'eau ?

Le courant la frappe de plein fouet comme pour la repousser vers le large, pour la mettre à l'abri. Désormais paniquée, Hana se démène dans l'eau et prend une grande inspiration en apercevant le soldat progresser. Il se dirige toujours vers l'éperon rocheux.

Elle nage maintenant à la surface, consciente de s'exposer, mais refusant de rester trop longtemps sous l'eau de peur de ne pas voir le soldat avancer. Elle n'est plus qu'à mi-chemin lorsqu'elle le voit s'arrêter. Il cherche quelque chose dans sa poche. Replongeant la tête sous l'eau, elle se met à nager de toutes ses forces, sort la tête pour reprendre sa respiration, l'aperçoit qui allume une cigarette. À chaque brasse, il est un peu plus près. Il crache un panache de fumée, tire sur sa cigarette, crache de nouveau la fumée, et ainsi de suite à chaque remontée jusqu'à la dernière, où le soldat finit par se tourner vers la mer et remarque Hana, nageant vers lui à toute vitesse.

Plus que dix mètres avant la terre ferme. Hana prie pour que l'homme ne puisse pas voir sa sœur depuis l'endroit où il se tient. L'éperon rocheux la cache toujours, mais plus pour longtemps. Ses petites mains sont appuyées sur les galets, elle est en train de se lever. Hana ne peut pas lui crier de rester là où elle est. Alors elle accélère.

Elle disparaît sous la surface, fendant les flots à chaque brasse, jusqu'à ce que sa main entre en contact avec le fond sablonneux. Elle est maintenant sur ses pieds, parcourt les derniers mètres en courant dans l'eau basse. L'homme est peut-être en train de l'appeler, mais elle ne l'entend pas. Il n'y a que le bruit de son cœur qui bat la chamade, bloquant tous les autres sons. Pendant ces quelques mètres qui la séparent du rivage, Hana a l'impression de parcourir la moitié de la terre, mais impossible de s'arrêter. Ses pieds volent au-dessus du sable, vers sa sœur qui sourit et se prépare à l'accueillir, sans s'apercevoir de rien. Mais avant qu'elle ne puisse dire un mot, Hana se jette sur elle et la plaque au sol en l'attrapant par les épaules.

Sa main lui couvre la bouche, mais, en voyant le visage d'Hana, sa sœur comprend qu'il ne faut pas crier. Hana lui lance un regard que seule une petite sœur peut décrypter. Elle la pousse contre le sable dans l'espoir de pouvoir la cacher en l'enterrant, mais trop tard.

« Où es-tu passée ? » crie le soldat. Il se tient sur le petit éperon rocheux qui surplombe la plage. S'il s'approche du bord, il pourra les voir toutes les deux. « La sirène s'est-elle transformée en jeune fille ? »

Au-dessus d'elles, les bottes du soldat crissent sur les galets. Sa sœur tremble ; sous les mains d'Hana, son corps paraît si frêle. Sa peur est contagieuse, tellement qu'Hana se met à son tour à trembler. Elle comprend qu'il n'y a nulle part où sa sœur puisse se réfugier. Depuis l'endroit où il se trouve, le soldat a une vue dégagée sur les alentours. Il faudrait courir avec elle jusqu'à la mer, mais sa sœur ne serait pas capable de nager très longtemps. Hana peut rester des heures dans les eaux profondes, mais sa petite sœur se noierait si le soldat décidait d'attendre leur retour. Il n'y a rien à faire. Aucun moyen de s'échapper. Devant cette certitude absolue, son ventre se noue.

Lentement, Hana retire sa main de la bouche de sa sœur et jette un dernier regard à son visage apeuré avant de se lever. Le soldat a les yeux plissés, et Hana sent ce regard la transpercer tandis qu'il se promène sur son corps.

« Pas une jeune fille, mais une vraie femme », constate-t-il en laissant échapper un rire grave et rocailleux.

Il porte un uniforme beige et des bottes militaires, ainsi qu'une casquette qui ombrage son visage. Ses yeux sont aussi noirs que l'éperon rocheux. Hana ne s'est pas encore remise de sa course jusqu'au rivage, et chaque fois que sa poitrine se soulève pour respirer, l'homme la regarde. Le coton blanc de sa tunique de plongée est trop fin. Hana s'empresse de ramener ses cheveux sur ses seins. L'eau de son short en coton ruisselle sur ses jambes chancelantes.

« Qu'est-ce que tu cherches à me cacher ? demande-t-il en essayant de jeter un coup d'œil en contrebas.

— Rien », répond aussitôt Hana. Elle s'écarte de sa sœur, espérant que le soldat la suive du regard. « C'est simplement que… que j'ai pêché un filet supplémentaire. Je ne voulais pas que vous pensiez qu'il n'appartenait à personne. Il est à moi, vous voyez. »

Sur ces mots, Hana hisse l'un des seaux sur les rochers, éloignant le soldat du recoin où sa sœur est cachée.

Son attention reste focalisée sur Hana. Puis il finit par lever les yeux vers la mer avant de scruter la plage.

« Qu'est-ce que tu fais encore là ? Toutes les plongeuses sont parties au marché.

— Mon amie est malade, alors je suis allée pêcher à sa place pour qu'elle ait de quoi manger. »

Ce n'est qu'un demi-mensonge, facile à raconter.

Le soldat continue à regarder autour de lui, comme s'il cherchait des témoins. Hana guette la bouée de sa mère, mais ne la voit pas. Celle-ci n'a pas encore aperçu le soldat ni même remarqué l'absence d'Hana qui commence à s'inquiéter pour elle, à se demander si elle n'aurait pas rencontré un problème sous l'eau. Trop de pensées inondent son esprit. De nouveau, le soldat se met à inspecter le bord des rochers, comme s'il sentait la présence de sa sœur à ses pieds. Hana est obligée de trouver quelque chose.

« Je veux bien vous les vendre, si vous avez faim, dit-elle. Vous pourrez en rapporter à vos amis. »

Mais il ne semble pas convaincu, alors Hana tente de pousser le seau plus près. De l'eau de mer déborde et, d'un geste rapide, le soldat l'évite de crainte de tremper ses bottes.

« Je vous demande pardon, dit-elle aussitôt en stabilisant le seau.

— Où sont tes parents ? » demande-t-il tout à coup.

Cette question la prend de court. Hana se tourne vers l'horizon et aperçoit sa mère plonger sous une vague. Le bateau de son père est quant à lui au large. Elle et sa sœur sont seules avec ce soldat. Mais lorsqu'elle se retourne vers lui, deux autres hommes approchent. Ils se dirigent vers elle.

Les mots de sa mère résonnent dans sa tête : *Et plus important que tout, ne te fais jamais prendre toute seule avec l'un d'entre eux*. Rien de ce que dira Hana ne pourra la sauver désormais. Elle n'a aucun pouvoir, aucune marge de manœuvre face aux soldats impériaux. Ils pourront faire d'elle ce qu'ils voudront, et Hana le sait, mais elle n'est pas la seule en danger. Elle se force à détacher son regard du roulement des vagues qui lui disent de plonger, de fuir.

« Ils sont morts. »

Ces mots semblent vrais, même à ses propres oreilles. Si elle est orpheline, les soldats n'auront personne à faire taire après l'avoir enlevée. Sa famille restera en sécurité.

« Une malheureuse sirène, déplore le soldat, puis il sourit. Il faut croire que les trésors du fond des mers existent vraiment.

— Qu'avez-vous trouvé, caporal Morimoto ? » demande l'un des soldats qui approchent.

Morimoto ne prend pas la peine de se retourner. Son regard reste fixé sur Hana. Les deux hommes l'encerclent, un de chaque côté. Morimoto leur adresse un geste bref de la tête, avant de faire demi-tour et de repartir sur le sable par le même chemin qu'à son arrivée. Les soldats attrapent Hana par les bras et lui emboîtent le pas.

Hana ne crie pas. Si sa sœur tentait de l'aider, les soldats l'enlèveraient également. Hana refuse de rompre sa promesse. Elle se laisse ainsi emmener sans mot dire, même si ses jambes protestent en silence en refusant de la porter. Ses jambes pendent inutilement comme deux bûches attachées à son corps, l'entraînant vers le sol, mais les soldats ne s'en soucient guère. Ils l'agrippent plus fort et la traînent sur le sable, laissant derrière eux les fins sillons creusés par ses doigts de pied.

Emi

Île de Jeju, décembre 2011

Un mince filet de lumière orange illumine le ciel gris de décembre au-dessus des eaux sombres de la mer du Sud. Les premières heures froides du jour sont les pires pour les genoux d'Emi. Sa jambe gauche est lourde et traîne derrière elle tandis qu'elle descend à petits pas jusqu'à la côte. Les autres femmes sont déjà là, en train d'enfiler leur combinaison et leur masque. Seules quelques-unes des plongeuses habituelles se tiennent au bord de l'eau en grelottant, plus ou moins équipées. C'est à cause de ce matin gris qu'un si petit nombre est venu, pense Emi. Dans sa jeunesse, elle aussi aurait hésité à quitter son lit chaud pour aller plonger dans les eaux glacées, mais, au fil des années, elle s'était endurcie.

Emi n'a parcouru que la moitié de la plage de galets qu'elle entend déjà JinHee raconter ses histoires. JinHee est une de ses plongeuses préférées. Elle et Emi ont grandi ensemble. Leur amitié a résisté à presque sept décennies et deux guerres. Les bras de JinHee tournent frénétiquement comme les ailes cassées d'un moulin, et Emi tend l'oreille, à l'affût du silence qui précède toujours les éclats de rire de l'auditoire. Une bourrasque soulève la bâche bleue d'un vieux bateau de pêche dont la peinture blanche écaillée tombe en copeaux. Une cascade de rires est charriée par le vent, puis le bateau disparaît de nouveau sous sa bâche. Les voix éraillées de ses amies sont un plaisir pour les oreilles d'Emi. JinHee l'aperçoit qui s'approche, aussi lente qu'une tortue, et lève une main pour la saluer, en amie fidèle. Les autres femmes se retournent et lui souhaitent à leur tour la bienvenue.

« On t'attendait, lui crie JinHee. Le réveil a été difficile, ce matin ? »

Emi ne veut pas gaspiller son énergie à répondre, concentrée sur les pierres saillantes pour ne pas glisser sur les galets. Son boitillement semble moins flagrant maintenant que ses genoux sont désengourdis. Sa jambe gauche parvient presque à se coordonner avec sa jambe droite. Les autres plongeuses attendent de la voir arriver à leur hauteur pour s'engager dans l'eau. Emi a déjà revêtu sa combinaison. Habiter à quelques pas de la plage, même si ce n'est que dans une petite cabane, comporte quand même ses avantages. Ses enfants sont maintenant grands et vivent à Séoul ; Emi a seulement besoin d'un espace pour dormir et préparer ses repas. Une simple cabane suffit amplement. Lorsque Emi arrive, JinHee lui tend un masque.

« Qu'est-ce que c'est que ça ? demande-t-elle. J'ai le mien. »

Elle le sort de sa boîte isotherme et le montre à JinHee.

« Ce vieux machin ? Mais il est tout fissuré, et l'élastique s'est déjà cassé cent fois. » JinHee lâche un crachat sur le sable. « Celui-ci est neuf. Mon fils m'en a rapporté deux de Daejeon », dit-elle en tapotant sur le hublot d'un masque identique déjà placé sur son visage.

Emi examine une nouvelle fois le masque, rouge vif, avec un logo TEMPERED imprimé sur le hublot. C'est un joli masque, et Emi sent tout à coup une immense fatigue s'abattre sur elle à la vue du sien. La sangle en caoutchouc est rafistolée à trois endroits et, sur la gauche du hublot, une fissure l'empêche de voir correctement sous l'eau. Il n'y a pas encore de fuite, mais ce n'est qu'une question de temps.

« Allez, mets-le, tu verras », l'encourage JinHee.

Emi hésite. Ses doigts se promènent sur la surface brillante du masque. En mer, les autres femmes ont déjà commencé à placer leurs bouées pour marquer leur zone. Leurs têtes qui dépassent de l'eau flottent au même rythme que les bouées orange puis disparaissent les unes après les autres dans les vagues calmes du matin. Emi les regarde pendant quelques instants avant de rendre son masque à son amie.

« Je l'ai apporté pour toi, dit JinHee en refusant de le prendre. Je n'en veux pas. Je n'en ai pas besoin de deux. »

Sans cesser de rouspéter, JinHee s'en va vers la mer en se dandinant comme une cane, tandis que ses palmes claquent à chaque pas sur le sable. Emi sait déjà qu'il n'y a rien à faire. JinHee est la pire tête de mule que le monde ait jamais connue. Emi baisse les yeux vers les deux masques puis les brandit devant elle, côte à côte. Son masque noir semble bien vieux à côté du rouge, mais inutile d'accepter le cadeau de JinHee. Emi sait déjà qu'il ne servirait que très peu.

« Ton masque est fissuré, et tu sais à quel point tu plonges profond. Un de ces jours, il finira par se casser et tu te retrouveras aveugle ! » crie JinHee par-dessus son épaule avant de s'engouffrer sous l'eau et de nager jusqu'à sa zone favorite.

Emi dépose le masque rouge dans la boîte isotherme de JinHee et se baisse pour chausser ses palmes. Puis elle entre dans la mer à la suite de sa vieille amie. Une onde de froid lui parcourt les os.

« C'était quoi, cette nuit ? » demande JinHee.

JinHee parvient toujours à deviner quand Emi a fait un cauchemar. Peut-être le voit-elle sur son visage ou a-t-elle remarqué de nouveaux fils d'argent apparus dans ses cheveux pendant la nuit. Quoi qu'il en soit, JinHee demande chaque fois à savoir quel démon a englouti la fille sans visage.

Ce matin-là, Emi n'a pas envie de se remémorer la créature qui l'a terrifiée, mais elle sait que son amie ne la laissera pas tranquille. Alors, les yeux rivés sur les flots calmes, elle accepte de se souvenir.

Il y a la voix qu'elle n'entend que dans ses rêves, la voix d'une fille, familière, mais en même temps si étrange qu'Emi ne la reconnaît pas. Cette fille l'appelle ; sa voix flotte vers elle par vagues comme à travers un millier d'océans vides.

Emi aimerait lui répondre mais, comme souvent dans les rêves, elle est incapable de parler. Depuis la falaise où elle se trouve, elle ne peut qu'écouter ses cris portés par les tourbillons du vent. Ses doigts de pied se crispent sur les rochers tranchants comme des lames de rasoir tandis qu'elle s'efforce de distinguer cette minuscule silhouette à travers ses cheveux fouettés par le vent.

Un petit bateau vogue sur la mer agitée, il vogue vers la falaise où se trouve Emi. Une jeune fille est assise à l'intérieur et crie son nom. Son visage n'est qu'un point blanc au milieu des eaux sombres. Emi pousse un cri silencieux lorsque la fille bascule par-dessus bord, avalée par une gigantesque baleine bleue qui parfois est un poulpe gris et parfois encore un requin terrifiant, mais c'était une baleine la nuit dernière, une baleine bleue comme le ciel de minuit avec des dents de monstre acérées. À son réveil, Emi avait les mains autour de la gorge et transpirait, les lèvres sèches. Peu à peu, le rêve s'était estompé, ne lui laissant en tête que l'image d'une fille perdue lors d'une guerre, il y a bien longtemps.

« Le poulpe, je crois », répond Emi à JinHee, sans vraiment savoir pourquoi elle ment. Peut-être est-il plus facile d'entendre son amie râler à propos d'un cauchemar inventé que d'un vrai. « Oui, c'était le poulpe. »

Elle hoche la tête d'un air déterminé, comme pour mettre un terme à la conversation, mais il en faut plus pour décourager JinHee.

« Et cette fois, il était encore gris ? ou blanc ? demande-t-elle avant de donner un petit coup de coude à Emi. Allez, j'essaie de t'aider.

— Qu'est-ce que ça peut faire ? répond Emi en dégageant une mèche de ses yeux. Blanc ou gris, il la dévore quand même.

— Le gris est la couleur de ce qui est malade et le blanc est la couleur de ce qui n'est pas naturel, des fantômes. Un poulpe est rouge normalement, rouge-marron ou parfois orange vif. La créature qui te hante est peut-être un spectre, un fantôme du passé. »

Emi siffle entre ses dents. JinHee a toujours eu de l'imagination, mais elle bat des records ce matin. Emi s'enfonce un peu plus dans l'eau, progressant avec la même lenteur que sur terre, mais une fois les vagues à la hauteur de ses épaules, elle plonge et se transforme instantanément. Elle est un poisson, qui ne fait qu'un avec la mer, en apesanteur, majestueux. Le silence soudain la soulage tandis qu'elle s'enfonce vers les fonds qui renferment ses futures prises du jour.

Plonger est un don. C'est ce que lui avait dit sa mère lorsque son tour était venu d'apprendre le métier. À l'âge de soixante-dix-sept ans, Emi pense enfin avoir compris ce que cette phrase signifiait. Son corps n'a pas bien vieilli et la fait souffrir par ces matins froids d'hiver, se rebelle sous la chaleur de l'été, menace chaque jour de lâcher. Mais Emi sait qu'il lui faut endurer la douleur jusqu'au moment d'entrer dans l'eau, car elle est alors libérée des chaînes de la vieillesse. Flotter apaise son corps endolori. Retenir sa respiration pendant parfois deux minutes entières pour chercher les trésors de la mer est une forme de méditation.

Il fait noir à une trentaine de mètres sous l'eau. Emi a l'impression de tomber au fond d'un ventre profond. Dans ses oreilles résonnent seulement les palpitations de son cœur qui, doucement, régulièrement, ralentissent. Quelques rayons de lumière percent l'obscurité et ses yeux expérimentés s'acclimatent rapidement à cette brume d'ombre. Emi plonge tête la première, le corps en extension, à la recherche de son récif habituel, son terrain de chasse. Son esprit se détend à la simple idée de ce qu'elle trouvera une fois au fond. Les secondes s'écoulent lentement, quand soudain une voix interrompt sa solitude.

Dors maintenant, lui demande la voix, calme et sereine, comme une main qui lui caresse doucement le visage. *Abandonne cette vie*. Emi s'arrête de descendre pour ne pas percuter les fonds rocheux. Ses années d'expérience lui sont d'une aide précieuse. Elle repousse la voix de ses pensées et s'oblige à rester concentrée.

Après avoir fouillé un massif d'algues ondulant, Emi observe un poulpe rouge prêt à bondir sur un crabe bleu. Sentant le danger, le crabe s'enfuit en marchant de côté, mais le poulpe est malin. Il se cache dans une brèche. Le crabe s'arrête, se remet à chercher de la nourriture. Deux des tentacules du poulpe glissent alors sur le sable et s'étirent jusqu'à ce que son corps en forme de bulbe émerge, entouré par ses autres tentacules. Tout se passe dans un flou aquatique. Le poulpe attrape le crabe et disparaît aussitôt dans sa brèche. Au fil des années, Emi a assisté à ce genre de scène un nombre incalculable de fois. Ce poulpe à la peau couverte de cicatrices est un peu comme elle. L'un de ses tentacules semble plus court que les autres – sans doute la séquelle d'un face-à-face avec un prédateur. Mais, contrairement à la jambe handicapée d'Emi, le tentacule guérira de lui-même, et tout redeviendra comme si rien ne s'était jamais passé.

Il y a près de la brèche un nid d'oursins de mer. Emi les décroche du fond. Sentant sa présence, le poulpe crache un jet d'encre qui enveloppe la brèche d'un nuage noir. L'espace d'un instant, Emi frôle sa chair spongieuse. Elle rabat aussitôt sa main contre sa poitrine et se propulse vers la surface sans quitter du regard le poulpe qui s'enfuit et disparaît dans l'horizon brumeux.

Elle est en train de reprendre sa respiration quand ChoSun lui lance sur un ton de reproche :

« La prochaine fois, sers-toi de ton couteau ! M. Lee te donnerait un bon prix pour ce poulpe, mais tu lui laisses toujours la vie sauve. Quel gâchis ! »

Les femmes veillent toujours les unes sur les autres lorsqu'elles plongent. Garder un œil sur sa voisine est une habitude, une précaution si l'une d'elles venait à rencontrer des ennuis. Le *mulsum*, ou « respiration sous l'eau », est synonyme de mort pour les haenyeo. Cette année, déjà deux pêcheuses ont péri. Mais Emi, elle, n'apprécie guère que les autres femmes la surveillent de si près. Jamais il ne lui viendrait à l'esprit de rester plus longtemps qu'elle ne le peut. Peut-être que ChoSun attend de pouvoir prendre la place d'Emi, et ainsi de s'emparer de son territoire pour, enfin, avoir une chance de tuer ce vieux poulpe.

« Fiche-lui la paix », lui lance sèchement JinHee.

ChoSun hausse les épaules et s'élance sous l'eau avec grâce, sans aucune éclaboussure ou presque, tel un lion de mer.

« Elle est seulement jalouse que tu puisses tenir sous l'eau plus longtemps qu'elle, dit JinHee en expulsant de l'eau par les narines.

— Mais tu es d'accord avec elle, répond Emi.

— Pas du tout », fait JinHee en levant le nez vers le ciel.

Elle ajuste son filet vert et ses coquilles de fruits de mer s'entrechoquent bruyamment.

« Ça ne fait rien, tu sais, lui dit Emi. Je me rends bien compte que c'est un peu bête. Mais je n'ai pas envie de capturer ce poulpe. Il est comme un vieil ami pour moi.

— Un vieil ami, c'est ça ! »

JinHee crache de l'eau en riant. Puis elle éclabousse Emi et secoue la tête avant de repartir avec elle explorer les fonds.

Son filet est rempli au quart lorsque Emi refait surface pour permettre à ses poumons de se reposer un peu. Sa poitrine est serrée aujourd'hui, et elle ne nage pas aussi bien que d'ordinaire. Son esprit est brumeux.

« Tout va bien ? » lui demande JinHee, remontée à côté d'elle.

Emi balaye le ciel des yeux et se tourne vers le soleil levant. Son regard s'attarde sur l'horizon. Dans peu de temps, le soleil sera haut dans le ciel, la mer se réveillera et les pêcheurs envahiront les eaux avec leurs bateaux à moteur et leurs filets. La voix dans sa tête s'est tue. Il ne reste plus que le clapotis des vagues contre sa bouée, les échos haut perchés du *sumbisori* que ses amies émettent en expulsant l'air resté dans leurs poumons chaque fois qu'elles remontent, et les cris des mouettes qui tournoient dans le ciel du matin. Emi se retourne et croise le regard de JinHee.

« Tu t'arrêtes déjà ? lui demande JinHee.

— Oui, il est temps. Pourras-tu emporter ma prise au marché ?

— Bien sûr. Bonne chance à toi », répond JinHee en esquissant un au revoir de la main.

Emi hoche la tête et s'en va en nageant vers la plage. Elle glisse dans l'eau, savourant le don que sa mère lui a transmis. Mille ans semblent s'être écoulés depuis ses premières leçons de plongée, mais il est trop douloureux de se remémorer le passé, alors Emi chasse ces souvenirs. Une fois sur la plage, elle entame la pénible remontée jusqu'à sa cabane. Sur la terre ferme, sa chair pend lourdement sur ses os frêles. Emi trébuche sur une pierre et s'arrête le temps de retrouver l'équilibre.

Un léger voile nuageux est en train d'arriver. De nouveau, tout devient gris. Emi a soudain l'impression d'avoir pris dix ans d'un coup. Chaque pas en avant doit être suivi d'une courte pause à cause de sa jambe, toujours plus lente que l'autre. Sa traversée de la plage lui rappelle celle du crabe bleu au fond de la mer. Un pied après l'autre, elle trouve son équilibre sur les galets, lentement, avec précaution, car elle sait que tout peut basculer en un clin d'œil. Mais, contrairement au crabe, le vieux poulpe ne l'aura pas aujourd'hui. Car Emi doit se rendre quelque part, même si le temps n'est pas son allié.

Hana

Île de Jeju, été 1943

Les soldats japonais font monter Hana de force à l'arrière d'un camion avec quatre autres filles. Plusieurs d'entre elles ont des marques sur le visage. Sans doute ont-elles résisté. Aucune ne parle pendant le trajet, à cause du choc et de la peur. Hana jette des coups d'œil à leur visage en se demandant si elle les connaît, les a déjà croisées au marché. Deux des filles semblent un peu plus âgées qu'elle et une beaucoup plus, tandis que la dernière est de loin la plus jeune. Elle lui rappelle sa petite sœur, et Hana se raccroche à cette pensée. Cette fille s'est retrouvée dans ce camion car elle n'a pas eu de grande sœur pour la protéger. Hana essaie de lui envoyer des pensées positives, mais les larmes continuent de rouler sur les joues de la fillette. Hana ne songe même pas à pleurer. Il est hors de question de montrer sa peur aux soldats.

Le camion arrive devant le poste de police au moment où le soleil disparaît derrière le toit. En le découvrant, le regard de plusieurs filles s'éclaire. Les yeux plissés, Hana considère le petit bâtiment. Il n'y a rien là-dedans qui pourra les sauver.

Quatre ans plus tôt, son oncle avait été envoyé se battre en Chine au nom de l'Empire japonais. Il avait reçu l'ordre de venir se présenter à ce commissariat. Rares étaient les Coréens à occuper des fonctions officielles, et ceux-là étaient pour la plupart des sympathisants qui avaient prêté allégeance au gouvernement japonais, qui avaient trahi leurs concitoyens. Son oncle avait été enrôlé de force et s'était battu pour un pays qu'il méprisait.

« S'ils ne nous tuent pas en nous affamant, ils le feront en nous envoyant sur les champs de bataille. Ils l'envoient à la mort. Tu m'entends ? Ils vont assassiner mon petit frère, avait crié sa mère à son père lorsqu'elle avait appris qu'il devait partir se battre en Chine.

— Ne vous inquiétez pas, avait répondu l'oncle en ébouriffant les cheveux d'Hana. Je sais faire attention à moi. »

Puis il avait pincé la joue de sa petite sœur et souri. Sa mère secouait la tête ; toute sa colère lui remontait dans les épaules comme la vapeur dans une bouilloire.

« Tu ne sais pas faire attention à toi. Tu n'es même pas encore un homme. Tu n'es pas marié. Tu n'as pas d'enfant. Ils nous exterminent avec cette guerre. Il ne va plus rester aucun Coréen dans ce pays.

— Ça suffit. »

Son père avait parlé si bas que tout le monde s'était tu. Son regard était braqué sur Hana et sa sœur. Sa mère s'était tournée vers lui, sur ses gardes, comme pour lui assener une nouvelle salve de mots, mais elle avait fini par suivre son regard. Et tout d'un coup, son visage s'était tordu et elle s'était laissée glisser par terre, recroquevillée sur elle-même, en se balançant d'avant en arrière.

Hana n'avait jamais vu sa mère se comporter ainsi, elle qui était toujours si forte et si sûre d'elle. Hana l'aurait même décrite comme *dure*, dure comme un roc que les vagues les plus féroces ne peuvent briser, mais en même temps lisse et douce au toucher. Mais ce jour-là, sa mère était redevenue aussi vulnérable qu'une petite fille. Alarmée, Hana avait attrapé la main de sa sœur.

Son père s'était agenouillé à côté de sa mère et l'avait serrée dans ses bras. Puis, tous les deux, ils s'étaient balancés jusqu'à ce qu'elle se tourne vers lui et prononce des mots qu'Hana n'oublierait jamais : « Une fois qu'ils l'auront emmené, qui sera le prochain ? »

Son oncle était parti pour le poste de police d'un pas confiant, emportant dans un sac en bandoulière les vêtements de rechange et la nourriture que sa mère avait soigneusement empaquetés pour lui. Il était parti à la guerre avec un visage courageux, et puis il était mort en première ligne, six mois plus tard.

Hana rappelle à sa mémoire son jeune visage. Son oncle avait dix-neuf ans lorsqu'il avait été tué. Il semblait pourtant si âgé aux yeux de la fillette de douze ans qu'elle était. Hana le voyait comme un adulte, simplement à cause de sa grande taille et de sa voix grave. Elle comprend à présent qu'il était trop jeune pour mourir. Sans doute était-il terrifié, comme elle à présent – une peur tangible qui résonne dans tous ses membres comme des décharges électriques. Peur d'un avenir inconnu. Peur de ne jamais revoir ses parents.

Peur que sa sœur se retrouve seule en mer, abandonnée. Peur de mourir sur un territoire étranger. L'armée avait renvoyé le sabre de son oncle, un sabre japonais que son père avait jeté à l'eau.

Assise dans le camion devant ce même poste de police, Hana comprend pourquoi le départ de son oncle avait à ce point bouleversé sa mère. Elle s'empêche de l'imaginer en train de se balancer, recroquevillée par terre, maintenant qu'elle-même est sur le point de servir dans cette guerre.

« Descendez », ordonne un soldat en abaissant le hayon.

Les filles le suivent en file indienne jusqu'au poste de police. Hana fait en sorte de n'être ni la première ni la dernière. Comme dans un banc de poissons, elle espère que les places du milieu soient les plus à l'abri des prédateurs. Tout est calme à l'intérieur du poste. Hana n'arrête pas de grelotter. Ses cheveux sont encore humides et ses vêtements de plongée la couvrent à peine. Les bras croisés sur la poitrine, elle s'empêche de claquer des dents. Faire le moins de bruit possible, tel est l'objectif, afin de devenir invisible.

Au bureau d'accueil, un officier évalue les filles du regard et adresse un signe de tête au soldat qui les escorte. C'est un Coréen, un sympathisant, un traître. Aucune aide n'est à attendre de lui. Les dernières lueurs d'espoir s'éteignent dans les yeux des filles, et tous les regards se baissent vers le sol couvert de traces de cire encore fraîches. L'officier demande aux filles d'écrire leurs nom et prénom dans un grand registre, ainsi que leur âge et le métier de leurs parents. Sur la plage, Hana a déjà menti en racontant à Morimoto que ses parents étaient morts. Elle hésite, ignorant si son histoire pourra tenir plus longtemps.

L'officier en face d'elle ne sait probablement pas qui elle est, mais il doit connaître ses parents, ou au moins leur nom japonais, Hamasaki. Le nom coréen de sa mère est Kim, et son père Jang ; les fcmmes mariées gardent toujours leur nom de jeune fille. Pour se faire bien voir de l'officier, les deux filles devant elle, comme deux sujets zélés, inscrivent dans le registre leur nom donné par les Japonais. Hana doute que ce genre d'attitude soit utile désormais. Elle décide de combiner les deux noms de ses parents et inscrit *Kim, JangHa*, tout en priant pour que ce faux nom empêche l'armée de découvrir que ses parents sont toujours en vie et que les soldats ne retournent chercher sa sœur. Peut-être aussi que ses parents liront ce registre et comprendront en le voyant qu'Hana est passée par là. Cette dernière pensée lui redonne du courage.

Une fois le registre complété, les filles sont emmenées dans un petit bureau. Les murs d'un beige crasseux sont couverts d'affiches de propagande vantant les avantages donnés à ceux qui participent à l'effort de guerre japonais. D'autres affiches du même genre sont placardées dans le marché où les haenyeo et les pêcheurs vendent leurs prises du jour aux villageois et aux soldats japonais. On y voit des dessins de gens souriants, avec de grands yeux à la japonaise. Hana n'a jamais aimé ces images. Elles lui rappellent l'expression fausse que tous les marchands arborent dès qu'un soldat approche de leur étalage.

De tous les adultes qu'elle connaît, son père est le seul à être incapable de jouer la comédie. La colère demeurée en lui suite à la mort injuste de son beau-frère continuait d'irradier son visage résolu et impassible. Tous les soldats qui s'approchaient de leur étalage pour triturer les coquillages du bout de leur fusil perdaient pied en rencontrant ce visage. Leurs mains se mettaient alors à trembler et ils passaient leur chemin sans un mot, désarçonnés.

À plusieurs reprises, Hana a assisté à cette scène et s'est chaque fois demandé ce que les soldats japonais voyaient dans les yeux de son père. Était-ce de la souffrance, ou quelque chose de plus sinistre encore ? Voyaient-ils leur propre mort, annoncée dans leur reflet ? Quoi qu'il en soit, Hana se réjouissait toujours de voir les soldats tourner les talons, comme sous l'effet d'un sort.

Dans la file, derrière les autres filles, au milieu des affiches exhibant ces fidèles sujets aux visages faux, Hana s'efforce de ne rien cacher de sa colère pour que chaque soldat qui posera les yeux sur elle déguerpisse en voyant les flammes qui brûlent dans ses yeux. Peut-être qu'elle aussi possède les pouvoirs magiques de son père. Cette simple idée ranime en elle un mince espoir.

« Mettez ça, dépêchez-vous », leur crie un soldat.

Il distribue à chacune d'elles une robe beige, une paire de collants, une culotte blanche et un soutien-gorge en coton. Les robes ne sont pas toutes coupées de la même manière, mais sont taillées dans le même tissu.

« C'est pour quoi faire ? chuchote l'une des filles en prenant garde de parler japonais en présence des soldats.

— Ça doit être un uniforme, répond une autre.

— Où est-ce qu'ils nous emmènent ? fait la voix terrifiée de celle qui, d'après Hana, ne doit pas être beaucoup plus âgée que sa sœur.

— C'est pour le Service patriotique de guerre pour les femmes. Mon professeur nous a dit qu'ils recrutaient des volontaires », répond la voisine d'Hana.

Elle parle d'un ton assuré, mais elle tremble de peur.

« Des volontaires pour quoi ? » demande finalement Hana.

Sa gorge est sèche et sa voix éraillée.

« Interdiction de parler, leur crie soudain un soldat en tambourinant à la porte. Encore deux minutes. »

Les filles se dépêchent de se changer puis attendent côte à côte dans le fond de la salle. Lorsque la porte s'ouvre, tout le monde recule d'un pas. Morimoto s'avance et considère Hana de haut en bas avant de passer à l'inspection visuelle des autres. C'est lui qui l'a amenée. Lui qui s'apprête à l'envoyer là-bas. Hana mémorise son visage afin de savoir sur qui rejeter la faute quand elle rentrera.

« Bien. Très bien. Maintenant, sortez et allez trouver des chaussures à votre taille. Ensuite, remontez dans le camion. » Morimoto les fait sortir de la salle, mais attrape Hana par le bras avant qu'elle ne passe la porte. « Tu as l'air bien plus vieille dans ces vêtements. Quel âge as-tu ?

— Seize ans », répond-elle en essayant de se dégager, mais il enfonce ses doigts dans sa chair.

Ses genoux manquent de se dérober tant la douleur est forte, toutefois elle se retient de crier.

Morimoto semble soupeser cette réponse tandis qu'il la regarde lutter pour contenir sa douleur. Hana baisse la tête, mais Morimoto l'attrape par le menton pour l'obliger à le regarder dans les yeux. Il s'abreuve d'elle comme si sa soif ne pouvait pas être étanchée.

« Celle-ci fera le trajet à côté de moi. »

Puis il la relâche.

Un soldat posté devant la porte du bureau d'accueil le salue avant d'emmener Hana chercher une paire de chaussures informes. Un vieil homme est appuyé contre l'un des murs du poste de police, mais lorsque Hana le dépasse, ce dernier se retourne pour ne pas être vu. Cette lâcheté la révolte, mais Hana lui pardonne car cet homme agit sous le coup de la peur. Comme tout le monde. Non seulement les soldats peuvent écraser la tête d'un Coréen sous le talon de leur botte, mais si la famille demande ensuite réparation, elle court le risque de voir sa maison brûlée ou de disparaître, purement et simplement, pour ne plus jamais être revue.

Dehors, un vent froid les surprend. À croire que les dieux ont confondu les saisons et décidé, en ce soir d'été, de faire souffler cette brise soudaine pour les accompagner. Les bruits du moteur noient les sanglots des filles qui comprennent qu'on les emmène loin de chez elles. Hana ne veut pas s'éloigner d'elles ; rester dans le groupe semble plus sûr. Lorsqu'un soldat la pousse vers l'avant du véhicule, elle résiste et tente de se placer derrière la dernière fille pour monter avec les autres.

« Hé, pas toi, lui lance le soldat en montrant la portière du passager. Tu vas là. »

Les regards des autres s'arrêtent sur Hana. Sur leur visage se lit un mélange de désespoir et de peur. En ouvrant la portière, Hana croit aussi entrevoir une expression de soulagement dans les yeux de certaines, soulagement de ne pas être à sa place.

Hana grimpe à côté du conducteur. Il ne fait pas plus chaud à l'intérieur du camion. Il jette un coup d'œil vers elle puis se retourne face à la route tandis que Morimoto se glisse à côté d'elle. Il sent le tabac et l'alcool.

Le petit groupe roule en silence dans la nuit. Hana a trop peur pour regarder les soldats qui l'entourent. Elle reste assise, aussi immobile qu'une pierre, tâchant de se faire remarquer le moins possible. Personne ne parle d'un côté comme de l'autre. Tous les soldats ont le regard rivé sur le pare-brise. À mesure que le bord de mer s'éloigne, le mont Hallasan se profile dans l'obscurité puis disparaît quand le camion atteint l'autre côté de l'île. Le chauffeur abaisse sa vitre et allume une cigarette. L'odeur de l'océan s'engouffre à l'intérieur. Hana s'enivre de ces arômes réconfortants tandis que le camion longe les routes sinueuses qui mènent à la côte et le canal qui relie Jeju à la pointe sud de la Corée, sur le continent. Prise d'une nausée soudaine, elle se tient le ventre pour l'obliger à se calmer.

À l'horizon, le long de la côte rocheuse, elle a repéré un ferry amarré dans le port. Les vrombissements du moteur résonnent sur la route vide, mais le silence de Morimoto s'infiltre partout, même dans cette cabine bruyante. La puissance de son rang émane de lui.

Le chauffeur les dépose près des quais et salue Morimoto avant de poursuivre sa route. De nouveaux soldats tenant à la main des porte-blocs les conduisent jusqu'à un enclos à bétail de fortune où sont parquées d'autres filles. Les mouettes crient dans le ciel, ignorant tout de ce qui se joue en dessous d'elles. Comme Hana aimerait que des ailes lui poussent pour s'envoler avec elles. Puis un soldat se met à crier des ordres aux filles et jeunes femmes de plus en plus nombreuses dans l'enclos, et toutes sont conduites en direction du ferry. Personne ne dit mot.

Hana garde les yeux braqués sur ses pieds en montant les marches qui mènent à la passerelle. Chaque pas l'éloigne un peu plus de chez elle. Elle qui n'a jamais quitté l'île de sa vie. L'idée d'être emmenée dans un pays étranger la terrifie. Ses pieds se bloquent, impossible de faire un pas de plus. Monter dans ce bateau peut signifier ne plus jamais revoir sa famille.

« Avancez ! » crie un soldat.

La fille derrière elle la pousse. Elle n'a pas le choix. Hana se remet en marche tout en prononçant des adieux silencieux. À sa sœur, celle qui lui manquera le plus, mais Hana est heureuse de lui avoir permis d'échapper à ce destin, où qu'il mène. À sa mère, à qui Hana enjoint d'être prudente pendant ses plongées. À son père, à qui elle souhaite bon courage en mer, tout en espérant secrètement qu'il parviendra un jour à la trouver. Elle imagine son petit bateau de pêche lancé à la poursuite du ferry pour la ramener coûte que coûte chez elle. Ce rêve est peut-être vain, mais Hana espère quand même.

De petites cabines sont situées sous le pont du bateau. Hana et les filles du camion sont enfermées dans l'une d'entre elles avec au moins trente autres filles. Toutes sont vêtues du même uniforme et sur leur visage se lit une frayeur identique. Quelques-unes partagent le peu de nourriture qu'elles cachaient dans leur poche. Des soldats qui avaient eu pitié d'elles leur ont donné de quoi subsister pendant la traversée : quelques boules de riz, un morceau de calamar séché, et même une poire. La plupart des filles sont trop bouleversées pour manger, mais ce moment de partage semble quelque peu les réconforter. Hana accepte une boule de riz que lui tend une jeune femme sans doute âgée d'une vingtaine d'années.

« Merci, dit-elle en mordillant les grains durcis.

— D'où est-ce que tu viens ? » lui demande la femme.

Mais Hana ne répond pas ; elle n'est pas encore sûre de savoir à qui elle peut parler. À qui faire confiance.

« Moi, je viens du sud du mont Hallasan. Je ne sais pas pourquoi ils m'ont emmenée ici, poursuit la femme. Je leur ai dit que j'étais mariée. Mon mari… il se bat contre les Chinois. Il faut que je rentre chez moi, car ses lettres m'attendent. Qui va les réceptionner si je ne suis pas là ? Je leur ai dit que j'étais mariée, mais… »

Hana voit son regard suppliant, mais elle ne peut pas l'aider. Cette femme n'a rien compris.

Puis une autre voix s'élève :

« Pourquoi est-ce qu'ils t'ont emmenée si tu es mariée ? Est-ce que ton mari a des dettes ? »

Un petit groupe se forme autour de la femme mariée.

« Non, il n'est pas endetté.

— Ça, c'est ce que tu crois, rétorque une autre femme.

— Elle a dit qu'il n'avait pas de dette. Il est parti à la guerre. »

D'autres opinions fusent et, bientôt, la discussion se transforme en débat. Les plus jeunes restent en retrait, et Hana se joint à elles, trouvant un plus grand réconfort auprès de ces filles silencieuses. Leurs yeux sont écarquillés de peur. Pendant ce temps-là, les femmes et les filles plus âgées remplissent la petite cabine de leur indignation et de leur colère.

« Et elles, d'après toi, que font-elles ici si ce bateau n'est rempli que d'endettées ?

— C'est leurs parents qui ont des dettes, répond quelqu'un.

— Oui, elles ont été vendues, comme nous.

— Ce n'est pas vrai, intervient Hana d'une voix tremblante d'amertume. Ma mère et moi sommes des haenyeo. Les hommes, nous ne leur devons rien. Seule la mer peut nous réclamer des dettes. »

Tout le monde se tait. Quelques femmes sont surprises d'entendre une si jeune fille parler avec un tel aplomb et le lui font remarquer. Les plus jeunes se rapprochent d'Hana comme pour que sa force les imprègne. Hana va s'asseoir contre le mur du fond, les bras croisés sur la poitrine. Quelques filles l'imitent. Le petit groupe reste assis en silence. Hana se demande quel sort pourra bien les attendre une fois sur le continent. Les soldats les enverront-elles au Japon ou dans un coin perdu de la Chine, au cœur des combats ?

Hana rejoue dans sa tête le trajet en camion entre les deux soldats. Alors que le chauffeur avait à peine remarqué sa présence, Morimoto, lui, semblait à l'affût de ses moindres mouvements. Il suffisait qu'Hana bouge sur son siège pour qu'il fasse de même ; qu'elle tousse pour que son bras la frôle. Son corps, et jusqu'à son souffle, était synchronisé sur le sien. Hana avait dû fournir un effort considérable pour ne pas se tourner vers lui et le regarder ; une seule fois, elle n'avait pas pu résister.

Morimoto avait allumé une cigarette, et la chaleur de la flamme lui avait réchauffé la joue. Hana s'était retournée de peur qu'il ne la brûle, et leurs yeux s'étaient croisés. Morimoto attendait de voir si elle le regarderait. Hana l'avait alors fixé, sondant son visage jusqu'à ce que Morimoto lui crache sa fumée dans les yeux. Hana s'était aussitôt retournée en toussant et n'avait plus quitté la route du regard.

Le ferry vogue lentement sur le canal. La mer agitée manque de la rendre malade. Elle s'imagine, plongeant sous la surface des vagues pour rejoindre son village à la nage. Le regard terrifié de sa sœur lui apparaît dans un flash. Hana ferme les yeux. C'est grâce à elle que sa sœur a échappé à ce voyage vers l'inconnu. Au moins, elle est en sécurité.

« Tu crois qu'ils nous emmènent au Japon ? » lui demande l'une des filles.

Hana ouvre les yeux et sent le regard des autres sur elle. En voyant leur visage rempli d'attente, elle se demande pourquoi c'est à elle que l'on s'adresse.

« Je ne sais pas », répond-elle d'un air désolé.

À ces mots, les autres filles semblent se recroqueviller sur elles-mêmes, ballottées par les mouvements du ferry. Hana reste impuissante, incapable de les rassurer. Des histoires du village refont surface dans sa mémoire. Les filles que l'on emmène ne reviennent jamais. Personne n'envoie de sabre accompagné d'une note aux parents endeuillés. Ces filles-là disparaissent. Il n'y a que des rumeurs qui arrivent jusqu'à chez elles, des rumeurs que leurs parents ne pourront jamais partager avec leurs frères et sœurs.

Peu après son intronisation en tant que haenyeo, au marché, Hana avait entendu deux femmes faire des messes basses au sujet d'une fille du village qui avait été retrouvée dans la partie nord de l'île.

« Elle est pleine de microbes et elle est devenue folle à cause des *viols* », disait l'une des femmes.

Hana s'était arrêtée, interpellée. Elle ne savait pas ce que ce mot signifiait. Tendant l'oreille, elle avait espéré que la femme continue à développer.

« Son père a dû la cacher chez eux. C'est une fille sauvage maintenant… comme un animal. »

L'autre femme avait secoué la tête d'un air triste et baissé les yeux.

« Personne ne voudra plus d'elle, même si elle finit par se rétablir. Pauvre fille.

— Oui, pauvre fille, et n'oublions pas son père. Celui-là rejoindra sûrement sa tombe plus vite que prévu, et la honte le suivra jusque-là.

— Quel fardeau pour lui. »

Puis les deux femmes avaient continué de s'apitoyer sur le père de la fille comme si ce dernier était là pour les écouter, pendant qu'Hana se demandait quel genre de mésaventure pouvait bien faire perdre la raison à une fille et faire mourir un père prématurément. Plus tard ce soir-là, elle avait interrogé sa mère.

« Où est-ce que tu as entendu ce mot ? lui avait demandé cette dernière, choquée comme si Hana avait commis une grave offense.

— Il y avait des femmes au marché… Elles parlaient d'une fille qui a été enlevée par des soldats. »

Sa mère avait poussé un soupir et repris son travail de couture sans rien ajouter. Hana était restée assise en silence devant sa mère, qui raccommodait l'un de ses shorts de plongée. Les mouvements rapides de l'aiguille l'hypnotisaient. Chaque chose qu'entreprenait sa mère était réalisée avec la plus grande précision. Plonger, coudre, cuisiner, faire le ménage, bricoler, jardiner – sa mère faisait tout à la perfection.

« En fait, tu ne sais pas non plus ce que ça veut dire, l'avait accusée Hana en haussant les épaules pour la provoquer et l'obliger à répondre.

— Si je te le dis, je ne pourrai plus revenir en arrière. Tu es sûre d'être prête à savoir ? »

Sa mère avait parlé sans lever les yeux de son ouvrage, laissant cette question flotter entre elles comme un gros nuage noir.

Oui, Hana voulait savoir. Hana méritait de savoir. Après tout, elle faisait maintenant partie de la communauté des femmes de la mer et, en tant que telle, elle se trouvait chaque jour exposée aux mêmes dangers qu'elles, tempêtes, requins, noyade. Risquer sa vie faisait d'elle une adulte. Hana avait mûri, aussi bien mentalement que physiquement, tellement qu'elle avait à plusieurs reprises entendu des garçons parler de mariage lorsqu'elle passait devant eux sur la plage.

Il y en avait même un qu'Hana trouvait plus intéressant que les autres. Il était le plus grand de la bande et sa peau était plus foncée, mais il avait aussi les yeux les plus brillants et le sourire le plus radieux. Il avait l'air d'être le plus intelligent, car il ne parlait jamais aussi fort que ses amis. Il préférait passer voir Hana et sa mère sur leur étalage au marché et bavarder avec elles tout en faisant ses provisions. Son père était maître d'école, mais travaillait comme pêcheur depuis que l'enseignement était dispensé par des Japonais. Il avait deux petites sœurs et allait avoir besoin d'une bonne épouse appréciant la compagnie des filles plus jeunes. Hana ignorait son nom, mais savait qu'elle finirait par l'apprendre. Peut-être lorsque son père serait là pour le lui demander – et peut-être alors qu'il lui donnerait la permission de l'épouser.

« Oui, avait répondu Hana à sa mère. Je veux savoir.

— Très bien. Je vais te le dire, dans ce cas, dit sa mère d'une voix vide de toute émotion. Un viol, c'est quand un homme oblige une femme à coucher avec lui. »

Hana s'était mise à rougir pendant que sa mère poursuivait :

« Mais les viols commis par les soldats ne s'arrêtent pas là. La fille enlevée a été obligée de coucher avec beaucoup, beaucoup d'hommes.

— Pourquoi font-ils ça ? avait demandé Hana malgré ses joues en feu.

— Les Japonais croient que violer des femmes les rend plus forts avant de partir au combat ; les aide à gagner la guerre. Ils se croient autorisés à libérer leur énergie et à recevoir du plaisir, même lorsqu'ils se trouvent si loin de chez eux, puisqu'ils risquent leur vie pour l'empereur, au combat. Ils en sont tellement convaincus qu'ils enlèvent nos filles et les envoient aux quatre coins du monde dans ce but-là. Cette fille qui a pu retourner chez elle, celle-là a eu de la chance. »

Elle avait alors levé les yeux vers Hana, dans l'attente d'une réaction, mais voyant qu'elle ne disait rien, sa mère s'était levée et lui avait tendu son short de plongée. Hana avait fixé du regard les points parfaitement réalisés. Elle savait ce que coucher avec un homme voulait dire, ou du moins avait-elle son idée. Elle n'avait jamais vu l'acte en lui-même, mais elle l'avait déjà entendu, la nuit, lorsque ses parents la croyaient endormie. Des murmures indistincts, des éclats de rire de sa mère, des grognements étouffés de son père. Hana ne pouvait imaginer comment il était possible de se retrouver forcée à le faire ni comment plusieurs soldats, tout un tas de soldats, pouvaient en même temps contraindre une femme. Sa mère avait dit que la fille avait de la chance d'être rentrée. Mais Hana ne lui avait pas parlé de ce que les femmes avaient prédit à propos de son père.

*

Les portes s'ouvrent et deux soldats entrent dans la cabine. Ils balayent du regard le groupe puis attrapent une fille, au hasard, semble-t-il. Un petit cri lui échappe. En réponse, l'un des soldats lui assène un coup. La fille se tait, sous le choc. L'autre soldat continue son passage en revue.

« Il y a une haenyeo parmi vous. Montre-toi et suis-nous, lance-t-il. Le caporal Morimoto te demande. »

Maintenant que l'homme a parlé, Hana reconnaît le chauffeur du camion, mais elle ne bouge pas d'un pouce.

« Allez, on se dépêche, tu as été convoquée. »

L'air est lourd. Les regards des autres filles se tournent vers elle, vont la trahir. Craignant de se faire remarquer au moindre geste, Hana s'efforce de rester immobile – même si de petits frissons font trembler son corps tout entier. À coup sûr, le soldat va finir par la repérer.

« Il n'y a aucune haenyeo ici. Vous avez dû vous tromper de cabine », fait alors une petite voix.

Un murmure parcourt le groupe, mais au même moment le regard du chauffeur se tourne dans la direction d'Hana.

« Non, toi, toi là-bas, viens par ici. Je me souviens de toi. C'est toi, la haenyeo. Allez, suis-moi. » Il pose une main sur le pistolet accroché à sa ceinture. « Tu m'as déjà fait perdre assez de temps. »

Il n'y a pas d'autre choix que d'obéir. Hana se lève et s'avance, sortant du cocon protecteur que formaient les autres filles. Le soldat l'attrape par le poignet et la fait sortir comme une prisonnière en route pour le peloton d'exécution. Les couloirs étroits du ferry tanguent à chaque vague que rencontre le bateau. De sa main libre, Hana se rattrape au mur.

« Entre », ordonne le soldat en poussant une porte métallique.

Hana s'exécute. La porte claque derrière elle. Le bruit du métal résonne tandis que le caporal Morimoto se dresse devant elle. Il ne dit rien, mais son regard suffit à lui seul à faire frémir Hana. Elle recule d'un pas.

« Allonge-toi », dit-il d'un ton ferme.

Il se tourne vers une couchette rivée au mur.

Hana recule jusqu'à la porte. À tâtons, sa main cherche la poignée.

« Il y a deux gardes derrière cette porte », lui dit Morimoto.

Il parle d'un ton calme, comme si la situation n'avait rien d'exceptionnel, comme si tout cela faisait partie de son quotidien. Mais son visage trahit sa soif.

Hana se retourne et regarde par le hublot. Morimoto ne ment pas. Deux gardes sont postés de chaque côté de la porte. Hana ne distingue que leurs épaules. Elle se retourne vers lui.

« Allonge-toi », lui répète-t-il avant de faire un pas de côté pour la laisser passer devant lui.

Hana hésite. Morimoto sort un mouchoir pour essuyer son front en sueur et le range dans la poche de son pantalon d'un air impatient.

« Si tu m'obliges à le répéter, j'inviterai les gardes à se joindre à nous. Ce sera bien plus pénible pour toi. Et puis, je préfère te garder pour moi. »

Son visage reste impassible, mais Hana perçoit quelque chose dans son attitude. On dirait un requin qui évalue sa proie dans les profondeurs obscures en tournant autour d'elle avant de frapper soudain.

Le simple fait d'imaginer deux autres soldats dans cette cabine étriquée l'effraye tellement qu'Hana s'exécute. Morimoto éclate de rire en la voyant se recroqueviller une fois sur la couchette, puis il commence à défaire sa ceinture. Hana ferme les yeux. La bande de cuir glisse lentement dans la boucle. Les poils se dressent sur la nuque d'Hana lorsque Morimoto approche. Elle ferme très fort les yeux pour s'obliger à ne pas regarder. Elle sursaute lorsque sa main la touche. Ses doigts soulèvent ses cheveux tombés sur son visage et caressent sa joue. Hana sent maintenant son souffle. Il est agenouillé près d'elle. Sa main se promène sur son cou, ses épaules, passe sur ses hanches et s'arrête sur son genou. Elle ouvre les yeux.

Morimoto regarde fixement son visage. Son expression est indéchiffrable. Il semble avoir rougi. Hana le fixe en retour, s'attendant au pire. Un sourire s'est dessiné sur les lèvres de Morimoto, mais son regard reste vide. Hana grimace avant même qu'il ne commence à soulever le bas de sa robe.

« S'il vous plaît, non », parvient-elle à murmurer.

Sa voix est si faible qu'elle-même l'entend à peine. Morimoto ne s'arrête pas.

« Ne t'inquiète pas, dit-il. Je t'ai bien observée pendant le voyage en camion. Tu me plais beaucoup, tu sais. »

Hana tente de s'écarter, mais il lui attrape la cuisse et la serre si fort qu'Hana pousse un cri.

« Ne m'oblige pas à t'arracher ta robe ou tu devras terminer le voyage jusqu'en Mandchourie toute nue. C'est ça que tu veux, voyager pendant des jours et des jours dans un train rempli de soldats sans un seul centimètre de tissu pour cacher ton joli corps ? »

Morimoto la regarde d'un air de défi. Hana cesse de se débattre, mais elle tremble toujours. Ainsi donc, Morimoto l'emmène en Mandchourie – au bout du monde, autrement dit, bien plus loin qu'elle ne le pensait.

« Bien. »

Morimoto desserre sa prise et, lentement, soulève sa robe jusqu'à la taille avant de lui enlever ses collants neufs et sa culotte en coton. Il prend le temps de les plier, de les poser proprement au pied de la couchette. Puis il se lève et Hana le regarde baisser son pantalon jusqu'à ses chevilles. Elle ne peut détacher son regard de son sexe en érection.

« Je te fais une faveur, tu sais ; les autres filles comme toi n'ont pas la chance qu'on les traite comme ça. En général, c'est un choc terrible pour elles. Au moins, tu sauras à quoi t'attendre grâce à moi. »

Il grimpe à califourchon sur elle et Hana ferme les yeux. Son souffle sur son visage, son poids sur sa poitrine, dans le noir : Hana ressent tout derrière ses paupières closes. Puis il entre en elle, de force, brisant sa jeunesse en mille morceaux à chaque coup de reins. La douleur est comme un couteau qui se plante chaque fois entre ses doigts de pied, sur cette peau fragile et tendue, mais la différence, c'est qu'il ne frappe pas à cet endroit, non, ce couteau frappe plus près de son cœur et plus près de son esprit.

Morimoto halète sous l'effort, grogne comme un porc. Hana l'imagine sous ces traits, ceux des cochons noirs de Jeju parqués derrière les latrines de sa maison, ces porcs qui se nourrissent d'excréments humains. Hana garde cette image à l'esprit pour ne pas penser à ce qu'il est en train de faire, même si une douleur lancinante la transperce au plus profond. Il grogne de plus en plus fort puis, soudain, se met à frémir en l'empoignant comme sous l'effet d'un choc. Puis il s'écroule sur elle, allongé de tout son poids sur sa poitrine, si lourd qu'Hana, enfoncée dans le matelas trop dur, peine à respirer.

Lorsque Morimoto finit par se relever, Hana se détourne et se recroqueville sur sa douleur, couchée en boule. Elle l'écoute qui se rhabille, écoute le froissement de son pantalon, la ceinture qui glisse dans sa boucle, le léger bruit de ses bottes sur le sol.

« Tu saignes », lui dit-il.

Hana se tourne pour le regarder. Il désigne ses jambes. Hana roule de l'autre côté et aperçoit une petite tache de sang sur le drap. Elle sent des fourmis dans son cou. L'idée qu'elle puisse mourir lui traverse l'esprit. Elle serre étroitement les genoux. Morimoto lui sourit.

« Je n'aurais pas espéré mieux. Tu es une femme maintenant, dit-il d'un air réellement satisfait. Nettoie-moi tout ça. Et puis va rejoindre les autres. »

Il lui jette un mouchoir et quitte la cabine. Le mouchoir flotte un instant en l'air avant d'atterrir sur son ventre comme un pétale soyeux.

Emi

Île de Jeju, décembre 2011

Le taxi est en retard. Au bord de la route, Emi s'assoit sur sa valise en se réchauffant avec une tasse de thé au ginseng. Elle guette sur chaque véhicule qui approche la petite enseigne lumineuse accrochée sur le toit, mais il n'y a que des voitures de particuliers qui se rendent au travail ou emmènent leurs enfants à l'école. Quelques conducteurs lui adressent un salut de la main en passant ; l'un d'entre eux donne même un coup de klaxon qui la fait sursauter. Son thé se renverse sur son pantalon rose. Emi l'essuie avec sa mitaine pendant que la tache se répand, sans ciller malgré la brûlure qu'elle ressent.

Emi ne peut rendre visite à ses enfants qu'une fois par an. Plus jeune, elle y allait deux fois, mais jamais plus. Emi préfère entretenir une relation à distance avec eux. Il est plus facile de faire appel à ses souvenirs que de les voir en chair et en os. Ils ne sont jamais revenus sur l'île, sauf pour l'enterrement de leur père. Ils étaient déjà grands au moment de sa disparition, mais se retrouver sur les terres où ils avaient grandi avait semblé les faire retomber en enfance. Maladroitement postés à côté d'elle, ils avaient tous les deux pleuré sans retenue – sa fille encore plus que son fils. Ils n'étaient restés que trois jours puis avaient repris l'avion pour Séoul. Il leur avait suffi d'entrer dans l'aéroport pour redevenir soudain adultes, tous deux vêtus de leur tenue de travail noire. Ni l'un ni l'autre n'avaient regardé Emi dans les yeux au moment de lui dire au revoir. Peut-être avaient-ils décidé, comme elle, de préférer les souvenirs à sa présence en chair et en os.

D'habitude, Emi prend le ferry. Il y a un arrêt de bus un peu plus bas sur la route auquel elle peut accéder sans trop de mal à pied. Ce bus lui permet de rejoindre l'autre côté de l'île, plus proche du continent, là où un ferry assure quotidiennement des liaisons avec Busan. C'est un voyage de nuit ; le bateau accoste au petit matin. Il y a ensuite une navette gratuite pour se rendre jusqu'à Séoul, mais le trajet est trop fatigant désormais. Emi n'a plus la force de traverser le pays par voie de mer ou de terre, de regarder défiler les montagnes et les arbres. Ses os lui font mal et il lui arrive de perdre la mémoire. Mieux valait prendre l'avion pour cette fois, en espérant que les nuages ne lui cachent pas la vue.

Cette sensation de pression dans la poitrine recommence. Emi ferme les yeux. *N'y pense pas*, se dit-elle tout bas. *Ce n'est qu'un aéroport. Juste une fois. Y aller, revenir. Une dernière fois*. Sur le chemin du retour, Emi laissera ses souvenirs remonter. Sa main se pose sur sa poitrine pour calmer la douleur. Emi se demande si elle parviendra à arriver à destination, cette fois.

Puis une voiture apparaît sur la route au sommet de la montée, et elle ouvre les yeux. La petite enseigne lumineuse est allumée. Emi se lève pour faire signe au taxi de s'arrêter.

« Désolé, Grand-Mère, je suis en retard, s'excuse le chauffeur en se dépêchant de l'aider avec sa valise. Les routes sont glissantes et il y a eu un accident un peu plus bas, sur le chemin de l'aéroport. Nous sommes obligés de passer par là. »

Emi regarde sa montre.

« Ne vous inquiétez pas, nous avons tout le temps », dit-il en posant sa valise dans le coffre.

Emi ne répond pas. Elle range sa tasse vide dans son sac à main. Le chauffeur l'aide à s'installer sur la banquette arrière, puis claque la portière avant de faire le tour de la voiture pour regagner son siège. Dans sa hâte, il fait demi-tour trop brusquement et manque de précipiter le taxi dans un fossé. Emi s'accroche à l'accoudoir, certaine que l'accident va arriver, mais les pneus résistent, patinent et les propulsent de nouveau sur la route. Emi s'abstient de dire quoi que ce soit. Il ne serait pas raisonnable d'encourager un si piètre conducteur à parler.

Les secours sont toujours à pied d'œuvre lorsqu'ils arrivent à la hauteur de l'accident. Toutes les voitures sont immobilisées sur la route et les têtes des conducteurs curieux dépassent par les vitres baissées. Un homme se tient sur le bas-côté, en larmes. Ses sanglots agitent comme dans une danse la couverture bleu poudré posée sur ses épaules. Non loin de là se trouve la carcasse brûlée d'une Hyundai retournée. Une remorque recule lentement dans sa direction. Emi remarque une peluche Mickey sur la pelouse. Son short rouge ressort au milieu de l'herbe courte et jaunie. Elle détourne les yeux.

« Je vous avais dit que c'était grave. D'habitude, je ne suis jamais en retard », dit le chauffeur de taxi.

Son regard reste rivé sur l'homme à la couverture bleue. Il continue de l'observer dans le rétroviseur, même longtemps après l'avoir dépassé. Mieux vaudrait qu'il se concentre sur la route ; Emi n'a pas envie de rater son avion.

Lorsqu'il croise son regard dans le rétroviseur, le chauffeur s'éclaircit la gorge et se décide enfin à regarder devant lui. Il double deux voitures trop lentes et, bientôt, le taxi se retrouve au milieu de la circulation, roulant à une bonne allure. Emi ne peut s'enlever de la tête l'image de cette peluche échouée dans l'herbe, les épaules de l'homme secouées de sanglots, la couleur rouge comme du sang de ce short. Elle ressent jusque dans sa moelle que quelque chose de précieux a été perdu.

*

À l'aéroport international de Jeju, elle installe sa valise sur un chariot avant de suivre les panneaux de la compagnie Korean Air. Elle ne laisse pas son esprit dériver. Lire les panneaux lui permet de rester attentive. Ainsi arrive-t-elle au guichet de la compagnie, puis au passage de la sécurité et, pour finir, à la porte d'embarquement et au couloir qui la conduit à l'intérieur de l'avion qui l'emmènera jusqu'à Séoul.

Une fois dans les airs, Emi s'autorise à souffler. Elle pense à ses enfants qu'elle s'apprête à voir à Séoul.

Son fils avait insisté pour venir la chercher à l'aéroport international de Gimpo, même si Emi lui avait dit qu'elle pouvait prendre le métro pour se rendre chez sa fille. Cette tête de mule n'avait rien voulu entendre. Il avait décidé de louer une voiture et de la retrouver dans le hall des arrivées.

« Tu es trop vieille pour prendre le métro toute seule, lui avait-il dit au téléphone lorsque Emi avait protesté.

— Trop vieille pour rester assise dans un wagon pendant une demi-heure ?

— Tu pourrais te tromper de chemin et te perdre », avait-il répondu, et Emi avait compris que la discussion était close.

L'hôtesse annonce que la durée du vol pour Séoul est d'environ une heure et que la vente de produits à bord va bientôt commencer.

Quelques jours avant son départ, Emi avait demandé à JinHee de la conduire en ville pour faire les boutiques, mais cette dernière lui avait conseillé autre chose.

« Il y a plein de bonnes idées de cadeaux dans le catalogue de l'avion. Fais donc tes achats à bord au lieu d'aller en ville. Comme ça, tu auras moins à porter. Pense à ta jambe, avait-elle dit en désignant son membre handicapé.

— Mais je veux acheter de beaux cadeaux, pas des souvenirs de pacotille, avait protesté Emi.

— Pas du tout, tu peux acheter du Chanel N° 5 dans l'avion ! Tu appelles ça de la pacotille, toi ? » s'était exclamée JinHee en secouant la tête.

Emi appuie sur le bouton d'appel et attend que l'hôtesse arrive pour prendre sa commande.

Pour son fils, amateur de whisky, Emi achète une bouteille de Jack Daniel's. Pour sa belle-fille et son petit-fils, qui adorent le chocolat, deux boîtes de truffes. Pour sa fille, un grand flacon de Chanel N° 5, mais elle se gardera de le dire à JinHee. Sa fille n'est pas mariée et n'a pas d'enfant, mais elle possède un chien. Emi choisit un chat en peluche dans la rubrique « enfants » du catalogue de l'avion – l'article qui s'apparente le plus à un jouet pour chien.

L'avion atterrit dans un fracas assourdissant. Les passagers poussent des cris de surprise et de peur, puis des rires gênés emplissent la cabine. Emi attend que tout le monde ou presque soit sorti avant de se lever et de récupérer ses achats dans le compartiment au-dessus de sa tête. Juste à ce moment-là, une jeune femme pressée passe devant elle. Emi laisse échapper son sac et le reçoit sur le front.

« Pardon, Grand-Mère », lance la jeune femme par-dessus son épaule, sans s'arrêter pour autant.

Emi se masse le front. La bouteille de whisky est plus lourde qu'elle ne le pensait. Il y aura sans doute un bleu. Un steward vient à sa rescousse.

« Tout va bien, madame ? Est-ce qu'il vous faut de la glace ? demande-t-il.

— Non merci, répond Emi, puis elle éclate de rire. C'est moi qui ne suis pas assez rapide, j'imagine.

— Vous êtes sûre ? insiste-t-il. Vous avez reçu un sacré coup. »

Le steward examine son visage comme s'il cherchait des traces de sang. Gênée, Emi baisse les yeux et s'empresse de ramasser son sac à main et ses courses.

« Ne vous inquiétez pas, ce n'est pas grand-chose. J'ai connu pire », dit-elle avant de partir dans le couloir d'un pas maladroit.

Les souvenirs d'Emi renferment des choses bien plus terribles qu'un coup sur la tête causé par une bouteille de whisky. La botte d'un soldat. Cette image surgit si brusquement que le visage d'Emi se tord. Elle s'arrête le temps de se ressaisir et de reprendre son souffle. Puis elle se redresse et poursuit son chemin de peur que quelqu'un ne s'inquiète pour elle.

« Merci d'avoir choisi Korean Air », lui lance le commandant de bord en s'inclinant lorsqu'elle passe devant lui pour sortir.

L'homme se tient à côté de la belle hôtesse qui, un peu plus tôt, l'avait servie. Les boutons sur sa veste brillent comme s'ils étaient neufs ; Emi se demande si le jeune commandant n'a pas réalisé quelques instants plus tôt son premier atterrissage en solo.

La tête de son fils dépasse au milieu des femmes attroupées dans le hall des arrivées. Emi est frappée par le nombre de femmes qui attendent là. Elle se demande si un événement particulier doit prochainement se dérouler à Séoul, mais la mémoire lui revient et, avec, la honte d'avoir oublié le motif qui l'amène ici.

Son fils semble de plus en plus inquiet à mesure qu'il la voit approcher.

« Que s'est-il passé ? Tu t'es cogné la tête ? » lui demande-t-il en scrutant son visage.

Son fils paraît bien plus que ses soixante et un ans lorsqu'il plisse ainsi le front. Quand il était petit, Emi passait toujours sa main sur son front en lui disant d'arrêter de se faire du souci, ou il attraperait des rides.

Elle résiste à l'envie de la passer aujourd'hui sur son visage, toute fripée qu'elle soit à présent.

« C'était juste un incident. Une fille trop pressée. Pas de quoi s'inquiéter. Tu as l'air fatigué, lui dit-elle.

— Je le suis. J'ai dû travailler jusqu'à quatre heures du matin pour pouvoir rallonger ma pause ce midi et venir te chercher. »

Il se tourne sur le côté et, passant devant lui, Emi se retrouve face à un magnifique garçon posté légèrement à l'écart. Un grand sourire se dessine sur les lèvres d'Emi, puis elle se précipite vers son petit-fils, bras grands ouverts.

« Comme tu as grandi ! Tu me dépasses, maintenant ! »

Pendant qu'elle le serre, le garçon rougit, les bras plaqués le long du corps. Lorsque Emi finit par s'écarter, elle se retrouve obligée de lever légèrement la tête pour le regarder.

« Je t'ai apporté quelque chose, dit-elle en plongeant la main dans son sac pour sortir la boîte de chocolats.

— Pas maintenant, Maman, lui dit son fils. Allons d'abord chercher la voiture. Je n'ai droit qu'à une heure de parking. »

Il l'emmène et son petit-fils leur emboîte le pas sans protester. Emi est émerveillée par son calme. Un an plus tôt, elle l'aurait vu piquer une colère si son père lui avait demandé de patienter pour recevoir un cadeau. Cet enfant était un miracle, car sa belle-fille avait plus de quarante ans lorsqu'elle avait fini par réussir à tomber enceinte ; elle et son fils l'avaient bien trop gâté. Emi avait passé des nuits blanches à s'inquiéter pour lui mais, en le voyant à présent, son cœur est apaisé. C'est un garçon réservé, obéissant et gentil.

Il porte non seulement sa valise, mais également celle de son père qui n'est plus tout jeune. Et il n'a que douze ans. Quelle différence, en un an !

Emi suit son fils jusqu'au parking en jetant des coups d'œil à son petit-fils derrière elle, n'en revenant pas de sa maturité précoce. Elle se rappelle son fils à cet âge. Il n'était pas aussi grand. Peut-être est-ce à cause de l'alimentation occidentale qui est la sienne. Emi se demande si elle n'a pas fait une erreur en lui achetant ces truffes, mais finit par se dire qu'un petit chocolat n'a jamais fait de mal à un jeune homme en pleine croissance.

Elle se souvient de la première fois où elle avait mangé du chocolat. C'était après la naissance de sa fille. Son mari avait rapporté à la maison une tablette qu'ils avaient cassée en petits carrés avant de la partager entre elle et son fils. Emi avait eu l'impression de goûter à la nourriture des dieux. Elle n'avait jamais oublié cette première bouchée. Le chocolat fondant sur sa langue. Puis le deuxième carré, et le troisième, craignant que son mari ne se ravise et ne lui confisque la tablette. Mais il ne l'avait pas confisquée. Il était simplement resté assis à la regarder manger. Et pour la première fois, Emi avait pensé compter peut-être un peu pour lui, finalement. Son mari semblait heureux de la voir prendre tant de plaisir. Emi n'avait pas compris pourquoi lui-même n'en avait pas mangé un seul carré, voyant pourtant comme tout le monde se régalait, mais elle n'avait rien dit. Elle s'épargnait de lui parler dès lors qu'elle le pouvait. Voilà pourquoi leur mariage avait duré si longtemps. Il n'y avait aucun amour entre eux, mais leur couple avait survécu, car Emi avait toujours su tenir sa langue.

« Et voilà », annonce son fils en lui ouvrant la portière.

Emi s'installe sur le siège du passager puis, se souvenant des chocolats, attrape son sac pour en sortir la boîte qu'elle tend à son petit-fils. Un grand sourire se dessine sur son visage lorsqu'il la voit. Il déchire l'emballage et ouvre la boîte avec l'impatience qu'Emi avait imaginée, avant d'enfourner une truffe dans sa bouche et de rougir en se rendant compte qu'il a oublié de lui en proposer.

« Non, non, tout est pour toi, dit-elle. J'aime bien te regarder les manger. Vas-y, prends-en une autre. »

Hana

Corée, été 1943

Au début, Hana ne bouge pas. Son entrejambe est en feu. Cette sensation de mouillé lui fait craindre le pire. Est-elle en train de se vider de son sang ? Lentement, Hana se redresse, mais elle a trop peur de regarder ce qu'il lui a fait. Elle tente de respirer malgré la douleur, le plus doucement possible par le nez.

Une fois calmée, elle se penche pour voir. Elle aperçoit d'abord le sang, mais se rend ensuite compte que ce sang est mêlé à un liquide épais qui s'échappe d'elle. La sensation de mouillé venait de là. Elle n'est pas en train de mourir.

Hana se tamponne avec son mouchoir. Chaque contact avec sa peau semble déclencher un capteur de douleur dans son cerveau. C'est un viol, exactement comme sa mère l'avait décrit. Elle ferme les yeux, pensant qu'elle aurait préféré ne pas savoir, espérant que tout ceci soit un cauchemar dont elle se réveille bientôt.

La poignée en métal de la porte grince. Hana remonte en vitesse sa culotte et ses collants. Elle s'efforce de garder les cuisses serrées malgré la douleur et se lève avec précaution, déjà prête à voir un nouveau soldat l'assaillir.

« Dépêche-toi, nous avons besoin de la cabine », lui dit le soldat en la conduisant dans la pièce où sont retenues le reste des femmes et des filles.

Au milieu des regards inquisiteurs, Hana se faufile jusqu'au fond. Elle se laisse tomber par terre, face au mur pour ne pas être obligée de se confronter aux autres filles. Elle sent leur regard, mais peu importe. Les soldats emmènent deux autres filles et verrouillent la porte derrière eux.

Quelques instants plus tard, une vague de murmures inquiets s'élève parmi les femmes. Tout le monde se demande ce que font les soldats. Certaines voix s'adressent directement à Hana, l'interrogent, tandis que d'autres voix ne sont que des lamentations – celles des femmes qui savent et craignent que toutes subissent le même sort. Un poing cogne à la porte. Dans la cabine, le silence retombe.

Hana se couvre le visage avec les mains. Elle craint que les femmes ne comprennent ce qui lui est arrivé rien qu'en la regardant. Une soudaine envie de pleurer la saisit. Elle s'arrête de respirer aussi longtemps que possible, concentrée sur ses poumons. Elle ne s'autorise à respirer de nouveau qu'après avoir refoulé ses larmes, aspirant de grandes goulées d'air.

La chair tendre entre ses jambes brûle encore. Hana fait tout son possible pour surmonter la douleur, mais des images des cuisses nues de Morimoto et d'autres parties de son corps dont elle ne veut pas se souvenir envahissent ses pensées. Hana ferme très fort les yeux et appuie sur ses paupières du bout des doigts jusqu'à voir des flashs de lumière blanche, pour empêcher ces images de surgir. Mais au moment où ses orbites semblent sur le point d'exploser, elle entend une fille qui lui murmure à l'oreille : « Où est-ce qu'ils t'ont emmenée ? »

Hana sursaute et lève la tête. Sa vision est d'abord trouble, mais elle finit par reconnaître la plus jeune des filles de Jeju. Elle est si mince que sa robe bâille aux épaules et à la taille. Le simple fait d'imaginer Morimoto ou d'autres soldats lui faire subir le même sort qu'elle lui donne mal à la tête.

« Reste dans le fond, l'avertit Hana. Peut-être que tu leur échapperas s'ils ne te remarquent pas.

— Tu ne veux pas me dire ?

— Mieux vaut que tu ne saches jamais. »

La porte s'ouvre avant que la fille n'ait le temps d'ajouter quoi que ce soit. Les deux qui avaient été choisies plus tôt sont poussées à l'intérieur et la porte de la cabine se referme. Puis les lampes se mettent à clignoter, et le noir envahit la pièce.

Comme du bétail, les filles commencent à s'installer par terre et s'endorment. Des reniflements et des sanglots étouffés emplissent l'atmosphère. Hana et la petite fille sont étendues tout près l'une de l'autre ; la fille glisse son bras sous le sien.

« Comme ça, tu te réveilleras s'ils viennent pour moi, et je me réveillerai s'ils reviennent pour toi. »

Hana est touchée par la simplicité de ces mots. C'est le seul moyen que la petite ait trouvé pour garder le contrôle de la situation. Elle ne veut pas être endormie lorsque surviendra le pire. Elle veut les voir venir, même en sachant qu'elle ne pourra rien faire contre eux. Personne ici ne peut rien faire.

« Mon nom est Noriko, mais ma mère m'appelle SangSoo », murmure la fille, la tête dans les cheveux d'Hana, et son souffle lui réchauffe la nuque.

Hana ne répond pas. Elle essaie, mais aucun son ne sort, ses lèvres sont comme scellées pour l'empêcher de crier sa douleur. La mère de SangSoo l'appelle donc par son véritable prénom, chez eux. Comme de nombreux Coréens forcés de s'assimiler, la famille de SangSoo parle sa langue natale dans l'intimité de son foyer, n'ayant recours au japonais obligatoire qu'en public. Hana a toujours pensé qu'elle avait eu de la chance d'être prénommée par une mère intelligente. En coréen, *hana* signifie « un » ou, dans son cas, « la première-née », mais en japonais, *hana* veut également dire « fleur ». Ainsi n'a-t-elle jamais eu besoin de changer de prénom, en public comme en privé. Sa sœur n'a pas eu cette chance, tout comme SangSoo.

« Bonne nuit, Grande Sœur. »

Dans l'obscurité, la voix de SangSoo pourrait passer pour celle de sa petite sœur. Hana se sent tout à coup écrasée par le poids de sa captivité. Sa sœur est maintenant si loin. Chaque instant passé enfermée sur ce bateau les éloigne un peu plus. Une petite main se glisse dans la sienne, et Hana la serre fort.

*

Elle se réveille en sursaut. Il fait toujours noir dans la cabine, mais un faible rai de lumière sous la porte éclaire les silhouettes noires couchées par terre. Hana ne sait pas combien de temps elle a dormi. Tout doucement, elle retire son bras entremêlé à celui de SangSoo et s'assoit. Elle a besoin d'aller aux toilettes, mais ne sait pas comment faire. Sa vessie est sur le point d'exploser.

« Il faut que j'aille aux toilettes », murmure-t-elle autour d'elle.

Personne ne dit mot. Quelques corps se tournent ou changent de position. Voyant que sa question restera sans réponse, Hana répète un peu plus fort :

« Il faut que j'aille aux toilettes.

— Tais-toi, espèce d'idiote, répond quelqu'un.

— Je suis désolée, mais il faut que je…

— Je sais, je t'ai entendue les deux fois, lui rétorque la femme en l'interrompant. Tu ne sens pas l'odeur ? On a toutes besoin d'aller aux toilettes. »

Hana est stupéfiée par la réponse de la femme. Elle renifle lentement l'air de la cabine. Rien. Elle ne sent rien. Y aurait-il un problème avec son odorat ?

« Je ne sens rien, dit-elle.

— C'est parce qu'elle pue l'eau de Cologne, fait une autre voix dans le noir. La puanteur de l'homme couvre toutes les odeurs pour elle.

— Oui, moi aussi je la sens. Il a dû lui verser son flacon sur la tête. »

Ces mots la transpercent, Hana sent sa peau s'enflammer. Elle tire sur le col de sa robe et respire. Elle sent comme *lui*. Morimoto a imprégné ses habits. Hana voudrait les arracher, les réduire en pièces, mais ses mots résonnent dans sa tête. *C'est ça que tu veux, voyager pendant des jours et des jours dans un train rempli de soldats sans un seul centimètre de tissu pour cacher ton joli corps ?*

Alors, au lieu de se débarrasser de son odeur, Hana laisse sa vessie se vider. Peu lui importe de sentir mauvais. SangSoo a dû être réveillée par son échange avec les autres femmes car Hana sent son bras se glisser sous le sien sans un commentaire sur ce qui vient de se passer. Rassurée par son silence, Hana serre contre elle le bras de SangSoo. Toutes les deux restent étendues côte à côte malgré l'odeur d'urine aigre, et se rendorment bientôt.

Un gros coup à la porte réveille toute la cabine en sursaut. Quelques filles poussent un cri de surprise. Les lampes clignotent au-dessus des têtes puis la lumière inonde la pièce de son halo verdâtre. Quatre soldats entrent et trois d'entre eux attrapent chacun une fille et l'obligent à se lever. Des cris de protestation fusent dans la cabine, mais rien ne peut dissuader les soldats. Le quatrième repère Hana et s'avance droit vers elle. Il se penche pour l'attraper, mais recule brusquement en se couvrant le nez.

« Elle s'est pissée dessus ! s'écrie-t-il avant de lui donner un coup, dégoûté. Vous, les Coréennes, vous n'êtes que des bêtes. » Son regard tombe sur SangSoo. « On va devoir faire avec toi, lui dit-il, puis il lui saisit le poignet et la hisse au-dessus d'Hana.

— Ce n'est qu'une enfant », le supplie Hana.

SangSoo baisse vers elle des yeux larmoyants.

« Ne t'inquiète pas, Grande Sœur, je vais faire face, comme toi. »

Sa voix tremble, mais elle est remplie de courage. Hana sent son cœur se briser.

« Je prends sa place. Je me porte volontaire », dit-elle en se levant et en regardant le soldat dans les yeux.

Toute la cabine reste en suspens ; pendant un moment, on n'entend même plus une respiration. Comme si tout le monde attendait que le soleil se décroche du ciel pour fondre sur Hana et la réduire en cendres. Hana a osé tenir tête à un soldat japonais. Tout le monde sait qu'il ne faut jamais faire ça. La tension monte et les secondes s'étirent. Hana sent ses genoux flageoler et craint qu'ils ne la trahissent. Et puis, avant même qu'il n'ait pu se passer quoi que ce soit, d'autres filles, plus âgées, des femmes, se portent à leur tour volontaires.

Leurs voix résonnent comme des cris d'oiseaux fous dans l'espace confiné, chacune offrant son corps à la place de celui de l'enfant. Les plus courageuses tentent même d'attraper le bras de SangSoo pour la libérer et convaincre le soldat de les emmener à sa place, en vain. Sans crier gare, le soldat donne un coup de poing dans le ventre de l'une des femmes qui se plie en deux, le souffle coupé.

« La prochaine qui ouvre la bouche aura droit à pire », menace-t-il en tordant le bras de SangSoo et en la tirant hors de la cabine.

Le fracas de la porte métallique puis le noir qui s'ensuit arrivent comme une punition. Des femmes pleurent discrètement dans l'obscurité. Elles pleurent d'une tristesse sincère pour cette petite fille – choisie parce que Hana n'avait pas pu se retenir.

*

Quand le ferry accoste, Hana ne parvient plus à contenir sa peur. Les soldats n'ont pas ramené SangSoo dans la cabine. Les trois autres filles sont revenues une par une, mais la plus jeune d'entre elles, celle pour qui tout le monde s'était porté volontaire, manque toujours à l'appel. Au moment où les soldats arrivent pour donner l'ordre d'évacuer le bateau, Hana donnerait n'importe quoi pour savoir ce qu'il est advenu d'elle. Mais elle se garde de le demander.

Les pieds lourds, elle débarque derrière les autres filles. La file est emmenée jusqu'à un cortège de camions militaires. Hana examine le visage de toutes celles qui passent devant elle, espérant trouver les yeux marron terrifiés de SangSoo. Le cortège les emmène près de la gare, où Hana est placée dans le compartiment d'un wagon avec une autre fille. Des feuilles de journaux peintes en noir occultent les vitres. Hana demande tout bas à sa camarade si cette dernière aurait aperçu SangSoo. Elle lui donne sa description, mais la fille secoue la tête. Elle n'était pas dans la même cabine qu'Hana à bord du ferry. Les soldats l'avaient enfermée dans une autre avec quarante filles censées être envoyées à Tokyo pour travailler dans une usine de confection d'uniformes. Elle ignorait pourquoi, mais les soldats l'avaient séparée du groupe et placée dans ce compartiment du train.

La fille doit avoir le même âge qu'Hana, peut-être un an ou deux de plus. Elle est jolie, le genre de fille avec une peau blanche et des lèvres roses dont sa mère aurait dit qu'elle avait un visage de lune. Ses dents sont presque toutes bien alignées et ses yeux plus grands que ceux de la plupart des Coréens. Dans le village d'Hana, tous les garçons seraient tombés amoureux d'elle.

« Sur le ferry, ils t'ont fait sortir de ta cabine ? lui demande Hana à voix basse.

— Non. Ils n'ont fait sortir personne. Pourquoi, ils t'ont fait sortir, toi ? »

La fille semble alarmée.

« Oui, et mon amie aussi, une petite fille prénommée SangSoo. Mais ils ne l'ont pas ramenée.

— Pourquoi t'ont-ils fait sortir ? » demande-t-elle d'un ton nerveux.

Son regard balaye tout le compartiment comme si quelqu'un pouvait les écouter.

Hana ne peut pas prononcer le mot, ce petit mot que, sans aucun doute, cette fille plus âgée connaît. Impossible de trouver le courage pour le dire. Alors Hana se détourne et s'enfonce dans son siège. Elle reste ainsi, folle d'inquiétude pour SangSoo, regrettant d'avoir décidé de se faire pipi dessus, mais soulagée en même temps – Hana se déteste d'avoir de telles pensées.

Lentement, le train s'ébranle puis la porte coulissante du compartiment s'ouvre. Deux soldats entrent, dont un traînant SangSoo derrière lui. Hana se déplace aussitôt pour la laisser s'asseoir près d'elle.

Son visage est livide et sa lèvre inférieure est enflée. Un mince filet de sang a séché sur la commissure. Il y a des bleus dans son cou et elle ne cesse de frissonner. Sa robe déchirée a été rapiécée avec des épingles à nourrice piquées à la place des boutons. Hana attire doucement la tête de SangSoo contre son épaule et la petite fille pousse un sanglot déchirant. Hana lui serre la main sans dire un mot. *Elle a survécu*, pense-t-elle, mais sa joie est assombrie par l'état dans lequel les soldats l'ont ramenée.

L'un d'entre eux est assis en face d'elles, à côté de l'inconnue. L'autre enjambe Hana et va se serrer à côté d'elle, près de la fenêtre. Hana a trop peur pour regarder l'homme en face, mais alors que le train gagne de la vitesse et commence à filer sur les rails, tout devient clair. Son eau de Cologne est reconnaissable entre toutes. Hana se raidit et jette un coup d'œil furtif vers sa main. Morimoto est en train de jouer avec l'ourlet de sa robe comme un chat qui joue avec une souris prise au piège, remuant la queue devant sa proie condamnée sans même la regarder dans les yeux.

Pendant tout le voyage, Morimoto fume cigarette sur cigarette. Tout le monde dans le compartiment s'est assoupi, à l'exception d'Hana. Son corps bout si fort de colère et de peur que des ondes de chaleur semblent se propager en direction du soldat assis à côté d'elle. Morimoto l'a arrachée à sa maison de bord de mer, à tout ce qu'elle aime et connaît, et l'a violée. Hana ne pense qu'à une chose : le tuer dans son sommeil. Plus le temps passe, plus cette idée l'obsède. Tout doucement, elle se tourne vers lui. A-t-il également violé SangSoo ? Hana regarde alors l'autre soldat assis en face d'elle. L'ont-ils frappée tous les deux ?

Hana se retourne vers Morimoto. Sa poitrine se soulève à chaque respiration et Hana imagine son cœur battre sous les boutons de son uniforme. Elle aperçoit à sa ceinture un pistolet rangé dans son fourreau. Pourrait-elle le prendre à son insu ? Hana regarde fixement le pistolet noir qui dépasse légèrement du cuir. Elle s'imagine le tenir dans ses mains, le pointer sur le cœur de Morimoto. Serait-il lourd ? Suffirait-il d'appuyer sur la gâchette, ou y a-t-il une manœuvre à réaliser au préalable ? Arriverait-elle vraiment à lui tirer dessus ? Non, pense-t-elle finalement, mais elle pourrait le poignarder. Cette idée semble plausible et la rassure, d'une certaine façon.

Hana sait comment manier un couteau. Chaque jour, le sien l'accompagne dans ses plongées pour décrocher les abalones des parois du récif, pour récolter les algues et même pour ouvrir les huîtres que les bateaux de pêche japonais laissent parfois derrière eux. Hana pourrait sans peine lui triturer le cœur comme si une perle était cachée à l'intérieur. Cette simple pensée lui donne des frissons dans le dos, fait danser sur ses vertèbres les doigts de la vengeance. Est-ce donc cela que l'on appelle le courage ? Hana se figure le poignardant en pleine poitrine, imagine la surprise sur son visage. Sa colère lui coule dans les veines. Puis elle se voit, s'échappant du compartiment avec SangSoo, se cachant dans le train ou sautant par une fenêtre ouverte, pour enfin s'enfuir. Comme elle aimerait avoir un couteau pour que tous ses vœux se réalisent !

Morimoto remue dans son sommeil. Hana sursaute et bouscule involontairement SangSoo, elle aussi endormie. Surprise par la fraîcheur de sa peau, Hana remarque que SangSoo ne frissonne plus. Elle pose une main sur son front, frais également. Ses lèvres sont beiges comme de la chair. Réprimant une montée de panique, Hana se penche vers elle et pose son oreille contre la bouche de SangSoo pour écouter sa respiration. Rien.

Tout à coup, elle ne parvient plus à avaler sa salive, tellement angoissée qu'elle étouffe. Le bruit réveille le reste du compartiment.

« Que se passe-t-il ? s'écrie Morimoto. Qu'est-ce que tu as ? »

Il se lève et tourne le visage d'Hana vers lui. Hana s'étouffe, les mains sur la gorge. De nouveau, Morimoto crie quelque chose, mais impossible de comprendre quoi. En réponse, Hana se contente de pointer le corps sans vie de SangSoo. Suivant son doigt, Morimoto aperçoit la petite fille. Il relâche Hana sans quitter du regard ce corps immobile malgré tout ce fracas. Puis il reste sans rien dire pendant un long moment. C'est alors que la fille en face d'eux pousse un cri.

« Elle est morte ! Elle… elle est morte ! » répète-t-elle.

Son visage terrifié n'est plus du tout joli.

Des bruits de pas dans le couloir annoncent l'approche d'autres soldats. La porte coulisse et deux visages interrogateurs surgissent.

« Celle-là est morte, finit par dire Morimoto. Emmenez-la en attendant d'arriver à la prochaine gare. Allez l'enterrer là-bas.

— L'enterrer ? répète l'un des soldats.

— L'enterrer, oui. Mettez-la avec les autres.

— À vos ordres, mon caporal. »

Les deux hommes soulèvent le corps de SangSoo comme s'il n'était rien de plus qu'un sac de riz et le sortent du compartiment. La porte coulissante se referme et Morimoto se rendort comme si de rien n'était. Les yeux rivés sur lui, incrédule, Hana se remémore ses mots : les *autres*. Combien d'autres filles sont mortes dans ce train ?

L'image du petit corps de SangSoo jeté dans une fosse est insupportable. Hana éclate en sanglots, elle qui depuis le début s'était retenue de montrer sa peur et ses larmes, de montrer comme elle se sentait coupable. Mais à présent, impossible d'arrêter ses sanglots ; tout se passe comme si ses pleurs étaient arrachés de son ventre par une main invisible. Personne ne tente de la faire taire. À la place, Morimoto se met à ronfler.

De temps en temps, entre deux hoquets, la fille en face d'elle tapote le genou d'Hana, mais à part ce geste, rien dans le petit compartiment n'a bougé. Les fenêtres sont toujours obstruées par le papier journal noir, la lumière vacille toujours au-dessus des têtes. Les murs tanguent toujours sous les cahots du train et les soldats dorment toujours à poings fermés.

Quelque part au loin, à des kilomètres de ce train roulant à travers ces terres inconnues, de l'autre côté de la mer, sur leur petite île, les parents de SangSoo, eux aussi, ignorent tout de sa mort. Peut-être sont-ils endormis, chez eux ; peut-être rêvent-ils de son retour prochain et espèrent-ils de toute leur âme qu'ils la reverront un jour, que le temps leur ramènera leur fille. Hana les imagine, attendant cette fille qui jamais ne rentrera, morte après seulement quelques jours. Pendant des années, ses parents se poseront des questions sur elle et ne sauront peut-être jamais à quel moment elle les avait quittés.

Deux jours s'écoulent avant que le train ne s'arrête à la prochaine gare. Les soldats enterrent SangSoo au pied des voies dans une tombe anonyme, auprès de quatre autres corps. Ils obligent les filles à regarder pour leur montrer ce qui arrive à celles qui n'obéissent pas aux ordres. Les corps sont enveloppés dans des draps, mais Hana sait quel est celui de SangSoo – le plus petit, le plus insignifiant d'entre tous. C'est ainsi que les soldats la voient, que les soldats les voient, toutes.

Morimoto prétend que SangSoo est morte à cause d'une plaie infectée à la jambe, mais Hana connaît la vérité. Dans le compartiment, une fois calmée, elle avait vu du sang sur la banquette. Le cuir en était imbibé et des traînées semblables à des veines s'étaient imprégnées sur tout le rebord avant de se répandre par terre. SangSoo s'était vidée de son sang. Elle était trop petite, trop jeune pour être torturée de la sorte. Combien d'hommes avaient violé cette fillette ?

Hana ne peut s'empêcher de comparer SangSoo à sa petite sœur, Emiko. Si Hana n'avait pas suivi Morimoto, sa sœur aurait été emmenée à sa place. Le simple fait de penser que sa sœur aurait pu subir le même sort que SangSoo, mourir dans de telles souffrances, si loin de chez elle, lui retourne si violemment le ventre qu'Hana a l'impression qu'il se décroche de son abdomen. Mais non ; tout va bien pour elle.

Sur son île, une cérémonie funèbre aurait eu lieu, et les dieux auraient été invoqués pour guider l'esprit de SangSoo jusqu'à ses ancêtres. Hana ignore qui sont les ancêtres de cette fille. Elle ne sait rien d'elle à part qu'elle venait de l'île de Jeju, et que son nom japonais était Noriko. SangSoo, Noriko, Petite Sœur. Hana sait qu'elle ne l'oubliera jamais.

Elle ferme les yeux et prie pour que l'esprit de SangSoo retourne sain et sauf jusqu'à chez elle, pour qu'il soit apaisé malgré cette mort atroce, et surtout pour qu'il ne vienne pas hanter ses rêves, avide de se venger de celle qui aurait dû partir à sa place.

Deux nouvelles la rejoignent dans le compartiment, et, quelques instants plus tard, le train repart. Hana fait tout son possible pour ne pas penser à SangSoo. Elle pense à la place à sa petite sœur, elle qui se trouve toujours chez eux, en sécurité, dans cette maison où Hana rêverait d'être. Elle est au moins parvenue à sauver une fille des griffes des soldats. En sauver deux était apparemment trop ambitieux.

Hana garde à l'esprit le visage d'Emi pour ne plus voir la peau livide de SangSoo. Elle pense à la mer et aux plongées pour ne pas sentir sa peau froide contre ses doigts. Elle pense aux algues noires qui ondulent dans les eaux et aux abysses bleus pour ne pas voir le rouge, couleur de la mort. Et lorsque, enfin, Hana finit par céder à l'appel du sommeil, elle rêve de sa famille, qu'ils nagent tous ensemble dans les fonds noirs de l'océan, mais elle n'est pas sûre, parfois, de savoir s'ils nagent ou dérivent simplement, leurs yeux sans vie et leur peau froide emportés par les courants.

Emi

Séoul, décembre 2011

YoonHui, la fille d'Emi, habite non loin de l'université pour femmes Ewha, à Séoul. Emi l'a aidée à acheter son petit deux-pièces il y a quinze ans. Cela lui semblait être un bon investissement. Elle avait ainsi vendu leur maison près du champ de mandariniers et déménagé dans sa cabane au bord de la route. YoonHui est professeur de littérature coréenne à l'université et mène une belle carrière. Chaque fois qu'Emi la voit, YoonHui lui propose de lui rembourser l'argent du prêt immobilier, mais Emi refuse systématiquement. Tout ce dont elle a besoin, Emi le trouve dans la mer ; cela suffit à la faire vivre. Ce jour-là, l'amie de YoonHui est présente chez elle. Assise devant la table basse, elle est en train de donner à manger au chien avec des baguettes.

« Tu te souviens de Lane ? lui demande YoonHui. Elle enseigne l'anthropologie à l'université. »

YoonHui répète toujours la même chose chaque fois qu'Emi croise son amie. Emi trouve étrange que Lane soit constamment chez sa fille, toujours à s'occuper du chien, toujours à se comporter comme si elle se sentait chez elle. Emi soupçonne qu'elle et sa fille soient amies depuis plus longtemps qu'elles ne le prétendent.

« Bonjour, Mère, tu as l'air en forme.

— Bonjour, Lane », répond Emi.

Lane vit en Corée du Sud depuis plus de dix ans et a adopté la plupart des coutumes du pays. Dans la culture coréenne, les gens ne s'appellent jamais par leur prénom ; ils sont des mères, des pères, des grands et des petits frères et sœurs, des oncles et des tantes ou des grand-mères et des grands-pères. La règle est valable même pour les étrangers. Si YoonHui était mariée et avait des enfants comme la plupart des femmes de son âge, Lane aurait appelé Emi Grand-Mère au lieu de l'appeler Mère, mais aucun enfant ne vit sous le toit de YoonHui ; il faut ainsi l'appeler Mère, simplement. Son fils lui-même se trompe et l'appelle constamment Maman devant son petit-fils. Peut-être que si Emi lui rendait visite plus souvent et faisait davantage d'efforts pour faire partie de sa vie, le titre de Grand-Mère lui serait attribué.

Lane parle également un coréen parfait. Son accent de citadine lui donne un genre particulier pour une Américaine. La plupart des Américains parlent avec un accent qui leur donne l'air un peu bête, comme ces touristes qui viennent à la rencontre des haenyeo, à Jeju. Débarquant par groupes, directement de l'aéroport, ils prennent en photo les haenyeo avec leurs téléphones et leurs appareils photo numériques hors de prix. Quelques-uns sont assez téméraires pour tester leurs rudiments de coréen sur les plongeuses, toujours amusées par leurs tentatives. Les efforts des touristes réjouissent tout particulièrement JinHee, mais Emi, elle, reste le plus souvent indifférente.

« Tu devrais te montrer plus reconnaissante, lui avait un jour dit JinHee lorsque Emi s'était plainte. Au moins, ils essaient de discuter avec nous.

— Ils nous observent comme des animaux en cage, avait rétorqué Emi sans même regarder son amie.

— Mais tais-toi donc, ce que tu dis est faux ! Et de toute façon, c'est aussi grâce à eux que nous pouvons perpétuer la tradition. »

Emi avait éclaté de rire, consternée.

« C'est grâce à eux que nous pouvons perpétuer la tradition, mais c'est quand même nous qui nous tapons tout le boulot !

— Ils nous font de la bonne publicité quand ils rentrent chez eux, avait répondu JinHee en lui caressant gentiment l'épaule. Ils racontent comment nous vivons à leurs amis et parlent de leur expérience ici. Si les gens continuent à parler de nous, nous ne disparaîtrons pas. »

Emi avait regardé fixement JinHee, admirative de sa capacité à toujours voir le bon côté des choses.

Sa fille interrompt ses pensées.

« Est-ce que tu as faim ? Je peux te préparer quelque chose pour le déjeuner.

— Surtout pas, j'ai déjà mangé dans l'avion. Et j'ai emporté dans mon sac du calamar séché et des *kimbap* », répond-elle sans cesser de penser à son amie.

Comment se fait-il que JinHee lui manque, maintenant qu'Emi est arrivée chez sa fille ?

« Où est Hyoung ? lui demande cette dernière.

— Il a dû retourner travailler. Il a dit qu'il nous rejoindrait pour dîner. Il a emmené YoungSook à son entraînement de basket. »

Son petit-fils lui manque déjà.

« Il a tellement grandi.

— Il veut devenir joueur professionnel aux États-Unis, pas vrai, Lane ? » continue sa fille.

YoonHui est assise dans le canapé près d'Emi et regarde avec elle Lane enfourner d'une main experte du riz dans la gueule grande ouverte du chien.

« S'il continue à grandir comme ça, il risque bien de réussir, répond Lane. Ce sera notre Yao Ming coréen. »

Le chien aboie et les deux amies éclatent de rire. Emi croit avoir aperçu Lane lancer un clin d'œil à sa fille.

« Oh, Maman, regarde un peu tes cheveux, lui dit alors YoonHui en se tournant de nouveau vers elle. Il faut que tu ailles refaire ta permanente. Laisse-moi t'emmener chez le coiffeur avant de sortir dîner. Nous allons chez Jungsik, nous n'avons qu'à trouver un coiffeur à côté. »

Emi rit lorsque sa fille lui touche les cheveux.

« Non, non, je n'ai pas besoin d'aller chez le coiffeur. La vanité, ce n'est plus de mon âge, dit-elle en riant de plus belle.

— Mère, il n'y a pas d'âge pour être coquette », intervient Lane en se levant pour débarrasser la table.

Le chien se remet à aboyer et se précipite en courant sur les genoux d'Emi. C'est un caniche toy, blanc avec une queue en forme de pompon. Emi caresse sa tête douce, puis elle attrape son sac et sort le chat en peluche acheté dans l'avion.

« Est-ce qu'il a le droit ? demande-t-elle avant de la donner au chien.

— Bien sûr, répond Lane. Oh, comme c'est mignon ! Regarde, YoonHui. »

La fille d'Emi saisit la peluche et arrache les étiquettes.

« Va chercher, Snowball. Allez, va ! »

Le chien détale dans le couloir et attrape la peluche avant de la rapporter à Emi. À son tour, Emi lui lance le jouet plusieurs fois de suite jusqu'à ce que le caniche s'écroule à ses pieds de fatigue, en mordillant la tête du chat d'un air satisfait.

*

Les effluves chimiques de la permanente se répandent par vagues à chaque mouvement, si bien qu'Emi tente de bouger le moins possible pendant toute la durée du dîner. Ce restaurant est bien trop chic pour elle. Elle comprend à présent pourquoi sa fille tenait tellement à ce qu'elle se rende chez le coiffeur. YoonHui lui avait même conseillé de troquer son pantalon rose contre un autre à cause de la tache de thé. Emi n'a apporté qu'un seul change pour son court séjour à Séoul et s'est donc retrouvée à porter le pantalon noir qu'elle voulait mettre le lendemain. En la voyant avec son cardigan noir, sa fille lui avait dit d'un air désapprobateur :

« Tu ne vas pas à un enterrement, Maman. Tu n'as pas un autre cardigan ? »

Emi avait jeté un coup d'œil à sa tenue. Elle n'avait pas prévu de porter ces deux vêtements ensemble, mais sa fille avait raison : elle avait soudain eu l'impression d'être en deuil. Le poids qui pesait dans son cœur était soudain devenu trop lourd, et malgré tous ses efforts, Emi n'avait pu se retenir de pleurer.

« Maman, je suis désolée. Je ne voulais pas…

— Non, non, ce n'est pas ta faute. C'est simplement que… »

Mais Emi n'avait pas pu en dire davantage. Elle avait accepté le mouchoir que YoonHui lui tendait et séché ses larmes. Puis sa fille s'était assise en face d'elle, l'air dépitée.

« Ce n'est pas à cause de toi, avait continué Emi une fois remise de ses émotions. Allez, viens m'aider. » Prenant sa fille par la main, elle l'avait emmenée jusqu'à sa valise. « Qu'est-ce qu'on peut faire pour arranger tout ça ? »

YoonHui avait éclaté de rire puis s'était mise à fouiller dans la petite valise de sa mère. Finalement, leur choix s'était porté sur un cardigan crème qui appartenait à YoonHui. Celle-ci avait été obligée de roulotter les manches, un peu trop longues, comme le faisait souvent la propre mère d'Emi, autrefois. Emi avait toujours pensé que YoonHui ressemblait davantage à son mari, mais à cet instant, assise devant les mains agiles de sa fille, c'était le visage de sa propre mère qu'Emi avait vu en la regardant. Cette image avait rendu son cœur plus léger et lui avait même remonté le moral au point de pouvoir sourire lorsqu'elle s'était installée devant le miroir du salon de beauté avec ses cheveux fraîchement permanentés.

Le serveur apporte le thé et pose le plateau devant Emi. Il verse le breuvage chaud dans chacune des tasses en céramique pendant que YoonHui les fait passer aux convives. Emi est entourée par les visages de sa famille, auxquels s'ajoutent ceux de Lane et de sa belle-fille. Ces visages sont plus vieux que ceux qu'elle imagine lorsqu'elle se trouve chez elle. À son âge, son fils devrait déjà être grand-père, et sa fille grand-mère. Son petit-fils devrait être père. Tout le monde à table bavarde, rit et commande à manger. Lane est en train de parler de son dernier article de recherche à propos de l'augmentation des mutilations sur les organes génitaux des femmes dans les pays occidentaux ; d'après elle, la parole se serait libérée grâce à Internet. Sa belle-fille arrange le col de chemise de son petit-fils. Son fils, quant à lui, commande whisky sur whisky, sans glace. Emi ne les écoute que d'une oreille, quand soudain elle se rend compte que plus personne ne parle et que tous les regards sont tournés vers elle.

« Tu as entendu ce que je viens de dire ? » lui demande son fils.

Emi secoue la tête.

« Qu'est-ce que tu as prévu pour demain ?

— Pour demain ? » répète Emi.

La raison de sa visite lui échappe tout à coup. Le restaurant semble étrangement silencieux. Son petit-fils rougit, comme embarrassé pour elle.

« Oui, demain, renchérit YoonHui, puis elle caresse la main de sa mère. Nous aimerions t'accompagner, Lane et moi. »

Emi semble désorientée. Les vapeurs des produits du coiffeur lui donnent le tournis. Et tous ces regards sur elle. Emi a besoin d'air. Elle s'avance pour se lever, et sa fille la suit. Appuyée sur elle, Emi sort de table à petits pas pour s'engouffrer dans l'air frais du soir. Des voitures passent à toute allure sous les lumières vives des buildings qui clignotent et bourdonnent autour d'elle. Le calme de sa cabane solitaire, les rugissements de l'océan et le simple rire de ses amies plongeuses lui manquent.

« Je ne voulais pas prendre l'avion, dit-elle. Mais j'étais obligée. »

Elle effleure le bleu au-dessus de son arcade sourcilière.

YoonHui ne répond pas, mais ses bras se resserrent autour des épaules d'Emi. Côte à côte, elles contemplent les citadins qui filent à bord de leurs voitures rutilantes importées et écoutent claquer sur le bitume les talons des escarpins de luxe. Emi revoit la terre à des kilomètres en dessous d'elle pendant son vol. Le goudron noir du tarmac était entouré par les touffes marron de l'herbe d'hiver, et Emi n'avait pas pu s'empêcher d'imaginer ce que la terre en dessous renfermait, enterré là depuis trop d'années. Ou plutôt, *qui* pouvait-elle bien renfermer. Nombreux étaient les visages tournés vers le ciel tandis qu'Emi quittait la terre pour voler. Mais elle ne veut pas s'en souvenir. Elle chasse de son esprit ces regards vides et se laisse envahir par les bruits de la ville, de nouveau connectée aux lumières scintillantes et au bras rassurant de sa fille.

*

Emi se réveille au beau milieu de la nuit. Il y a eu un bruit ou une voix ; quelqu'un a crié son nom, lui semble-t-il. Elle se redresse, sa chemise de nuit serrée contre sa poitrine. Dans la chambre noire, seuls les chiffres rouges du réveil brillent. Il est trois heures du matin. Sa fille ronfle doucement à côté d'elle. Emi se glisse hors des couvertures en prenant soin de ne pas la réveiller. À tâtons, elle se fraye un chemin jusqu'à la porte de la chambre.

Dans la petite cuisine, elle fait bouillir de l'eau. Snowball se précipite à sa rencontre et reste dans ses jambes tandis qu'elle vaque à ses occupations. Une fois qu'elle est assise à la table du petit déjeuner, le chien saute sur ses genoux. Emi tapote gentiment sa tête frisée. Son regard se perd sur le mur vide de la cuisine, peint en bleu ciel. Tout en continuant de caresser le doux pelage du chien, elle se remémore le rêve qui vient de la réveiller.

Une fille nage dans l'océan, plonge à la recherche de coquillages. Elle fait un grand signe du bras à Emi et lui montre une étoile de mer qu'elle vient de remonter. Emi est debout sur le rivage, mais elle ne porte pas de combinaison de plongée. Elle est à la place vêtue d'une robe blanche en coton qui lui arrive juste en dessous des genoux. La robe peine à cacher ses chairs flasques de vieille femme. Elle porte également aux pieds des chaussures vernies noires qu'elle n'a jamais vues de sa vie. Dans l'eau, la fille rit et disparaît de nouveau sous les flots. Elle ressemble à un dauphin à sortir de l'eau et plonger ainsi, coup sur coup, si naturelle et gracieuse. Serait-ce moi il y a longtemps ? se demande Emi.

Au loin, un nuage noir arrive à toute vitesse. Il gonfle autour d'elles comme une mer enragée, gagnant en envergure et en puissance. Emi crie à la fille de revenir sur la terre ferme. Elle hurle pour l'avertir que l'orage va éclater, mais le vent l'empêche de l'entendre. La fille recommence à plonger quand, tout à coup, la pluie, le tonnerre et la foudre se déchaînent. Un déluge de grêle s'abat sur la plage. Emi tente de trouver refuge sous un éperon rocheux, cherchant la fille des yeux. Mais elle ne la voit pas refaire surface.

Plusieurs minutes s'écoulent, Emi commence à craindre la noyade. La tempête fait rage. De puissantes vagues déferlent sur le rivage. La fille n'a aucune chance, Emi le sait. Elle retire ses chaussures. Se débarrasse de sa robe. Nue, elle court en direction des flots furieux et plonge. Mais alors que sa tête s'engouffre sous l'eau glacée, quelqu'un crie son nom.

La bouilloire siffle et Snowball aboie. Emi fait taire le chien et s'empresse de la retirer du feu. Elle verse l'eau chaude dans une tasse et trempe dedans un sachet de thé vert. Une fois qu'elle est rassise, le chien remonte sur ses genoux. Emi se réchauffe les mains autour de la tasse en attendant que la couleur jaune-vert de l'eau s'assombrisse. Depuis toutes ces années, jamais elle n'avait rêvé porter ces chaussures vernies noires, dans aucun rêve. Une robe blanche, peut-être, mais pas ces chaussures.

Emi boit son thé à petites gorgées tout en se demandant ce que ces nouvelles chaussures peuvent bien signifier. JinHee saurait. Elle interprète toujours les rêves des autres, qu'ils le veuillent ou non. Et qui était cette jeune fille dans l'eau ? Était-ce elle, plus jeune ? Ce rêve symbolisait-il la mort de son enfance, ou peut-être sa mort à elle, imminente ?

Tu sais qui est cette fille, fait une voix dans sa tête d'un ton accusateur. Emi tente de l'arrêter, mais elle repense à ce visage, qui de nouveau emplit son esprit.

« Hana », souffle-t-elle dans la cuisine vide.

Ce nom, Emi ne l'a pas prononcé depuis plus de soixante ans.

Snowball penche la tête sur le côté. Emi s'en va à petits pas dans le salon avec son thé. Elle s'assoit sur le canapé pour ne pas troubler le sommeil de sa fille. Snowball saute à côté d'elle et se blottit contre sa cuisse. Emi ne veut pas fermer les yeux. Elle a trop peur de voir le cadavre de cette fille flotter dans l'océan, ses yeux noirs sans vie qui la fixent. Elle caresse la tête du chien et boit son thé à petites gorgées jusqu'à ce que les premiers rayons du matin se réfléchissent sur le rebord de la fenêtre.

Hana

Corée, été 1943

Le train ne roule que de nuit, lorsque les bombardiers qui survolent le pays ne peuvent le voir acheminer les marchandises qu'il transporte vers le nord. Les arrêts sont nombreux, mais les filles sont forcées de rester à bord. Le minimum de nourriture et d'eau leur est donné. Hana meurt de faim. Son estomac semble être en train de se digérer lui-même. Attendre la tombée de la nuit est épuisant. Les filles sont obligées de rester assises en silence pendant que les soldats fument, mangent et plaisantent.

Les deux filles entrées dans le compartiment quand le train s'était arrêté plus tôt semblent gentilles, mais Hana ne se sent pas d'humeur à parler après ce qui est arrivé à SangSoo. La fille au visage de lune qui avait été témoin de sa mort paraît soulagée d'avoir deux nouvelles camarades à qui parler. Ses traits sont redevenus jolis ; le choc est passé. Parfois, les soldats les laissent seules dans le compartiment. C'est à ce moment-là qu'elles se racontent leur vie.

Les trois filles semblent vouloir parler d'elles à tout prix. Assise en silence, Hana les écoute sans quitter des yeux l'unique rayon de lumière qui filtre à travers la vitre obstruée. Chaque fois que des ombres passent sur ce mince filet, Hana se demande si elles appartiennent à des soldats ou à des civils – des civils qui pourraient accepter de les aider.

« Ma mère m'avait envoyée à Séoul travailler comme employée de maison chez ma tante, mais je ne suis jamais arrivée là-bas », dit l'une des filles.

Elle est la plus âgée du groupe, dix-neuf ans sans doute, et est dotée d'une fossette sur l'une de ses joues. Ses cheveux bouclés sont ramassés en un chignon désordonné dans le bas de son cou.

« J'attendais l'autobus. Je n'étais qu'à trois arrêts de Séoul. C'est à ce moment-là qu'un officier de l'armée s'est arrêté. Il m'a demandé où j'allais, et quand je lui ai répondu, il m'a dit que mon bus avait été retardé et que j'allais devoir attendre des heures avant qu'il n'arrive. Il m'a proposé de me déposer. »

Elle lance un regard coupable aux autres comme si elle attendait d'être jugée, mais lorsque personne ne dit mot, elle poursuit :

« Je sais que je n'aurais pas dû l'écouter. Ma mère m'a dit de ne jamais croire un Japonais. Ils ne pourront jamais être vraiment amis avec nous car ils voient les Coréens comme des citoyens inférieurs, mais... il avait l'air si gentil. J'ai vraiment pensé qu'il voulait me rendre service. » Sa voix faiblit en un murmure. « Je n'étais jamais partie de chez moi, avant. »

Hana tourne la tête vers le rayon de soleil et regarde les ombres danser. Elle non plus n'était jamais partie de chez elle. Sa mère aussi se méfie des Japonais. Elle ne quittait jamais Hana et sa sœur des yeux, sauf lorsqu'elle était obligée, et une fois plus grande,

Hana avait reçu l'ordre de ne jamais s'approcher des étrangers. Son père passait souvent toute la journée en mer à pêcher les prises rejetées par les Japonais. Il pouvait rentrer tard le soir, bien après qu'Hana, sa mère et sa sœur étaient revenues du marché. Il brandissait alors son sac, tout fier.

« Regardez ce que j'ai rapporté pour notre festin de ce soir ! » fanfaronnait-il en entrant dans leur petite maison traditionnelle.

Hana et sa sœur glapissaient de joie et couraient à sa rencontre avant même qu'il n'ait pu franchir le seuil, accrochées à ses jambes. Il s'avançait alors à l'intérieur d'un pas lourd, comme un monstre des mers sorti des profondeurs de l'océan. Même à seize ans, Hana continuait de l'accueillir de cette manière, ce qui amusait particulièrement sa sœur, qui gloussait de plaisir en voyant son père marcher de la sorte. Discrètement, Hana l'aidait quand même à avancer. Ce petit rituel apportait toujours de la joie dans leur foyer, même quand son père rentrait brisé de fatigue et souffrait à cause du stress et de ce travail pénible.

« Où est ma reine ? demandait-il avant de s'asseoir pour ouvrir son sac.

— À ton avis ? Dans la cuisine ! s'écriait sa sœur, et sa mère passait aussitôt la tête par la porte ouverte.

— Ah, voici ma belle épouse, et quel délicieux fumet emplit notre palais, ce soir ! Tenez, chers compagnons, allez remettre ce fabuleux butin à ma belle et tendre cuisinière. »

Là-dessus, Hana et sa sœur se mettaient à fouiller dans le sac et poussaient des cris de joie et de surprise à chaque poisson, à chaque morceau d'algue, à chaque paquet de riz qu'elles trouvaient. Parfois encore, son père leur faisait la surprise de leur rapporter des poires qu'il avait pu troquer contre du poisson, mais ces fruits étaient un mets rare auquel elles ne goûtaient qu'une ou deux fois par an. La veille au soir de son enlèvement, son père en avait rapporté deux grosses à la maison. Même à présent, le goût de leur chair juteuse est resté gravé dans la mémoire d'Hana.

« Il m'a emmenée dans un dépôt militaire et ils m'ont fait signer des papiers, mais je ne sais pas lire le japonais. Je ne suis jamais allée à l'école, poursuit la fille d'un air honteux. Je ne savais pas ce qui se passait. Il m'a laissée là-bas avec un homme coréen qui m'a dit que ma tante n'avait plus besoin de moi. Il m'a dit que l'empereur avait besoin de mes services à la place. Et que j'allais travailler pour la gloire du Japon. »

Hana regarde le visage de la fille. L'innocence se lit encore dans ses yeux. Les soldats ne l'ont pas violée. Peut-être ne s'en étaient-ils pris qu'à sa cabine, sur le ferry. Mais Hana ne peut pas révéler à ces filles ce qui lui est arrivé. Tout le monde s'est tu et attend à présent de l'entendre à son tour partager son histoire. Hana balaye du regard leur visage interrogateur puis s'excuse et se détourne, les yeux rivés sur le rayon de soleil qui lentement disparaît.

À la fin de cette semaine de voyage, Hana se retrouve seule dans le compartiment. Les trois autres filles ont été débarquées dans d'autres gares, avant. Morimoto ne lui a pas adressé un seul mot du trajet ; à peine l'a-t-il regardée. Tout se passe comme s'il avait oublié sa présence, jusqu'à ce qu'ils arrivent à leur destination, en Mandchourie. Soudain, tout s'accélère : Morimoto lui ordonne de descendre du train, transmet ses papiers à un nouveau soldat et s'en va d'un pas martial comme si ce voyage forcé à côté de lui n'avait jamais eu lieu. Le nouveau soldat s'en va chercher un autre véhicule et, pendant un court instant, Hana se retrouve toute seule.

Elle balaye du regard les alentours et songe à traverser la route pour s'enfuir quand elle aperçoit Morimoto, déjà de retour, un paquet de cigarettes à la main. Il s'arrête près d'elle, en allume une et prend quelques bouffées avant de lui tendre son paquet.

« Tu sais fumer ? »

Le regard d'Hana s'arrête sur la cigarette qu'il lui propose puis sur lui, craignant qu'il ne lui joue un mauvais tour. Mais Morimoto éclate de rire, un rire léger, comme s'il n'était qu'un type normal offrant une cigarette à une fille naïve, et rien de plus.

« C'est facile, regarde », dit-il, puis il prend une longue bouffée, les yeux plissés, tandis que la fumée s'élève en tourbillons vers le ciel noir.

Il retire ensuite la cigarette pincée entre ses lèvres et la place doucement entre celles d'Hana qui reste parfaitement immobile de peur qu'il ne la brûle, ou pire.

« Tu apprendras à faire ce qu'on te dit. Aspire. »

Lui désobéir serait de la folie, alors Hana s'exécute et aspire pour tousser dès que la fumée âcre s'engouffre dans sa jeune gorge.

Morimoto éclate de rire une nouvelle fois et lui donne une tape dans le dos, comme un grand frère. La cigarette lui tombe des lèvres et atterrit sur le sol. Morimoto l'écrase du bout de sa botte. Quand l'autre soldat revient, il bavarde avec lui comme si Hana n'était pas là, la main posée sur l'épaule de son camarade, riant avec lui. Le soldat finit par lui adresser le salut militaire, et Morimoto le salue à son tour. Le soldat conduit alors Hana jusqu'à une jeep garée derrière le bâtiment. Morimoto allume une autre cigarette et souffle un panache de fumée lorsque tous deux passent devant lui, sur la route de terre. Le goût du tabac reste imprégné sur la langue d'Hana tandis qu'elle et son chauffeur s'éloignent de lui.

*

Dans la nuit, Hana n'aperçoit rien de la campagne de Mandchourie hormis les ombres des buissons épars et les hautes herbes des pâturages. Voilà bien longtemps qu'elle n'avait pas vu un ciel aussi noir, sans lune pour les éclairer. Sur cette piste accidentée, les phares ne sont presque d'aucune utilité. Hana s'endort par intermittence et se réveille en sursaut quand une main lui secoue brusquement l'épaule.

« Descends, on est arrivés », lui ordonne le soldat.

Sous la lumière des phares se dresse une grande auberge de bois. Le bâtiment compte un étage, avec des fenêtres à barreaux. La porte s'ouvre et apparaît un autre soldat qui les invite à entrer.

« C'est la fille de remplacement ? demande-t-il alors qu'ils s'arrêtent dans le hall d'entrée.

— Oui, envoyée par le caporal Morimoto.

— Évidemment », répond le soldat avec un sourire.

Ils se saluent mutuellement puis, sans même un dernier regard pour Hana, le chauffeur saute dans la jeep. Elle le regarde faire vrombir le moteur avant de partir. L'autre soldat verrouille alors la porte derrière elle, puis il appelle quelqu'un et une vieille femme apparaît, vêtue d'habits chinois. Elle place un bras autour d'Hana et l'emmène plus loin dans l'auberge. Hana se laisse faire, soulagée de se retrouver auprès d'une femme. Peut-être travaille-t-elle ici comme bonne. Cette pensée lui redonne un peu de courage.

« Pouvez-vous me dire où je suis ? » lui demande Hana en japonais, la langue obligatoire.

La femme ne répond pas. Hana répète sa question, mais la femme se contente de la conduire jusqu'à un autre hall d'où part un vieil escalier en bois. Celui-ci mène à l'étage, plongé dans l'obscurité.

« Qu'est-ce qu'il y a là-haut ? » demande Hana.

La femme allume une bougie et commence à monter. Hana s'arrête au pied de l'escalier. Au-dessus de la première marche sont accrochées deux rangées de portraits de filles. Chacune d'entre elles arbore la même coupe de cheveux au carré et la même expression sérieuse, solennelle. Sous chaque cadre, un numéro est inscrit. Leurs yeux sombres semblent suivre Hana alors qu'elle s'engage derrière la femme en tentant de refouler sa peur.

La lueur de la flamme danse sur les murs du couloir obscur, mais ne permet pas à Hana de voir tout ce qui l'entoure. Elle et la femme passent devant quelques portes avant que cette derrière ne s'arrête et en ouvre une avec une clé. Hana entre dans une pièce et la femme se retourne, prête à partir.

« Attendez. S'il vous plaît, dites-moi où je suis », l'implore-t-elle, mais les claquettes de la femme résonnent déjà sur les marches en bois de l'escalier.

Seule, Hana inspecte la petite pièce plongée dans la pénombre. Elle est à peine assez grande pour contenir le tatami flanqué dans un coin, contre le mur, et la bassine posée à côté. Hana se précipite vers elle. Il y a de l'eau fraîche à l'intérieur. Les mains en coupe, elle se met à puiser. L'eau coule dans sa gorge et Hana boit sans s'arrêter, sans même se demander si l'eau est propre ni à quoi elle était destinée. Elle boit tout, jusqu'à la dernière goutte. Puis elle s'étend sur le tatami et attend le retour de la vieille femme.

Elle se réveille d'un sommeil bref et agité lorsque la femme revient. Elle porte sur un plateau un bol de bouillie de riz avec une coupelle de légumes marinés japonais. Sitôt qu'elle est assise, une déferlante de questions s'échappe de la bouche d'Hana.

« Où suis-je ? Pourquoi m'a-t-on amenée ici ? Quand pourrai-je rentrer chez moi, auprès de ma mère ? »

Hana donnerait n'importe quoi pour obtenir des réponses. Elle répète même ses questions en coréen.

La femme secoue la tête. Elle parle sûrement une autre langue que la sienne, probablement le mandarin. Elle désigne à Hana le bol de bouillie et se tourne pour partir. Lorsque la porte s'ouvre, un gémissement profond, inhumain, résonne jusque dans la pièce.

« Qu'est-ce que c'est ? » demande Hana, mais de nouveau la femme secoue la tête avant de sortir.

Hana s'approche de la porte et tente de regarder dehors. La femme s'éloigne à petits pas, les épaules voûtées. Au fond d'elle, Hana est sûre que cet endroit ne peut pas être si terrible puisque cette vieille femme n'a pas pris la peine de fermer la porte à clé. Tout porte à croire qu'Hana est libre de circuler dans l'auberge, comme si elle n'était plus prisonnière, ou comme si la femme se moquait qu'elle puisse s'échapper. À moins qu'il n'y ait nulle part où s'échapper, fait une voix dans sa tête, empêchant aussitôt son espoir de grandir.

Puis le bruit recommence, une longue plainte grave, comme venue d'ailleurs, comme la mort elle-même. L'idée traverse Hana de fermer la porte et d'aller se réfugier dans le coin le plus éloigné de la pièce, mais il faut qu'elle sache de quelle créature peut provenir un tel cri. Peut-être qu'en identifiant la source, elle apprendra où elle se trouve et pourquoi le soldat l'a amenée ici.

Comme plusieurs autres, la porte de sa chambre s'ouvre sur un palier relié par un escalier à un petit hall où l'on peut voir différentes portes. D'autres bougies ont été allumées en bas, si bien que l'on distingue plus facilement les lieux. Au pied de l'escalier, le hall est totalement vide, comme si l'auberge attendait de recevoir des meubles.

De nouveau, le gémissement retentit. Hana croit l'avoir entendu en bas, dans la pièce la plus éloignée de l'escalier. La porte est entrouverte et, à l'intérieur, des ombres semblent s'agiter. Sans même y réfléchir à deux fois, Hana se faufile dans l'escalier, grimaçant à chaque grincement des marches. Elle jette un coup d'œil aux portraits des filles avant de descendre jusqu'en bas. Leurs visages semblent flotter au-dessus d'elle et la surveiller d'un air accusateur. Hana se détourne de ces images et, sur la pointe des pieds, s'avance jusqu'à la porte. Retenant sa respiration, elle passe la tête à l'intérieur pour regarder.

Sur un tapis collé au mur du fond, une femme est allongée, jambes écartées, les cuisses couvertes de sang. Un homme au visage masqué par un foulard se tient à quatre pattes devant elle. Les cheveux se dressent sur la nuque d'Hana lorsqu'elle réalise que ces cris atroces proviennent de la femme en sang.

« Il faut qu'elle pousse », dit l'homme japonais à quelqu'un d'autre à côté de lui.

Hana ne distingue pas cette personne, mais elle entend sa voix.

« Le médecin dit que vous devez pousser », fait une voix féminine, en coréen.

Malgré elle, Hana étouffe un cri. La femme en sang est coréenne. Celle-ci émet alors un long hurlement, sourd et profond, plus celui d'une bête que d'un être humain. Hana tourne les talons et s'enfuit en courant dans l'escalier, à la fois traumatisée par cette femme en train d'accoucher et soulagée de se trouver dans un endroit qui abrite d'autres Coréennes.

« Elle ne va pas y arriver, dit le médecin en japonais, et Hana s'arrête net.

— Et le bébé ? demande la femme à côté de lui.

— Il est déjà mort.

— Et elle, vous pouvez l'opérer pour la sauver ?

— Le risque d'infection est trop grand.

— Que peut-on faire pour elle ?

— Soit elle expulse le bébé, soit elle meurt avec lui. Dites-lui qu'il faut pousser plus fort si elle veut vivre. »

Hana ne veut rien entendre de plus. Elle remonte l'escalier le plus discrètement possible et se faufile dans sa pièce avant de s'asseoir, tremblante, les genoux contre la poitrine. Malgré les cris de souffrance de la femme, son regard ne peut s'empêcher de dériver vers le bol de bouillie et les pickles laissés sur le plateau. Son ventre gargouille. Hana s'en veut de penser à sa faim alors qu'à quelques mètres de là une femme est à l'agonie. Mais l'envie est plus forte. Le voyage en train a duré trop longtemps.

Elle attrape le bol et engloutit la portion de riz. Puis c'est au tour des pickles, qu'elle avale d'une traite avant de s'essuyer la bouche sur le bas de sa robe. Un autre gémissement résonne à travers la porte close, et Hana sent monter l'écœurement. Submergée par la nausée, elle s'avance à quatre pattes jusqu'à la bassine posée contre le mur et vomit.

Le riz, l'eau et les légumes tombent avec un bruit d'éclaboussure dans le récipient métallique. Après s'être essuyé la bouche du revers de la main, Hana finit par se lever avec l'intention de descendre vider la bassine. Mais à mi-chemin, dans l'escalier, les hurlements de la femme recommencent. Impossible de faire un pas de plus. Elle fait demi-tour pour retourner se réfugier dans sa pièce.

Mais alors qu'elle approche de sa porte, elle remarque une plaque de bois accrochée sur le mur. Le nom d'une fleur est gravé dessus en japonais, suivi d'un chiffre : Sakura (fleur de cerisier) – 2. Les autres portes sont également pourvues de plaques similaires. Une par une, Hana passe devant : TSUBAKI (camélia) – 3, HINATA (tournesol) – 4, KIKU (chrysanthème) – 5, AYAME (iris) – 6, RIKO (jasmin) – 7. Arrivée devant la dernière, Hana entend un bruit à l'autre bout du couloir, près de sa porte.

Elle hésite à poursuivre son inspection, puis décide finalement de revenir à son point de départ. C'est à ce moment-là qu'elle aperçoit une autre porte près de la sienne. Sur la plaque n'est pas écrit le nom d'une fleur, mais un prénom : KEIKO (bénédiction) – 1. Hana entend bouger à l'intérieur.

Voulant à tout prix savoir où elle se trouve et pourquoi le soldat l'a emmenée ici, elle s'empresse de poser sa bassine et saisit la poignée de la porte. La peur fait battre son cœur à un rythme irrégulier, trop vite, trop fort, l'empêchant de respirer correctement, mais la poignée tourne sans peine.

C'est une pièce identique à la sienne. Une bougie posée par terre brûle près d'une femme agenouillée sur un tapis, le visage enfoui dans ses mains. Elle pleure sans faire de bruit. Ses épaules sont secouées par ses sanglots étouffés. Hana s'apprête à refermer la porte, mais la femme remarque sa présence et abaisse ses mains. Leurs regards se croisent. Personne ne bouge.

« Tu dois être la nouvelle Sakura », finit par dire la femme en japonais.

Hana se sent tout de suite soulagée de pouvoir communiquer avec elle.

« Et tu es Keiko ? » demande-t-elle en se souvenant du nom sur la plaque.

La femme hoche la tête. Les plaques portent donc des noms. Le sien est Sakura.

« Tu es si jeune, dit Keiko en secouant la tête. Quel âge as-tu ?

— Seize ans », répond Hana, gênée d'entendre trembler sa propre voix.

À la lueur de la bougie, Keiko semble avoir une trentaine d'années.

« J'ai eu ton âge, autrefois. On dirait que c'était dans une autre vie. »

En bas, la femme pousse un nouveau gémissement et Keiko se couvre la bouche pour étouffer un sanglot.

« Tu la connais ? demande Hana.

— C'est mon amie, répond Keiko d'une voix étranglée, après un long silence.

— Le bébé est mort », ne peut s'empêcher d'annoncer Hana.

Son ventre se noue.

« Tant mieux. »

Une sombre expression se dessine sur le visage de porcelaine de la femme.

« Elle va peut-être mourir, elle aussi », ajoute Hana en se demandant si Keiko se réjouira également de cette nouvelle.

Le visage de Keiko s'adoucit, puis elle baisse les yeux vers ses mains inertes posées sur ses genoux.

« Ce serait mieux pour elle. »

Son ton solennel ne concorde pas avec ses mots.

« Je ne comprends pas, souffle Hana.

— Tu comprendras bientôt, répond Keiko sans lever les yeux. Retourne dans ta chambre. S'ils te trouvent ici, nous paierons toutes les deux. »

Hana voudrait demander ce que cette phrase signifie, mais la voix d'un homme retentit en bas.

« Va ! » murmure sèchement Keiko.

Hana se dépêche de sortir. Elle ramasse sa bassine et regagne la chambre qui lui a été attribuée. Une odeur de bile ne tarde pas à s'élever. Hana hésite à jeter le contenu de la bassine par la fenêtre, mais se souvient de l'avertissement de Keiko et se ravise. Elle s'allonge sur le tatami et se demande ce que ces mots peuvent vouloir dire. Cette nuit-là, personne d'autre n'entre dans sa chambre et Hana finit par s'endormir en serrant son ventre vide.

Le lendemain, elle entend dire que l'amie de Keiko n'a pas survécu à l'accouchement, avant d'apprendre la raison qui l'a amenée ici.

Emi

Séoul, décembre 2011

Emi est réveillée par la main de sa fille qui se pose doucement sur son bras. Ses yeux sont secs et la démangent.

« Le petit déjeuner est servi », lui dit YoonHui.

Emi sent l'odeur du café, du riz cuit et du poisson. Son ventre gargouille. En se levant du canapé, ses genoux craquent. Snowball remue la queue et la suit dans la salle de bains. La regarder faire ses petites affaires du matin ne semble pas le déranger. Ce chien est comme un vieil ami qui partagerait son intimité depuis des années. Elle s'éclabousse le visage puis pose ses mains sur ses yeux pour les imprégner d'eau froide. Une fois rafraîchie, elle attrape le caniche dans ses bras et s'en va à petits pas dans la cuisine.

Sa fille s'est surpassée. À son arrivée, une ribambelle de petits plats en porcelaine est disposée sur la table du petit déjeuner, à côté de deux bols de riz fumants.

« Tu m'as préparé mes *banchan* préférés, s'exclame Emi en s'avançant vers une coupelle de pousses de soja épicées.

— J'ai passé toute la matinée d'hier à cuisiner », admet YoonHui avant de prendre place en face de sa mère.

Emi attrape ses baguettes et la coupelle de pousses de soja. Elles sont excellentes, et Emi complimente sa fille. Toutes deux mangent en silence pendant un moment, malgré les sollicitations de Snowball. YoonHui accepte de lui donner quelques morceaux de poisson.

Une fois le petit déjeuner terminé, Emi et YoonHui emportent leur café dans le salon et YoonHui choisit un CD. Un morceau de musique classique au piano emplit la pièce. YoonHui baisse le volume de la chaîne.

« C'est beau, dit Emi.

— C'est Chopin. La dernière fois aussi, tu avais aimé.

— Oui, c'est vraiment très bien. »

YoonHui sourit et se tourne vers la fenêtre. Emi pressent que Lane ne va pas tarder à arriver.

« Maman, tu es sûre que ça ne te dérange pas si Lane vient avec nous ?

— Pas du tout, je te l'ai déjà dit. Ne t'inquiète pas pour moi. Et ton frère, il vient ?

— Non, il doit travailler.

— Et mon petit-fils ?

— Il a école aujourd'hui. Nous les rejoindrons pour dîner, ce soir. »

Sur ces mots, YoonHui pousse un gros soupir. Emi se rend bien compte que quelque chose la perturbe. Elle ignore quoi, alors elle reste assise et attend, même si sa tasse de café est vide et qu'il est temps pour elle de s'habiller.

« Maman ? Je peux te demander quelque chose ? » finit par dire YoonHui.

Elle semble hésiter à parler. Même après toutes ces années, sa fille, une femme de cinquante-huit ans, a peur de parler à sa propre mère. Qu'a-t-elle pu faire pour que sa fille ait si peu confiance en elle ? se demande Emi.

« Mais bien sûr, répond-elle. Tu peux tout me demander. »

YoonHui déglutit, les yeux rivés sur sa tasse de café. Puis elle passe sa langue sur ses lèvres et dit, sans lever les yeux :

« Que signifie une "femme de réconfort" ? »

Le silence tombe entre elles comme un voile invisible.

Emi ne répond pas immédiatement ; son regard reste fixé sur ses mains.

« C'est à cause de ça que tu vas aux Manifestations du mercredi chaque fois que tu nous rends visite ? » continue sa fille, le front plissé.

Emi s'agrippe à la table basse, lourde et lisse. Son cœur se serre. Les Manifestations du mercredi ont lieu chaque semaine depuis que la première « femme de réconfort » a parlé, il y a vingt ans. Voilà trois ans qu'Emi s'y rend tous les ans. Ces manifestations ont pour but de réclamer la justice et la reconnaissance par le gouvernement japonais de ce crime de guerre commis sur des milliers de femmes pendant la Seconde Guerre mondiale.

Tant d'années ont passé depuis la fin de la guerre, depuis le début des manifestations, et pourtant, ces crimes restent impunis. Que faut-il encore pour que la Corée obtienne ce pardon ? Qu'elle pardonne elle-même, en premier ? Emi pose une main sur sa poitrine. Son cœur ralentit. Aujourd'hui est un jour particulier, celui de la millième manifestation.

« Pourquoi n'arrives-tu pas à en parler ? »

La voix de sa fille la blesse. Emi pose ses mains à plat sur ses cuisses. Elle n'a jamais su comment lui parler. Chercheuse à l'université, YoonHui est guidée par sa logique. Chaque décision qu'elle prend est mûrement réfléchie, pesée avec une précision mathématique. C'est la raison pour laquelle elle n'avait pas pu marcher sur les pas d'Emi et devenir une haenyeo. À la place, YoonHui était partie étudier à l'université, à la recherche d'un monde doté de sens pour elle. Emi, elle, ne pourrait jamais comprendre le monde dans lequel habite sa fille, tout comme sa fille ne pourrait jamais comprendre les secrets qu'Emi a gardés durant toute sa vie. Quels seraient les mots pour lui expliquer cette vie de silence ? Mais Emi ne peut plus mentir à présent.

« Je n'ai jamais été une "femme de réconfort". Tu dois me croire. »

Emi lève les yeux vers sa fille, espérant que son regard la convaincra.

« Je… Je te crois, mais simplement… J'aimerais que tu m'en dises un peu plus sur ta vie. Que tu partages ton histoire avec moi. »

YoonHui baisse les yeux vers sa tasse. Elle paraît gênée, et un peu furieuse aussi.

« YoonHui », souffle Emi.

Sa fille lève les yeux. Elle ne cache pas sa colère, et semble même chercher à défier sa mère de mentir.

Le tigre féroce qui sommeillait en elle existe toujours, et Emi se sent soudain remplie de fierté.

« Je cherche quelqu'un, c'est tout. J'espère trouver des informations sur elle là-bas.

— Qui ça ? Une amie ? »

La fille de son rêve lui apparaît dans un flash. Emi revoit son jeune visage. Qui cherche-t-elle ? Une fille dont elle aurait perdu la trace il y a toutes ces années ? Une femme devenue vieille après une vie passée dans une autre région ? Au fond d'elle, Emi sait qu'en répondant sincèrement à sa fille elle ouvrira une trappe scellée depuis plus de six décennies et qu'une fois ouverte il n'existera aucun moyen de la refermer. Derrière cette porte verrouillée se trouvent les mensonges, la souffrance, la peur, l'inquiétude, la honte, toutes ces choses de son passé qu'Emi a cachées à ses enfants et déniées en vieillissant. Mais tous ces sentiments la rattrapent soudain et la frappent comme la botte d'un soldat sans visage. Son souffle se coupe, ses épaules s'affaissent ; Emi ne parvient plus à regarder sa fille. Son regard se perd sur le lino couvert de fines marbrures dont les nœuds forment comme des fleurs délicates.

C'était d'ailleurs une fleur qui avait poussé Emi à se rendre pour la première fois aux Manifestations du mercredi. Trois ans plus tôt, JinHee l'avait convaincue de venir assister à la cérémonie d'inauguration du parc de la Paix, à Jeju. Ce parc avait été créé pour la commémoration du soulèvement qui avait eu lieu sur l'île en 1948 et qui avait conduit au massacre de plus de vingt mille habitants. Un grand nombre d'entre eux avaient été exécutés injustement. Emi se rappelle encore la peur qui avait envahi son village et la crainte que tout le monde avait d'être désigné comme un rouge, un communiste. Toute personne considérée comme sympathisant des Soviets, soutenus par la Corée du Nord, était jetée en prison, battue, torturée puis tuée. L'ordre d'exécuter en masse tous les sympathisants de gauche par mesure de prévention pour endiguer la guerre de Corée avait été donné par le gouvernement par intérim, quant à lui soutenu par les États-Unis et leur armée.

Emi n'avait que quatorze ans quand sa maison avait été réduite en cendres. Son village faisait partie de ceux, nombreux, soupçonnés d'abriter des rebelles gauchistes rangés aux côtés du Nord communiste. Elle n'en avait jamais parlé, mais JinHee avait connu cette période, elle aussi. Son amie savait quels souvenirs douloureux renfermait le cœur d'Emi, car elle-même devait vivre avec les siens. La cérémonie d'inauguration du parc de la Paix était un premier pas pour que guérissent les blessures de cette île au passé sanglant. JinHee avait insisté jusqu'à ce qu'Emi accepte de s'y rendre.

« Tes cauchemars ne vont pas partir tout seuls », lui avait-elle dit un jour, après une longue matinée de plongée. Elles étaient installées au marché, en train de vendre leurs prises. Emi avait réussi à pêcher un seau supplémentaire d'abalones. « Tu dois faire face à ton passé. C'est peut-être l'occasion.

— Le passé est le passé », avait rétorqué Emi en regardant les clients défiler.

Une fillette qui tenait le doigt de sa mère avait attiré son attention. Elles étaient des touristes venues du continent. Les yeux brillants de la petite s'étaient arrêtés sur elle. Emi avait souri, puis détourné la tête.

Voilà si longtemps qu'elle faisait ces cauchemars. Elle ne se souvenait même pas du moment auquel ils étaient apparus, mais simplement que tout avait commencé peu après la mort de son mari.

« Il n'y a rien à faire, avait-elle répondu.

— Quelle tête de mule ! À quoi bon t'accrocher ainsi à ton *han* ? avait déploré JinHee en secouant la tête, avant de faire coucou à l'enfant qui, en réponse, s'était mise à glousser, une main sur la bouche.

— Pas du tout, avait répondu Emi en se rengorgeant, pendant qu'elle massait sa jambe handicapée.

— Mais tout le monde va y aller. Nous avons même loué un van pour nous y rendre. »

Emi n'avait pas répondu. Elle regardait la petite fille insouciante qui semblait aussi légère que l'air en suivant sa mère à travers le marché bondé. Emi réprimait un pincement de jalousie chaque fois qu'elle apercevait un enfant heureux. Tout le monde sans exception avait souffert pendant l'occupation japonaise. Beaucoup avaient survécu pour ensuite perdre la vie pendant la guerre de Corée. Mais si, comme Emi, cette mère et sa fille avaient réussi à survivre à ces deux conflits, cela signifiait qu'elles aussi portaient en elles le fardeau du désespoir et se trouvaient rongées par les regrets. Les membres de nombreuses familles avaient été tués, affamés, enlevés ; des voisins s'étaient dénoncés les uns les autres – et toutes ces choses formaient son han, un mot que chaque Coréen ne connaissait que trop bien, un fardeau que tout le monde portait. Tout le monde, même JinHee et les autres pêcheuses, mais la manière dont elle s'en accommodait ne regardait qu'Emi et personne d'autre.

« Ne laisse pas ton obstination t'empêcher de trouver la paix », avait dit JinHee en touchant la jambe valide d'Emi.

Emi s'apprêtait à lui répondre, mais JinHee avait brandi les mains en l'air, comme pour se rendre.

« C'est bon, j'arrête…

— Tant mieux, avait aussitôt répondu Emi.

— Mais seulement si tu viens, s'était alors écriée JinHee en tapant des mains en l'air. Sinon, tu ne seras jamais en paix, ni avec toi-même, ni avec moi ! »

Puis elle était partie de son rire que tout le monde connaissait, ce rire que l'on entendait résonner parmi les étalages. Tous les regards s'étaient tournés vers elles, et Emi n'avait pas eu d'autre choix que de sourire à son tour.

Au cours du trajet, les histoires du passé et l'évocation des meurtres que le soulèvement avait provoqués avaient fait couler des larmes. Nombreuses étaient les plongeuses à avoir connu cette époque dans leur jeunesse et perdu une mère, un père, des oncles, tantes, frères et sœurs ou grands-parents. Assise à l'avant du van, Emi fixait le paysage, mais les écoutait en même temps. Elle n'avait pas voulu se joindre à ces récits, faute de parvenir à faire remonter ses souvenirs. Chaque fois qu'elle tentait de se représenter cette époque, après la libération de la Corée, un voile s'abattait sur son esprit. Tout se passait comme si les cinquante ans de déni du gouvernement qui s'étaient ensuivis avaient fini par fonctionner. Emi était incapable de parler, et même les libertés accordées par le nouveau gouvernement n'y avaient rien changé. Son esprit avait bloqué ces souvenirs douloureux afin de lui permettre d'élever ses enfants et de survivre. Mais ses cauchemars, eux, n'avaient pas cessé.

« Tout va bien ? » lui avait demandé JinHee en arrivant au parc.

Emi avait haussé les épaules avant de houspiller son amie qui rôdait à côté d'elle comme si elle surveillait un enfant.

Plus de cinq mille personnes avaient assisté à la cérémonie. Emi avait regardé l'assistance en se demandant combien dans cette foule avaient autrefois vécu sur l'île de Jeju et s'étaient exilés à cause des atrocités perpétrées par leurs propres concitoyens. Une femme était passée devant elle avec un bouquet de fleurs blanches à la main. Tout à coup, Emi s'était rendu compte que tout le monde ou presque portait un bouquet similaire. Elle n'aurait su dire pourquoi cette vision la perturbait, mais à mesure que les gens défilaient devant elle, des fleurs plein les bras, sa respiration s'était accélérée. Les mains sur la poitrine, elle avait alors remarqué que tous s'orientaient dans la même direction. Elle les avait alors suivis.

Son cœur s'était de nouveau mis à battre la chamade alors qu'elle approchait d'un attroupement massé autour d'une table. Sa surface était recouverte de chrysanthèmes blancs, un symbole de deuil. Ces fleurs destinées aux enterrements s'amoncelaient devant elle comme si des visiteurs étaient venus en faire offrande à leurs défunts, par centaines. Cette marée blanche ponctuée du vert le plus profond avait fait remonter un souvenir en elle. Celui d'une autre cérémonie, voilà bien longtemps. Elle avait revu sa mère, lui tendant l'un de ces bouquets blancs, fantomatiques.

Chaque nuit suivante, les cauchemars avaient empiré. JinHee se sentait coupable d'avoir forcé Emi à venir à cette cérémonie. Ces souvenirs refoulés depuis trop longtemps avaient même commencé à la hanter continuellement ; ils surgissaient le jour, pendant qu'Emi préparait le petit déjeuner, et même lorsqu'elle plongeait. Ce n'étaient d'abord que de brèves visions – une fille nageant vers une plage de galets, un soldat debout sur le rivage, des voix qui se perdaient –, jusqu'à ce qu'un jour Emi ne parvienne plus à les contenir. Ces visions affectaient sa productivité, manquaient de la faire chuter. Son histoire tout entière avait brusquement refait surface dans son esprit, si violemment qu'Emi avait été frappée d'une première crise cardiaque. Le médecin l'avait mise en garde, lui demandant de se ménager et de réduire son stress au minimum. Mais ces souvenirs continuaient de la ronger ; Emi ne pouvait plus les ignorer. Et ce fut ainsi qu'au cours de la visite suivante qu'elle avait rendue à sa fille, à Séoul, elle s'était un jour éclipsée pour se rendre à sa première Manifestation du mercredi, à la recherche de cette fille perdue de vue tant d'années auparavant.

Les aboiements du chien font revenir Emi à son présent. Sa fille attend ses explications. Emi attrape le chien et le serre contre son ventre. Son pelage soyeux et son petit corps chaud la réconfortent légèrement.

« Maman ?

— C'était il y a très longtemps, pendant la guerre ; les Japonais ont emmené une fille de notre village, et elle n'est jamais revenue.

— Quelle fille ?

— Quelqu'un que j'aimais. »

YoonHui reste silencieuse, mais sa colère s'est dissipée. Son regard, à présent, est rempli de questions. Emi ne dit rien de plus. Elle pose le petit caniche par terre et se relève. Mais alors qu'elle se dirige à petits pas vers la chambre pour se changer, sa fille l'interpelle.

« Tu sais que j'aime Lane, n'est-ce pas ? »

Emi s'arrête et se retourne vers YoonHui. Elle revoit encore la petite fille à qui elle avait appris à nager dans les eaux froides de la mer du Sud et son visage parfaitement rond qui lui souriait tandis qu'elles s'aspergeaient et tournaient autour des haenyeo qui revenaient de leur longue journée de plongée. Emi rêvait que sa fille plonge un jour à ses côtés, comme celles des autres pêcheuses, comme elle-même l'avait fait avec sa propre mère. Mais YoonHui avait grandi si vite et si bien qu'Emi n'était pas parvenue à suivre toutes les idées qui se bousculaient dans son esprit. Le jour où YoonHui lui avait annoncé qu'elle ne souhaitait pas apprendre à plonger fut le pire de sa vie de mère. Mais elle aurait dû s'y attendre. YoonHui n'avait rien à voir avec les autres filles. Ses yeux étaient toujours levés vers le ciel au lieu d'être tournés vers la mer.

« Pourquoi je n'ai pas le droit de continuer à aller à l'école ? » lui avait-elle demandé, un après-midi.

Elle avait alors dix ans ; cela faisait un an qu'avait commencé son entraînement en vue de devenir une haenyeo. C'était également sa dernière année d'école. Emi venait de terminer de plonger et triait ses prises du jour sur la plage. Les autres femmes étaient elles aussi en train de vider leur filet, et Emi savait que tout le monde les écoutait.

« Parce que je peux te transmettre tout ce que tu as besoin de savoir pour plonger, avait-elle répondu. Ce n'est pas à l'école que tu apprendras ça. »

YoonHui avait dû réfléchir avant de répondre. Ses mots semblaient pesés avec précaution. Tout en continuant à trier ses prises, Emi lui avait fait remarquer qu'elle avait trouvé bien plus d'abalones que la veille. JinHee et les autres pêcheuses étaient du même avis qu'elle.

« Maman, avait alors lâché YoonHui pour avoir toute l'attention de sa mère.

— Qu'y a-t-il, ma fille ?

— J'ai décidé… eh bien, après réflexion, j'ai décidé que je voulais aller à l'école comme Grand Frère. »

Emi était restée avec le calamar qu'elle vidait entre les mains. Elle avait regardé sa fille pendant un long moment, sans rien dire.

« Ne sois pas fâchée. J'y ai bien réfléchi. J'aimerais aller à l'université un jour. J'aimerais devenir professeur.

— Vraiment ? »

Emi avait recommencé à vider son calamar et à trier ses prises, puisant dans son sac de ses mains expertes.

« Oui, Maman. Vraiment. Vraiment. »

Les poings posés sur ses petites hanches, YoonHui s'était dressée avec aplomb. La tête haute, elle regardait Emi droit dans les yeux. Cette dernière avait dû faire tous les efforts du monde pour ne pas rayonner de fierté devant cette fillette si candide et si volontaire, même si cela n'enlevait rien à la douleur que sa décision lui causait.

« Toutes les femmes de notre famille sont des haenyeo. Nous sommes des femmes de la mer. Nous avons cela dans le sang. Chez nous, personne ne devient professeur. Plonger est notre don et notre destinée. »

Emi avait scruté sa fille, cherchant à lire dans son expression l'impact que ces mots avaient sur elle. YoonHui avait à peine cillé. Puis elle avait répondu :

« Ça, c'était avant la guerre. Maintenant, d'autres choses sont possibles. Je suis une fille intelligente et mon maître d'école dit que je suis même plus intelligente que Grand Frère au même âge. Il dit que je suis trop intelligente pour gaspiller mon talent à travailler comme une ouvrière dans l'océan et à risquer ma vie en plongeant. Non, ma place est à l'école, Maman.

— "Comme une ouvrière" ? avaient répété quelques-unes des haenyeo.

— Qui donc nous traite d'ouvrières ?

— Comment s'appelle-t-il, ce maître d'école ?

— Ton professeur est un homme », avait répondu Emi sans perdre son sang-froid, mais avec une certaine autorité dans la voix. Tout le monde s'était tu pour l'écouter. « Il ne vient pas de notre île, mais du continent, et un homme du continent ne peut en aucun cas comprendre ce qu'être une haenyeo signifie.

— C'est bien vrai ! s'étaient écriées les femmes.

— Nous plongeons dans l'océan comme nos mères et nos grand-mères et nos arrière-grand-mères l'ont fait avant nous depuis des centaines d'années. Ce don est notre fierté, car nous ne dépendons de personne, ni de nos pères, ni de nos époux, ni de nos grands frères, ni même des soldats japonais pendant la guerre. Nous attrapons nous-mêmes notre nourriture, nous gagnons nous-mêmes notre argent, nous survivons grâce à ce que la mer nous offre. Nous vivons en harmonie avec la nature ; combien de ces maîtres d'école pourraient en dire autant ? C'est notre argent qui paie leur salaire. Sans les "ouvrières" que nous sommes, ton professeur n'aurait pas de quoi remplir son assiette. »

Pendant qu'Emi parlait, toutes les têtes s'étaient agitées d'un air approbateur. Certaines pêcheuses avaient poussé des cris d'encouragement et des rires. Les joues de YoonHui avaient viré au cramoisi, ses petits poings s'étaient serrés et ses yeux s'étaient remplis de larmes qui, cependant, n'avaient pas coulé.

« Peu importe ce qu'il dit. Ce qui compte, c'est ce que je veux, avait-elle affirmé. J'en ai déjà parlé à Papa, et il a accepté. Je voulais juste te prévenir avant de partir. Demain est mon dernier jour de plongée. Papa a déjà payé mon inscription à l'école. Un jour, j'irai à l'université. »

Papa. Ce fut au tour d'Emi d'avoir les joues en feu. Ainsi donc son mari avait-il soutenu sa fille dans son dos et rompu la tradition familiale. C'était un choix stratégique de sa part pour saper l'autorité d'Emi, un choix que YoonHui ne pouvait pas comprendre. Son couteau s'était mis à trembler dans sa main. Les autres femmes s'étaient tues et avaient tourné le dos.

« Ça me manquera de ne plus nager avec toi. »

Ces paroles étaient sincères.

JinHee s'était penchée vers Emi et avait attrapé la lame tremblante de son couteau.

Sa fille avait laissé couler ses larmes, mais des larmes de joie. Elle s'était précipitée dans les bras de sa mère et l'avait serrée.

« Oh, merci, Maman. Je ne te décevrai pas. Tu pourras être fière de moi. »

Cette nuit-là, Emi n'avait pas trouvé la force de dormir aux côtés de son mari. Il savait que YoonHui lui avait parlé, car un peu plus tard, ce même après-midi, il l'avait conduite en ville pour acheter ses fournitures scolaires et son uniforme. Emi avait vu sa fille lui sourire pendant toute la soirée, toute reconnaissante qu'elle était d'échapper à la mer, ignorant tout de la manière dont son père s'était servie d'elle.

Dehors, sur le perron, écoutant les bruits de sa famille endormie, Emi avait pleuré. Son chagrin était un mélange de tristesse et de fierté. Tristesse à cause du choix qu'avait fait sa fille, mais fierté car ce choix avait été difficile. Sa fille était une excellente nageuse. Elle était la plus résistante de toutes ses amies, la plus rapide dans l'eau et pour remplir son filet. Si elle avait accepté de devenir une haenyeo, sans doute aurait-elle surpassé Emi. Mais personne ne le saurait jamais désormais. Levant les yeux vers le ciel, Emi s'était efforcée de voir ce que voyait sa fille lorsqu'elle contemplait le monde. Une étendue noire apparut sous ses yeux, mais rien dans son immensité ne fut capable de la consoler. YoonHui l'avait suppliée de dire oui ; même si elle n'en avait pas besoin, elle voulait obtenir son assentiment. Le désir de voir ses choix validés par sa mère était plus fort encore que sa détermination.

Lorsque Emi regarde YoonHui à présent, elle revoit cette petite fille et ces yeux remplis de détermination, mais cherchant en même temps l'approbation de sa mère. Sa fille a trouvé l'amour – rares sont ceux à qui la vie offre ce cadeau –, et Emi en est heureuse. Elle-même n'a connu que si peu de bonheur dans sa vie. Maintenant que la démocratie et une paix relative règnent dans le pays, n'est-il pas juste que ses enfants trouvent le bonheur ? Voilà qui conjurerait la souffrance endurée par son peuple pendant si longtemps. Tournée vers YoonHui, Emi hoche la tête et repart vers la chambre, sa jambe gauche traînant légèrement derrière elle, afin de se préparer pour la journée à venir.

Sa fille a lavé son pantalon rose. Emi l'enfile ainsi que son cardigan noir, puis elle observe son reflet dans la glace. Une vieille femme la regarde. Emi baisse les yeux vers sa poitrine et se demande à quel moment le cœur qu'elle renferme a décidé d'abandonner le combat. Elle approche sa main du miroir et la pose sur le cœur de la vieille femme.

*

Lane les attend au pied de l'immeuble. Un vent froid soulève son écharpe. Elle tend à YoonHui un sac en papier rempli de petits carrés de gâteau au café.

« Nous avons déjà mangé, lui dit-elle d'un air désolé, mais Emi l'interrompt.

— Moi, j'en prendrai avec toi, Lane.

— J'en étais sûre, Mère. C'est le meilleur gâteau au café du coin. Nous en commandons à l'université chaque fois que nous organisons un événement. Mais attention : quand on commence, on ne peut plus s'arrêter. »

Emi se rapproche de Lane et attrape un petit carré dans le sachet. Le copieux petit déjeuner que sa fille lui a préparé l'a déjà rassasiée et elle ne mange que très peu de gâteau. Qui plus est, Emi n'est plus vraiment attirée par les choses sucrées depuis qu'elle s'est fait enlever quatre molaires chez le dentiste, l'an passé.

Mais elle prend malgré tout une bouchée et sourit. Le gâteau a davantage un goût de cannelle. Elle se lèche les doigts une fois sa part terminée.

« Encore un ? » lui demande Lane.

Son nez est rouge et coule à cause du froid.

« Non merci, un seul suffira. C'était très bon.

— Venez, allons-y avant de mourir gelées », dit sa fille en passant un bras sous celui d'Emi et l'autre sous celui de Lane.

Lane jette un rapide coup d'œil à Emi qui, en retour, lui sourit. Une vague de chaleur se diffuse dans sa poitrine alors que toutes les trois se mettent en marche en rang, bras dessus bras dessous, vers la bouche de métro. YoonHui est redevenue une petite fille, toute frétillante à côté d'Emi. Tout se passe comme si un poids l'avait quittée, comme si YoonHui était soudain devenue quelqu'un de plus léger, de plus heureux. Emi garde cette image à l'esprit en souhaitant qu'elle y reste gravée à jamais. Puis, pleine d'espoir, elle poursuit son chemin, en route pour la manifestation.

Hana

Mandchourie, été 1943

Dans la cuisine, Hana est en train de terminer la bouillie de riz et les quelques morceaux de calamar séché donnés pour le petit déjeuner quand elle remarque que plusieurs filles la regardent sans parler. Ce sont les visages qui l'avaient accueillie au pied de l'escalier. Mais Hana n'a pas le temps de dire quoi que ce soit que Keiko arrive derrière elle.

« Il est temps de te couper les cheveux, lui dit-elle. Ainsi, tu seras comme nous autres. »

Keiko brandit une paire de grands ciseaux de jardinage. Hana regrette déjà ses magnifiques cheveux longs. Voyant les ciseaux en l'air, elle se prépare à entendre leur bruit sec quand le gardien, un soldat, les interrompt.

« Pas le temps pour ça. Attache-les pour l'instant », dit-il à Keiko.

Elle obéit et le soldat donne l'ordre à toutes les filles de remonter dans leur chambre se préparer. Personne ne jette le moindre regard à Hana pendant que le petit groupe rince ses assiettes et se dirige vers l'escalier.

Elle marche à la traîne, se demandant pourquoi il leur a été demandé de se préparer.

« Attends un peu, ordonne le soldat à Hana avant de poser sur le plan de travail un appareil photo sorti d'une housse. Tiens-toi tranquille, ajoute-t-il en faisant le point. Ne souris pas. »

Puis il déclenche l'appareil deux fois et, sans attendre, lui donne l'ordre de remonter dans sa chambre et la pousse en direction de l'escalier. Hana grimpe les marches, non sans avoir jeté un dernier coup d'œil aux portraits encadrés. L'un d'eux est manquant. Hana le remarque au dernier moment, et dans sa mémoire s'imprime le numéro inscrit sous l'espace blanc : –2.

Keiko s'est arrêtée dans le couloir. Elle semble vouloir dire quelque chose à Hana, mais courbe ensuite la tête et disparaît en silence dans sa chambre. Hana promène ses doigts sur le numéro à côté de sa porte. Sa photo va donc se retrouver avec les autres. C'est elle, le portrait manquant pour la chambre numéro 2. Un frisson lui parcourt les bras.

Assise sur son tatami, elle écoute les bruits qui résonnent derrière la fine porte en bois. Des murmures d'hommes, quasi imperceptibles au départ, s'élèvent. Ils proviennent du hall en bas, mais gagnent en intensité à mesure que les hommes montent l'escalier. Une fois en haut, il semblerait qu'un gigantesque attroupement se soit formé sur le palier. Hana réprime son envie de se lever et d'aller voir à la porte ; mieux vaut rester tranquille et se persuader que si elle fait le moins de bruit possible ils ne remarqueront pas sa présence ; mais Hana sait qu'il ne sert à rien d'espérer.

La porte s'ouvre d'un coup sec et c'est alors qu'elle les voit, plusieurs soldats en file indienne sur le palier. Hana apprendra plus tard que l'arrivée d'une remplaçante fait partie des nouvelles qui se répandent comme une traînée de poudre dans le camp ; à la première heure, tous les soldats se sont rués à l'auberge pour la tester.

Le premier entre dans sa chambre. C'est un homme costaud, déjà en train de baisser son pantalon. Hana ne se réfugie pas dans ses pensées comme elle l'avait fait sur le ferry avec Morimoto. À la place, elle ouvre grand la bouche et crie. L'homme s'arrête net, mais seulement un bref instant, puis il sourit.

« C'est bon, c'est bon, ça va aller vite, c'est promis. Ça va toujours vite avec moi. »

Il laisse glisser son pantalon sur ses chevilles et s'agenouille sur le tatami. Hana a le dos plaqué contre le mur le plus reculé de la petite chambre, mais cela ne suffit pas. Il se contente de la regarder et, lentement, Hana voit son pénis se dresser.

« Tu es belle », lui dit-il, puis il lui attrape la cheville.

Hana lui frappe la main, mais cela ne le décourage pas. Le soldat lui saisit le pied et la fait glisser sur le tatami. Hana n'a pas le temps de pousser un nouveau cri qu'il est déjà sur elle. Il l'écrase sous son poids, mais elle parvient malgré tout à se tortiller, à tambouriner sur son dos avec ses poings, à lui griffer la peau, à lui mordre l'épaule.

C'est alors que le soldat se relève, lui offrant un bref moment de répit, mais seulement pour lui donner un coup de poing dans le ventre. Hana a le souffle coupé. Le soldat n'attend pas. Alors qu'elle tente de reprendre sa respiration, il plonge ses mains entre ses jambes et rentre de force en elle.

Impossible de reprendre de l'air. Et pourtant, le soldat continue, donne des coups de reins sans interruption. Hana a tout le mal du monde à reprendre le contrôle de son corps, de ses poumons, de ses membres ; plus rien ne répond. Elle a l'impression de mourir.

Le soldat s'arrête brusquement, les muscles tendus. Il descend d'elle lentement. Hana roule sur le côté, à court d'air.

« Je t'avais dit que ça serait rapide », dit-il en remettant son pantalon.

Tandis qu'il s'en va, un autre soldat entre dans la chambre. Il jette un coup d'œil à Hana et crie à travers la porte :

« Hé, tu n'as pas mis de capote !

— Elle n'a pas demandé », répond l'autre.

Le nouveau soldat secoue la tête et attrape les jambes d'Hana. Son pantalon est déjà roulé sur ses chevilles.

« Je vous en supplie, arrêtez, dit-elle en retrouvant enfin son souffle. Aidez-moi, aidez-moi à m'enfuir d'ici… Ils m'ont enlevée, je n'ai que seize ans, aidez-moi à retrouver mes parents… »

Mais ses mots tombent dans l'oreille d'un sourd. Le soldat s'agite déjà sur elle, rapidement, comme si ses supplications lui disaient d'aller plus vite, plus fort, plus longtemps. Le deuxième soldat utilise toute sa demi-heure. Lorsque le troisième entre, Hana a commencé à saigner. Elle passe ses doigts sur le filet rouge qui descend le long de sa cuisse.

« Regardez ce qu'ils m'ont fait », dit-elle au troisième soldat en lui montrant ses doigts ensanglantés.

Mais il baisse son pantalon sans même la regarder. Puis il repousse sa main, la retourne à plat ventre et la prend. Hana hurle, mais il ne s'arrête pas. Aucun d'entre eux ne s'arrête. Hana finit par se taire ; par rester inerte alors que les soldats la souillent, les uns après les autres.

La nuit est tombée lorsque le défilé s'interrompt. Hana gît sur le tatami taché de sang, à demi consciente, perdue dans d'indescriptibles ténèbres. Les mots de Morimoto résonnent dans ses rêves. *Je te fais une faveur... les autres filles n'ont pas la chance qu'on les traite comme ça. Au moins, tu sauras à quoi t'attendre, la prochaine fois.*

*

Le soleil se lève lentement au-dessus de la clôture de bois qui entoure le camp. Debout derrière Hana, Keiko coupe ses longs cheveux avec ses cisailles. Perchés sur la corde à linge tendue dans la cour, de petits oiseaux jaunes piaillent joliment tandis qu'un vent sec froisse leur plumage. Une bourrasque soulève les cheveux d'Hana, agenouillée sur le sol brut. Comment un chant si gai peut-il exister dans ce lieu d'horreurs et de souffrances ?

« C'est fini, petite Sakura, lui dit Keiko en époussetant ses épaules nues. Tu es comme nous, maintenant. »

Keiko brandit un miroir de poche et Hana ne peut s'empêcher de regarder son reflet. Ses cheveux arrivent au ras de sa mâchoire délicate, mais autre chose retient son attention : un bleu violacé apparu autour de son œil droit, ainsi qu'une marque rouge en forme de cœur sur sa joue gauche. Sa lèvre du bas est ouverte et enflée, et la peau de son cou marbrée d'écorchures à force d'avoir été malmenée par des mains et des bras qui cherchaient à l'étrangler. Voilà donc ce que les autres voient de ses souffrances. Hana se détourne de son reflet. Il ne lui appartient plus ; ce reflet est l'image abîmée d'une fille que l'on appelle Sakura.

Hana gratte la terre noire sur laquelle elle se tient. Ses ongles saignent et sont cassés. Rester immobile serait moins douloureux, mais elle ne peut résister au besoin d'attraper cette terre par poignées. Le moindre de ses muscles la fait souffrir ; ses parties intimes palpitent encore à cause des viols répétés. À peine avait-elle pu descendre les marches lorsque Keiko était venue la réveiller. La voilà maintenant assise à même le sol, en train de se demander si tout va recommencer.

« Mieux vaut ne pas leur résister, lui dit Keiko. Ça sera moins difficile si tu te laisses faire. Ils n'arrêteront pas tant qu'ils ne seront pas satisfaits. En résistant, tu ne fais qu'empirer les choses. Sakura, est-ce que tu m'entends ? » ajoute-t-elle en posant une main sur l'épaule d'Hana.

Mais Hana la repousse. Ses doigts s'arrêtent de pétrir la terre. Elle se remémore sa première leçon de plongée, le jour où elle avait attendu trop longtemps avant de remonter et bu la tasse en voulant respirer. Si sa mère n'avait pas été là, Hana se serait noyée. La douleur dans ses poumons et sa peur avaient été telles qu'elle n'avait jamais oublié la leçon. Depuis, ce genre d'incident ne lui était plus jamais arrivé. Même lorsqu'elle s'était retrouvée à court d'air dans les profondeurs, elle avait pris garde de se laisser remonter lentement et de ne jamais perdre son calme, alors même que ses poumons réclamaient désespérément de l'air. Elle avait appris à supporter la douleur, car pire encore était celle de la noyade qu'elle avait évitée. La douleur nous enseigne. La question est à présent de savoir si Hana accepte de mettre en pratique cet enseignement en cessant de se battre. Mais l'idée même semble inconcevable.

« Depuis combien de temps supportes-tu de vivre ici ? demande Hana.

— Trop longtemps », répond Keiko.

L'amertume qu'elle décèle dans sa voix éveille l'attention d'Hana. Elle lève les yeux vers cette femme japonaise qui, si elle n'était pas si maigre, serait sans doute belle. Les cheveux de Keiko sont d'un noir d'encre hormis deux mèches argentées qui encadrent son visage, sur chacune de ses tempes. Elle est également plus grande que toutes les autres filles, mais porte un kimono en soie coloré, contrairement à elles, vêtues d'une simple robe beige. Hana caresse l'ourlet du kimono, réconfortée par la douceur de l'étoffe.

« J'ai été une geisha, autrefois, poursuit Keiko. Au Japon, je menais la belle vie en distrayant les riches hommes d'affaires. Ce kimono est un cadeau de l'un de mes clients favoris. »

Elle promène sa main sur l'un des pans du kimono et quelque chose dans ce geste rappelle à Hana l'image d'une grue blanche au port altier, debout au bord de l'eau, la tête légèrement penchée sur le côté, ne prêtant aucune attention à ce qui l'environne, ni les arbres, ni les oiseaux, ni le vent ou le ciel.

« Où est-ce qu'ils t'ont trouvée, petite Sakura ? » demande Keiko sans la quitter des yeux.

Ce nouveau nom japonais lui déplaît. Toutes les autres filles portent également les noms des fleurs inscrits à côté de leur porte, toutes sauf Keiko.

« Est-ce que Keiko est ton vrai nom ?

— Bien sûr, mais tu ne réponds pas à ma question.

— Pourquoi portes-tu encore le tien alors que nous avons perdu le nôtre ?

— Tu ne veux pas me dire d'où tu viens, petite Sakura ? » répond Keiko en levant l'un de ses sourcils dessinés au crayon, mais Hana ne dit rien.

Son aînée attrape alors un balai et commence à réunir les mèches de cheveux tombées par terre. Après un long silence, elle finit par répondre.

« Il te fallait un nom japonais, ils t'en ont donné un. Moi, je n'en avais pas besoin. »

Alors qu'elle la regarde balayer les dernières mèches sur le sol en terre, Hana la soupçonne de mentir. Les plaques de bois accrochées près des portes semblent avoir été gravées il y a longtemps. Même les clous qui les maintiennent sont rouillés. Les noms vont simplement de pair avec les chambres que l'on attribue aux filles. Si Keiko était ici depuis aussi longtemps que ces plaques, elle serait aussi rouillée que ces clous. « Keiko » ne peut pas être son vrai prénom. Peut-être y a-t-il toujours eu dans cette chambre une fille japonaise que les soldats remplacent quand celle qui l'occupe est emmenée ailleurs ou décède.

« Comment es-tu arrivée ici ? demande Hana. Est-ce qu'ils t'ont enlevée ? »

Keiko se raidit.

« J'ai vieilli, répond-elle simplement. Une vieille geisha, c'est encore pire qu'une vieille femme. C'est un drame dans notre métier. Je suis venue ici en pensant trouver de meilleures conditions. Je voulais faire mon devoir de patriote et servir les soldats de mon pays, pendant que je remboursais les dettes que j'avais accumulées depuis que mes clients avaient arrêté de me faire travailler. »

Son regard se porte de l'autre côté de la cour et s'arrête sur un arbre à kaki décharné, aux branches presque nues, peinant à survivre sur cette terre infertile. Un frisson la parcourt et ses yeux se braquent tout à coup sur Hana.

« Ne fais jamais confiance à un homme à qui tu dois de l'argent. »

Hana se dit tout bas qu'elle ne fera plus jamais confiance à aucun homme du tout. Elle baisse les yeux vers le sol et regarde ses doigts creuser des sillons. Keiko, les plaques près des portes et les noms n'existent plus tout à coup. Une seule pensée l'occupe : savoir de quoi demain sera fait. Mieux vaut peut-être en finir maintenant que de continuer à supporter ces viols répétés, jour après jour, tout ça pour mourir plus tard en couches, comme l'autre femme.

« Viens, Sakura. C'est l'heure du petit déjeuner », lui dit Keiko en la tirant de ses sombres pensées.

Elle lui fait signe de rentrer.

Par la porte de service, Hana aperçoit les autres filles en train de manger en silence, réunies autour de la petite table de la cuisine. Derrière le garde armé appuyé contre le chambranle, quelques-unes lèvent les yeux pour la guetter. La pitié se lit sur leur visage lorsqu'elles aperçoivent ses bleus. Hana détourne la tête, incapable de croiser leur regard.

Jamais Hana ni aucun membre de sa famille n'avait été regardé de cette façon. Son village de bord de mer n'est peuplé que de gens forts et fiers ; même les enfants marchent la tête haute. Malgré les menaces des Japonais de priver le village de nourriture à la suite des erreurs commises sur les taxes que les pêcheurs appliquaient, tout le monde était quand même parvenu à se nourrir en pêchant des quantités de plus en plus importantes à chaque nouveau décret qu'on leur imposait. Cela obligeait les villageois à rester en mer pendant de longues heures supplémentaires et à risquer leur vie en pêchant même quand le temps était mauvais, mais de tous ces dangers était née la fierté d'avoir travaillé dur et mérité leur victoire. Dire que les Coréens étaient un peuple colonisé n'était que du vent.

L'île d'Hana est une île peuplée de solides pêcheurs et de plongeuses, les haenyeo, et Hana est l'une d'entre elles – ou du moins le pensait-elle. Jamais elle n'aurait songé un seul instant que tout pouvait lui être enlevé, que des soldats pouvaient l'obliger à devenir… ce qu'elle est désormais.

À l'intérieur, les autres filles bavardent comme si Hana ne pouvait pas les entendre. Bien que Coréennes, toutes parlent le japonais obligatoire. Ce sont des filles plus âgées qu'elle ; certaines ont l'air d'avoir une vingtaine d'années, sauf deux, apparemment plus proches de son âge. Keiko est la plus âgée, et maintenant qu'Hana la voit à la lumière du jour, celle-ci paraît plutôt avoir autour de quarante ans. Hana est restée assise dans la cour. Keiko lui apporte son repas, servi dans un petit bol en métal : du gruau de riz avec quelques morceaux de viande séchée. Hana meurt de faim, mais elle ne touche pas à son plat.

« Elle est trop solide. C'est ça, son problème », est en train de dire l'une des filles à toute la table, suffisamment fort pour qu'Hana puisse l'entendre. Le nom sur sa plaque est Riko. « Je l'ai entendue se battre contre eux comme une petite lionne.

— Ce n'est pas bon signe, répondent les autres en chœur.

— Mieux vaut jouer les faibles et se laisser faire, remarque la fille appelée Hinata.

— C'est plus facile que de résister. Ils sont trop contents d'avoir une raison de nous frapper, dit Riko.

— Oui, ce ne sont pas des hommes, mais des bêtes monstrueuses, fait Hinata, et tout le monde acquiesce entre deux bouchées de gruau.

— C'est sûrement une fermière... vu ses épaules, remarque Tsubaki, suscitant l'approbation générale.

— Et ses jambes, qu'est-ce qu'elles sont musclées ! Tu sais d'où elle vient ? » demande Hinata à Keiko.

Hana croise le regard de Keiko. C'est une femme impressionnante ; son air est grave et ses yeux doux, mais sa voix est dure lorsqu'elle parle.

« Laissez-la, répond-elle. Elle va devoir s'y faire, comme vous y avez été obligées avant elle. Sinon, elle ne survivra pas ici. »

Tout le monde hoche la tête et quelques-unes acquiescent d'un ton désolé. Hana ne décèle aucune animosité chez les autres filles, aucune malveillance. Leur curiosité semble sincère, même si elle ne peut s'empêcher de se sentir trahie. Tout le monde savait ce que les soldats lui réservaient la veille, après le petit déjeuner, et personne ne l'avait avertie. Personne non plus n'avait tenté d'arrêter les soldats.

Agenouillée dans la cour, Hana tâche de se souvenir des autres filles qui ont voyagé avec elle dans le train. Ont-elles subi le même sort ? Impossible à dire ; Hana avait été la dernière à descendre. En temps normal, elle rirait en repensant à toutes ces heures à rouler vers le nord, sans rien savoir, mais son rire ne peut plus retentir à présent. Il est devenu une langue étrangère. Elle revoit soudain SangSoo et les soldats enterrant son petit corps au milieu de nulle part, si loin de chez elle. C'en est trop. Hana se met à hurler.

Les cris qui s'échappent de sa bouche sont inhumains, déformés, mais elle ne peut pas s'arrêter. Effrayés, les petits oiseaux jaunes s'envolent aussi vite que le vent et disparaissent dans les rayons du jour. Le soldat appuyé contre le chambranle de la porte ordonne aux filles de se taire. Keiko et Hinata se précipitent dehors et prennent Hana dans leurs bras.

« Chut, lui intime Keiko en prenant le visage d'Hana à deux mains. Arrête de crier, fille. »

Accroupies devant elle, Keiko et Hinata la serrent, lui caressent les cheveux, mais Hana se débat. Elle n'a bientôt plus de voix, mais continue à hurler. Keiko finit par la gifler.

Le coup est suivi d'un lourd silence puis de sanglots étouffés tandis que plusieurs filles, dans la cuisine, se mettent à pleurer. Le soldat ordonne à tout le monde de remonter dans sa chambre. Keiko conduit Hana jusqu'au bordel puis dans les escaliers avant de la déposer dans la chambre où la fille qu'elle était autrefois a été tuée.

Emi

Séoul, décembre 2011

Partout où son regard se pose flottent des banderoles où l'on peut lire MILLE MERCREDIS. Emi se tient au milieu de la foule, devant l'ambassade du Japon. Les manifestations hebdomadaires ont débuté en 1992 et aujourd'hui, jour du millième mercredi, aucune résolution n'a encore été prise pour que les survivantes obtiennent réparation.

Malgré l'heure matinale, les manifestants et autres personnes venues soutenir la cause sont déjà nombreux, mais l'énergie bouillonnante de la foule semble contenue, comme on le voit parfois pendant l'enterrement d'une personnalité, lorsque les gens sont imprégnés d'une sorte de tristesse respectueuse. Emi lève les yeux vers le bâtiment massif. Toutes les fenêtres et les volets sont clos. Comme elle, d'autres femmes scrutent les fenêtres de l'ambassade, et Emi sait que chacune se pose la même question : sont-ils là, à l'intérieur, en train de nous observer ? Ces gens éprouvent-ils des remords ? Ou leur a-t-on demandé de ne pas venir travailler ? Peut-être sont-ils tous sur son île, en train de profiter de leur jour de congé. Son ventre se serre d'une amertume qui se consume lentement, comme les braises d'un grand feu éteint.

« Pas trop froid ? fait la voix de Lane. Mieux vaut peut-être aller s'asseoir sous l'une des tentes, à l'abri du vent.

— Non, ça va aller », répond Emi.

Elle ne s'était pas rendu compte qu'elle grelottait, mais maintenant que Lane a fait cette réflexion, Emi sent le froid la transpercer. Elle enfouit ses mains dans les poches de son manteau.

« Je vais nous chercher des chocolats chauds », ajoute Lane avant de disparaître dans la foule.

Un homme tapote sur un micro.

« Test, test, un, deux… »

Au milieu de tout ce brouhaha, Emi se coupe du monde extérieur. La voix de l'homme qui résonne dans les haut-parleurs, les murmures de la foule, les yeux des Japonais cachés derrière ces volets clos, tout s'évapore. Seul le froid est impossible à ignorer, pénétrant ses couches de vêtements pour passer à travers sa peau fine et fripée. C'était par une nuit aussi froide que son père était mort. Ce souvenir la prend de court, et Emi ne peut l'empêcher de ressurgir.

C'est une chose étrange et terrifiante que de voir quelqu'un partir. Son père était là, respirait, pensait, bougeait, et l'instant d'après, plus rien. Plus de souffle, plus de pensée, plus de cœur qui bat. Le visage vide, placide. Ces expressions, Emi les avait vues sur le visage de son père, remplaçant la terreur qui l'habitait seulement quelques instants plus tôt. Parti en un instant.

Il avait suffi à Emi de fermer les yeux – un simple battement de cils – et de les rouvrir pour qu'il soit mort.

Elle n'avait jamais raconté cette histoire à personne. Il semblait plus facile de ne pas y penser, de la refouler pour ne pas avoir à la revivre. Mais avec l'âge, Emi ne peut plus empêcher les souvenirs de remonter. Son esprit est usé, comme son corps. À n'importe quelle heure du jour, ces souvenirs refont surface et inondent sa solitude de douleur et de regrets. Mais il faut parfois rouvrir les vieilles blessures pour leur permettre de guérir – du moins aux dires de JinHee –, et Emi ne s'est toujours pas remise d'avoir vu son père mourir.

Au milieu de la foule, elle laisse le visage de son père emplir ses pensées. Ses yeux doux et paisibles la regardent, et Emi le voit tel qu'elle l'avait connu, plein de vie et de grâce – deux choses, en cette période agitée, qu'il ne montrait presque jamais plus. C'était l'année 1948, Emi avait quatorze ans. La guerre de Corée n'avait pas encore éclaté, mais les tensions sur son île entre la police envoyée par le gouvernement de Corée du Sud pour maintenir l'ordre et les rebelles de gauche avaient dégénéré en une guerre civile sans merci. Le Soulèvement de Jeju avait commencé, faisant de nombreux morts dans chaque camp.

La police avait profité de la nuit pour descendre dans son village. Les vents hurlants de décembre avaient camouflé leur arrivée. Un gros coup, puis la porte d'entrée avait valsé. Des policiers s'étaient engouffrés à l'intérieur et avaient tiré Emi et ses parents de leurs lits pour les traîner dehors, dans l'air glacé. Emi s'était mise à pleurer, déboussolée, mais les policiers l'avaient frappée, puis ils avaient battu ses parents en leur criant de se taire. Le groupe était composé d'hommes jeunes et enragés, mais Emi n'avait aucune idée de la raison pour laquelle sa famille était prise pour cible. Elle n'avait ni frère ni oncle susceptible de s'être rallié aux rebelles, personne après qui la police aurait pu en avoir. Elle et ses parents n'étaient que les simples citoyens d'un pays déchiré par deux puissances qui les dépassaient largement.

L'un des policiers avait attrapé son père et l'avait traîné en face de sa mère. Puis il l'avait fait tomber à genoux en lui mettant sous la gorge un couteau à la lame incurvée.

« Pour avoir caché des rebelles », avait-il dit, et puis le temps s'était arrêté.

Sans pouvoir y croire, Emi avait alors vu la lame glisser le long de la gorge de son père, de gauche à droite. Un flot de sang s'était mis à couler, couvrant son haut de pyjama d'une auréole noire dans la semi-obscurité. Son regard terrifié n'avait pas quitté sa mère, et une pensée avait traversé Emi : son père semblait avoir davantage peur pour elle que pour lui. Puis ce regard s'était figé, sans vie. Le visage tourné vers le grésil qui tombait, sa mère s'était mise à hurler, mais un autre jeune policier l'avait fait taire d'un coup de pied dans la tête. À son tour, Emi s'était mise à crier en rampant vers son père.

« Je ne veux pas que tu meures, avait-elle crié, encore et encore. Papa, je ne veux pas que tu meures. »

Un policier l'avait attrapée pour l'éloigner de ce corps inerte. Emi avait tenté de lui échapper, mais les mains du soldat s'étaient encore serrées, laissant des bleus sur son bras.

« Arrête de résister ou je te tranche la gorge à toi aussi, l'avait-il menacée.

— Laisse-la. Elle est couverte de sang », lui avait alors lancé un autre policier d'une voix ferme.

Emi avait levé les yeux vers lui. Il semblait plus âgé que les autres ; leur chef, sans doute.

« J'en ai besoin après avoir tué, avait protesté le policier en lui tordant les bras jusqu'à ce qu'elle s'agenouille à ses pieds.

— Nous n'avons pas terminé. Il nous reste des maisons à faire. Tu feras ce que tu voudras après », avait répondu le chef en jetant un regard de côté à Emi avant de s'éloigner.

L'autre policier avait semblé réfléchir quelques instants. Puis il avait craché par terre en acquiesçant. Emi avait reçu un coup en plein sur la colonne vertébrale. Elle était tombée à quatre pattes, puis le policier avait recommencé à la frapper. Elle s'était écroulée à plat ventre sur le sol froid et mouillé, la tête dans les bras.

« Va te laver et peut-être que je reviendrai te voir », avait-il dit en riant.

Puis il avait ajusté son pantalon et son manteau.

Le commando était reparti aussi discrètement qu'il était arrivé, comme des tigres dans la nuit. Emi et sa mère étaient restées par terre en silence, serrant dans leurs bras le corps de son père tandis que leur maison brûlait. En regardant autour d'elle, Emi avait été choquée de voir briller des points sur la colline partout où des maisons avaient été incendiées. En tendant l'oreille, on pouvait entendre des cris lointains sous les hurlements du vent, ou peut-être était-ce la voix silencieuse de sa mère qui, dans sa tête, hurlait.

Les policiers avaient brûlé la quasi-totalité de son village. Emi avait enterré son père dans une tombe peu profonde qu'elle avait recouverte de sable rapporté de la plage dans un seau, car la terre était trop dure pour creuser davantage. Agenouillée au pied de la tombe, sa mère avait pleuré. D'autres villageois s'étaient joints à elles, quelques vieilles dames et même des hommes plus âgés. La police avait embarqué presque toutes les jeunes femmes et les jeunes hommes qui restaient au village, en plus des petites filles et des petits garçons. Personne ne voulait penser à l'endroit dans lequel ils avaient pu être emmenés. Tout le monde ne voulait qu'une chose : enterrer ses morts et trouver un abri. Emi ignorait pourquoi le chef des policiers l'avait aidée comme il l'avait fait. Il lui avait épargné un terrible destin.

« Comment peuvent-ils faire ça à leurs propres concitoyens ? » s'était demandé tout haut une vieille dame, tandis qu'Emi dispersait du sable sur le corps de son père.

Quelques hommes avaient tenté de donner comme explication la peur que l'Union soviétique avait des États-Unis, et réciproquement, mais aucun ne pouvait en revanche expliquer comment des frères de sang en étaient arrivés à se massacrer.

« Nous sommes tous coréens, avait répété la vieille dame. Les Japonais sont partis. »

Son visage était sillonné des rides que le temps et les épreuves avaient laissées. Cette femme avait survécu à la colonisation, tout ça pour subir cette nouvelle forme d'occupation.

Emi avait continué de recouvrir le corps de son père. Comme le reste de son petit village, sa famille avait fait tout son possible pour n'être mêlée ni aux rebelles ni à la police. Une seule pensée l'occupait : son père avait survécu à l'occupation japonaise et à la guerre pour mourir entre les mains de ses propres compatriotes.

Sa mère et elle avaient suivi le petit groupe de survivants jusqu'à la mer. Le vieil homme qui s'était exprimé plus tôt, installé sur l'île depuis près de quatre-vingts ans, leur avait parlé d'une grotte cachée dans une crique, sur la côte. Sa mère avait eu toutes les peines du monde à supporter la journée de marche pour y parvenir. On aurait dit qu'elle était rattachée à son défunt mari par une corde invisible qui, chaque fois qu'elle avançait d'un pas, la tirait deux pas en arrière pour la ramener vers lui. Emi, qui plongeait depuis cinq ans déjà, avait un corps fin et musclé. Ses forces lui avaient été utiles pour épauler sa mère jusqu'à leur arrivée.

*

La grotte abritait dix-neuf personnes. Quelques visages étaient connus d'Emi, mais la plupart des occupants venaient de l'autre côté de la crique. Elle s'était demandé si sa meilleure amie, JinHee, avait survécu au massacre, mais personne n'osait faire un pas dehors pour partir à la recherche des disparus, personne sauf une femme. Une femme était partie pour retrouver sa fille, enlevée quand sa maison avait été brûlée. Elle était revenue dans la grotte brisée, le visage gris comme de la cendre. Personne n'avait réussi à lui faire dire ce qu'elle avait vu, mais Emi imaginait le pire.

La nuit, la mère se réveillait en hurlant le nom de sa fille. Emi se rendormait en pleurant, les mains sur les oreilles pour ne pas entendre cette femme à l'agonie.

Craignant d'être repérés par la police s'ils allumaient un feu, tous restaient figés dans les profondeurs de la grotte, la nuit, en claquant des dents. Emi et sa mère demeuraient pelotonnées l'une contre l'autre avec deux vieilles dames. Les hommes aussi se regroupaient pour dormir, mais le froid de décembre était trop rude. Les plus âgés n'avaient pas tardé à périr, s'éteignant dans leur sommeil, en silence.

Emi et sa mère avaient aidé les hommes à évacuer les corps, préservés par le froid. Avant de dormir, Emi se forçait à penser aux histoires drôles que JinHee aimait bien raconter, comme si le simple fait de s'en souvenir pouvait permettre à son amie de résister. Emi l'imaginait en vie dans une autre grotte de l'île et tenait le coup grâce à cette pensée, malgré son deuil et malgré sa mère qui, depuis la mort de son père, avait profondément changé.

Les occupants de la grotte se nourrissaient de ce qu'ils trouvaient autour d'eux, quelques morceaux de mousse qui poussaient sur les murs, des insectes enfouis dans la terre et d'autres créatures – des rats, soupçonnait Emi, ou peut-être même pire. Au bout de quatre semaines de survie, affamée, la mère d'Emi avait décrété qu'il était temps de rentrer. Appuyées l'une sur l'autre, éblouies par le soleil de janvier, elle et Emi avaient émergé de leur cachette.

Toutes les deux affaiblies, dans le froid atroce, elles avaient marché dans la neige fraîche, passant devant des maisons réduites en cendres sans croiser âme qui vive. Au moment où elle avait découvert sous des couches de neige blanche les parpaings noircis qui avaient autrefois été sa maison, Emi avait été trop choquée pour pleurer. Rien n'avait résisté. Rien. Les murs qui avaient abrité sa famille, qui avaient renfermé des souvenirs de chacun de ses membres – le visage sérieux de sa sœur lorsqu'elle lui avait appris à lire, les chants de son père qui jouait de la cithare, les mets délicieux que sa mère cuisinait avec amour –, tout avait été détruit.

Où étaient-ils ? se demandait Emi. Où étaient l'esprit de son père et le corps de sa sœur que personne n'avait jamais retrouvé ? Sa mère avait enfoui son visage dans ses mains, agenouillée par terre. Après un long silence, Emi l'avait conduite sur le site où elles avaient enterré son père.

La tombe était recouverte d'une fine couche de neige immaculée. De minuscules empreintes en forme de brindilles zigzaguaient sur le petit monticule. Emi avait levé les yeux vers le ciel blanc, vers les mouettes qui criaient en se laissant porter par les vents froids de janvier. Étaient-elles venues saluer son père pour rendre hommage à son esprit qui s'élevait ?

Au pied de la tombe, sa mère s'était prosternée, le front posé sur la neige. Tandis qu'elle sanglotait calmement, Emi s'était agenouillée près d'elle pour serrer dans ses bras son corps tremblant. Sa mère semblait si frêle, comme une vieille dame. Elle n'avait pourtant même pas quarante ans, mais la guerre lui avait tant volé, d'abord sa fille aînée, puis son mari, et c'était maintenant sa jeunesse qui s'était évaporée dans la terre gelée qui avait autrefois abrité leur maison. Emi aussi s'était mise à pleurer en pensant à eux, à tous ces vivants et tous ces morts.

C'est alors que des voix lui étaient parvenues. Se redressant, Emi avait tendu l'oreille. Le vent semblait faiblir pour la laisser écouter et les mouettes au-dessus de leurs têtes s'étaient mises à crier de plus belle comme pour les avertir. Puis, de nouveau, elle les avait entendues : des voix d'hommes.

« Maman, quelqu'un approche », avait-elle murmuré alors que les voix arrivaient derrière elles, accompagnées par le cliquetis de plusieurs armes brandies en l'air.

Le cœur d'Emi s'était mis à battre à toute vitesse. Avoir quitté la grotte était une erreur. Si, cette fois encore, sa mère et elle en réchappaient, il leur faudrait retourner là-bas pour se réfugier. Un petit bosquet de mandariniers calciné avait tenu au pied d'une butte. Si Emi parvenait à remettre sa mère debout, il leur serait possible d'aller se cacher derrière les arbres en attendant que les policiers soient passés. Mais elle avait oublié que leurs empreintes resteraient dans la neige fraîchement tombée.

« Je t'en supplie, Maman, l'avait-elle implorée en la tirant de toutes ses forces. Il faut se dépêcher. »

Sa mère et elle s'étaient précipitées vers la butte avant de descendre en direction des mandariniers pour se cacher derrière le plus grand arbre, même si la moitié de ses branches étaient tombées, complètement brûlées. Bien que ses racines aient été préservées par le froid, il n'y avait aucun espoir que l'arbre retrouve sa vitalité.

Les voix des policiers s'étaient tues en arrivant à proximité des ruines de la maison. Emi tendait l'oreille pendant que les hommes fouillaient les cendres, accroupie au-dessus de sa mère comme pour la protéger et la réchauffer.

« Regardez, avait alors lancé un policier.

— Qu'est-ce que c'est ? avait répondu un autre.

— Des empreintes fraîches. »

Silence. Emi les imaginait en train d'examiner les empreintes, de les suivre jusque sur la butte avant d'arriver à leur cachette. Comment avait-elle pu laisser sa mère les emmener ici ? Emi savait pourtant que le froid, la faim et le chagrin lui avaient fait perdre la tête. Mais, entourée par la mort, elle s'était sentie soulagée de quitter cette grotte qui ressemblait maintenant à un tombeau. Elle voulait aussi revoir ce qui restait de sa maison, à tout prix.

Le jeune homme qui contourna le bosquet en premier portait un gros manteau matelassé et une écharpe jaune. Il s'était adressé à elles d'une voix douce.

« Vous êtes blessées ? avait-il demandé en baissant les yeux vers sa mère, recroquevillée contre l'arbre. Est-ce qu'elle va bien ? C'est ta mère que tu essaies de protéger ? »

Impossible de répondre. Emi avait simplement continué de serrer sa mère dans ses bras. Puis les autres policiers s'étaient approchés, laissant planer un silence lourd de curiosité. La tête courbée, Emi avait attendu que s'abattent les insultes, les poings cruels et la douleur qui s'ensuivrait.

« Elle est sourde ? avait demandé l'un des policiers.

— Je pense qu'elle est en état de choc, avait répondu le plus jeune. Ça va aller. Nous ne vous ferons pas de mal. Nous cherchons des survivants. Suivez-nous. Nous allons vous mettre en sécurité. »

Le policier lui avait tendu la main, mais Emi l'avait repoussée. Sa mère avait levé son visage vers lui et craché sur son manteau. Le jeune homme avait reculé d'un pas et les deux autres s'étaient mis à crier en brandissant leur fusil, prêts à donner des coups de crosse à sa mère.

« Non, restez où vous êtes, leur avait dit le jeune policier. Elles ont peur, c'est tout. Regardez, elles sont couvertes de cendres. Les ruines devant lesquelles nous sommes passés, et la tombe… »

Mais il n'avait pas pu terminer sa phrase en voyant le visage d'Emi.

« Ils l'ont assassiné », avait-elle dit.

Les trois policiers s'étaient figés, les yeux rivés sur elle.

« Qui ça ? avait demandé le plus jeune d'une voix douce avant de s'accroupir à son niveau. Est-ce que tu as vu qui a fait ça ?

— Ne dis rien », avait alors soufflé sa mère.

Emi avait sondé ses yeux noirs. Ils semblaient vouloir lui lancer un avertissement. Puis elle s'était retournée vers le jeune homme.

« Ils sont arrivés au milieu de la nuit. On ne voyait rien. Il faisait trop sombre.

— Tu en es sûre ? » avait demandé le policier d'une voix toujours douce, comme s'il voulait l'aider – comme si la réponse lui importait réellement.

Emi avait acquiescé. Le jeune homme s'était levé, semblant peser sa réponse pendant un moment. Puis il s'était tourné vers le bosquet de mandariniers ravagé. En suivant son regard, Emi n'avait pu s'empêcher de se revoir, courant, insouciante, dans l'ombre des arbres avec sa sœur pendant les chauds étés, en riant. Ce brusque souvenir lui rappela qu'elle ne verrait plus jamais ce bosquet ainsi. Tout était parti. Le policier avait pris une grande respiration avant de souffler bruyamment par le nez.

« Emmenez-les », avait-il ordonné.

Emi était stupéfaite par ce changement de ton. Son comportement attentionné avait instantanément laissé place à une efficacité martiale. Les deux autres policiers avaient soulevé sa mère et Emi avant de les emmener loin de leur maison. En passant devant la tombe de son père, son regard s'était attardé sur le monticule, si petit. Dans sa mémoire, son père était un homme robuste, à forte carrure, un homme bien plus grand qu'elle, dont les bras forts la protégeaient. Mais la mort avait balayé cette image, ne laissant derrière elle que ce petit monticule que le temps allait sans doute effacer. Ses yeux étaient restés rivés sur le sol tandis qu'elle voyait défiler les pierres et les coquillages qui lui étaient familiers, tous ces trésors offerts par la mer. En voyant le camion, elle s'était débattue, mais trop tard.

Les policiers les avaient emmenées au poste de police local. À l'intérieur se bousculait une multitude de gens, certains en uniforme, d'autres vêtus de haillons tachés de sang, dans une cacophonie de cris de colère, de souffrance et de peur.

Une vieille dame assise contre un mur berçait dans ses bras la tête de son fils trempée de sang. Le reste de son corps ne bougeait pas et elle ne faisait pas un bruit alors qu'autour d'elle régnait un chaos sans nom. Emi s'était agrippée à la main de sa mère le plus fort possible pendant que le jeune policier les traînait jusqu'à une salle d'attente improvisée. Là-bas, de petits groupes s'étaient formés. Certaines personnes pleuraient tandis que d'autres, choquées, restaient plongées dans le silence. Le policier les avait laissées pour aller parler à l'officier du bureau d'accueil. Il s'était retourné plusieurs fois vers elles pendant qu'il remplissait des papiers.

Emi scrutait chaque visage, mais n'en reconnaissait aucun. Où étaient donc passés les gens de son village ? Peut-être étaient-ils tous morts, mais elle avait aussitôt chassé cette pensée. Jetant un coup d'œil vers sa mère, elle n'avait pas pu supporter le vide qui se lisait sur son visage déjà si marqué.

Au retour du policier, Emi avait haussé les épaules pour lui montrer tout son mépris, mais le jeune homme n'avait pas relevé.

« Nous devons attendre qu'ils nous appellent.

— Pourquoi, qu'avons-nous fait de mal ? avait répondu Emi.

— Rien », avait-il dit en s'éclaircissant la gorge.

Il n'avait pas l'air sûr de lui.

« Dans ce cas, pourquoi nous avoir emmenées ici ? »

Plus elle prenait confiance en elle, plus il semblait déconfit. Il ressemblait à présent davantage au jeune homme à la voix douce qui les avait approchées dans le champ de mandariniers qu'au policier qui leur avait ordonné de monter dans le camion.

« Vous n'avez pas à le savoir. C'est l'affaire du gouvernement.

— Mais nous n'avons rien à voir avec le gouvernement…

— Tu te tais, l'avait-il soudain interrompue en lui attrapant le bras et en regardant rapidement autour de lui pour s'assurer que personne ne les écoutait. Tu es sous mes ordres. Tu n'as pas à en savoir davantage. »

Emi l'avait fusillé du regard jusqu'à ce qu'il la relâche.

L'officier du bureau d'accueil avait fini par les appeler et tous les trois avaient été conduits dans un petit bureau au fond du poste. Une fois la porte fermée, tout le chaos qui régnait dehors s'était brusquement tu, laissant un silence brumeux dans la tête d'Emi. La majorité de la pièce était occupée par un grand bureau derrière lequel était assis un homme en uniforme qui portait à la poitrine de nombreux rubans et médailles. Combien de ses concitoyens lui avait-il fallu tuer pour être décoré de la sorte ? Emi avait observé son visage en attendant qu'il prenne la parole.

« Il m'a été rapporté que tu es une haenyeo. Est-ce correct ? avait-il déclaré sans même lever les yeux de la paperasse amassée devant lui.

— Oui, avait-elle dit en se demandant comment la police avait pu vérifier son dossier aussi vite.

— Et elle, c'est ta mère ? »

L'officier avait brièvement levé les yeux vers cette dernière.

« Oui.

— C'est une haenyeo, elle aussi ?

— Oui.

— Ah, tu es très conciliante, à ce que je vois. HyunMo, quelle chance tu as ! Elle devrait faire une bonne épouse. Du moment que tu lui poses les bonnes questions, j'entends. Ha ! »

Puis il s'était claqué les cuisses en s'esclaffant.

« Dis-moi, quel est ton nom de famille ? »

Emi n'avait pas répondu. Pourquoi l'homme avait parlé d'une épouse ? Elle ne comprenait pas.

« Son père était un Jang, avait dit HyunMo à sa place, sans la regarder, les yeux rivés sur le bureau.

— Un Jang ? Bien, un nom de famille puissant », avait répondu l'officier en griffonnant quelque chose sur ses papiers.

Puis il avait signé la page et l'avait fait glisser sur le bureau, vers Emi.

« Parfait. Maintenant, signe ici », avait-il dit en lui tendant le stylo.

Le jeune policier connaissait le nom de son père. Emi s'était tournée vers lui, les oreilles en feu et la bouche complètement sèche.

« Prends le stylo, fille, et écris ton nom sur la ligne, là juste au-dessus du mien. Tu vois ? Ici, avait insisté l'officier en lui fourrant le stylo dans la main.

— Qu'est-ce que c'est ? » avait-elle fini par demander.

Puis elle s'était tournée vers sa mère qui pleurait en silence, sans quitter le plancher des yeux.

« C'est ton contrat de mariage. Signe ici.

— Mais à qui est-ce que je me marie ? avait demandé Emi.

— À lui, bien sûr ! avait répondu l'homme en pointant du doigt le policier, le jeune homme qui l'avait emmenée loin de sa maison réduite en cendres, le jeune homme qui connaissait le nom de son père et le métier d'Emi. Allez, allez, je n'ai pas toute la journée. Signe. HyunMo, tu signeras à côté. »

Emi s'était retournée vers lui, interloquée. Il semblait beaucoup plus âgé qu'elle, mais n'était encore qu'un adolescent. Comment pouvaient-ils lui demander de l'épouser ? Elle était restée figée, le stylo à la main, quand, tout à coup, l'officier l'avait giflée si fort qu'elle s'était écroulée par terre. Il s'était levé en un éclair, bondissant sur elle comme un serpent qui pique, pour la frapper avec une force inouïe.

« Debout », avait-il ordonné.

HyunMo l'avait aidée à se relever puis à s'approcher du bureau. Il semblait aussi sonné qu'elle par ce déchaînement de violence soudain. La joue d'Emi palpitait, sa vision était trouble.

« Tu signes, maintenant. HyunMo sera ton mari. Et puis dépêchez-vous de sortir d'ici, que je puisse m'occuper des suivants. Fais-le tout de suite ou je vous arrête, toi et ta mère. Et vu votre état à toutes les deux… », avait-il remarqué en levant le menton vers leurs corps décharnés.

La mère d'Emi semblait revenir à elle. Regardant l'officier, elle s'était penchée vers lui, les mains agrippées sur le rebord du bureau, puis tout son visage s'était animé, tordu de rage. Emi avait eu peur de ce qu'elle s'apprêtait à dire, mais l'officier l'avait stoppée avant qu'elle ne puisse parler.

« Je te le déconseille, Mère. J'ai droit de vie et de mort sur ta fille. Un mot de travers et je n'hésiterai pas à la faire exécuter. » Puis il avait ajouté en se tournant vers HyunMo : « Dis-lui de signer.

— Fais ce qu'il dit », lui avait intimé HyunMo avec un regard désolé.

De sa main tremblante, Emi avait levé le stylo. HyunMo l'avait guidée jusqu'à la bonne ligne, puis elle avait signé. Il avait alors à son tour pris le stylo pour signer à côté d'elle : *Lee, HyunMo*.

« Bien. Dehors maintenant. J'ai à faire. »

HyunMo avait fait sortir Emi et sa mère, et tous les trois s'étaient de nouveau engouffrés dans le chaos du poste de police surpeuplé, puis dans l'air froid de janvier. Les bourrasques glaciales avaient soulagé sa joue brûlante. Du plat de la main, Emi avait commencé à se masser, tremblant toujours d'avoir ainsi cédé sa vie.

« Pourquoi ? » avait-elle demandé quand le silence était devenu trop lourd. Ils étaient en chemin vers le camion garé derrière le poste. « Pourquoi m'as-tu forcée à t'épouser ?

— Nos fils seront les héritiers de cette île », avait-il déclaré sans lui prêter la moindre attention.

Puis il avait ouvert la portière et demandé à sa mère de monter.

« Nos fils ? »

Emi était choquée de l'entendre parler en ces termes, comme pour un vrai mariage, semblable à celui de ses parents. L'idée paraissait surréaliste.

« Oui, et un jour, grâce à nous, tes terres ainsi que le village seront rendus à nos enfants.

— "Grâce à nous" ?

— Nous, les autres policiers. Comme beaucoup de mes camarades, j'ai dû quitter ma maison dans le Nord pour m'enfuir au sud de la ligne de combat avant que les communistes ne me tuent comme ils ont tué ma famille. Ils m'ont tout pris. Ils nous ont tout pris, à tous. C'est pourquoi nous nous marions avec vous, pour reprendre ce que nous avons perdu, mais surtout pour nous reproduire afin de dissuader les communistes d'envahir le Sud. C'est pour ton bien… et pour le bien de la Corée.

— Mais je ne suis pas communiste », avait protesté Emi en espérant qu'un jeune homme qui avait tant souffert puisse comprendre à quel point elle-même souffrait à cet instant.

HyunMo l'avait regardée droit dans les yeux, impassible.

« Cette île est infestée de communistes. Tu en fais partie, que tu le veuilles ou non. En m'épousant, tu n'es plus une menace. Allez, monte. »

Tenant la portière ouverte, il avait attendu qu'Emi s'exécute, mais impossible de bouger. Les policiers avaient tué son père. Emi repensait à cette nuit noire. HyunMo était-il parmi eux ? Était-ce pour cette raison qu'il était revenu sur les ruines de sa maison ? Son ventre s'était retourné et ses genoux l'avaient lâchée. HyunMo l'avait retenue en l'attrapant dans ses bras avant de l'aider à monter dans le camion.

Assise à côté de sa mère, Emi avait tenté de se souvenir de cette nuit. Il faisait si sombre et le grésil tombait ; la peur, également, avait brouillé le visage de ces hommes. Elle tenta de se souvenir de HyunMo au milieu de cette scène d'horreur, mais son visage ne lui semblait pas familier. Comment aurait-elle pu ne pas reconnaître l'assassin de son père si elle le revoyait ? Lorsque HyunMo avait grimpé sur le siège du conducteur, Emi avait jeté un coup d'œil vers lui, s'efforçant de le revoir à travers la brume qui flottait dans son esprit.

HyunMo avait démarré et s'était éloigné du poste de police sans un mot de plus. Emi ne parvenait pas à associer son visage à l'un de ceux présents cette nuit-là. Lentement, elle avait détaché son regard de lui pour fixer la route devant elle, la tête vide. Elle n'avait aucune idée de l'endroit où HyunMo les emmenait, et plus il s'éloignait, plus elle se sentait perdue.

*

Grelottant sur la place de l'ambassade pendant que ces images d'une autre vie ressurgissent, Emi sent tout à coup le poids de son âge l'envahir. Ses jambes la torturent, la douleur remonte derrière sa cuisse et vient frapper sa hanche de coups brûlants. Le froid ne fait qu'aiguiser la douleur et les souvenirs.

Lane revient avec trois gobelets de chocolat chaud. Emi accepte volontiers le sien, heureuse de pouvoir se réchauffer les mains. Elle jette un coup d'œil aux visages qui l'entourent, cherchant quelque chose sans trop savoir quoi, espérant sans y croire qu'elle trouvera quelque part une image familière, un sourire, un geste ou tout autre signe qui lui rappellera ses années de jeunesse. Voilà la troisième fois qu'Emi se rend à cette manifestation, et tandis qu'elle balaye la foule du regard, le sentiment de chercher quelque chose d'aussi mystérieux que le bonheur la gagne.

Emi boit son chocolat à petites gorgées ; sa langue fourmille tant le lait est chaud et sucré, mais ses yeux ne cessent de parcourir les corps réunis autour d'elle, sans jamais s'attarder trop longtemps sur un visage ou une main de peur de rater quelque chose – ou plutôt quelqu'un. Lane et sa fille boivent leur chocolat chaud de leur côté en observant discrètement Emi, mais aucune d'entre elles n'interrompt sa quête silencieuse.

Emi observe la foule dans l'espoir que quelqu'un lui rende son regard, dans l'espoir de retrouver sa sœur.

Hana

Mandchourie, été 1943

Le portrait d'Hana est maintenant accroché avec les autres au pied de l'escalier. Son visage fait face aux soldats de passage au bordel qui, désormais, sauront qu'il leur faudra faire la queue devant la porte numéro 2 s'ils choisissent de passer le temps qui leur est alloué avec elle. Les simples soldats ont droit à une demi-heure, les officiers une heure. Hana a l'impression de n'être qu'un plat sur un menu, que l'on convoite, choisit, puis consomme.

Les journées sont simples au bordel. Les filles se lèvent, font leur toilette, mangent, puis attendent dans leur chambre l'arrivée des soldats. Lorsqu'il se fait trop tard, en général après neuf heures du soir, les hommes sont renvoyés au campement. Ensuite, Hana se nettoie et ramasse les préservatifs usagés, puis désinfecte et panse les nouvelles plaies de la journée. Un repas frugal est distribué, puis tout le monde remonte se coucher pour recommencer le lendemain. Dix heures par jour, six jours par semaine, Hana « sert » les soldats. Vingt hommes la violent quotidiennement. Le dernier jour de la semaine est consacré aux corvées : nettoyer sa chambre et laver sa robe souillée avant de faire le ménage dans le reste du bordel avec les autres et de s'occuper de leur potager misérable en attendant une éventuelle visite du médecin.

Hana a mis deux semaines à accepter ce quotidien. La première a été la plus dure. Pendant trois jours, elle n'avait rien mangé et, pendant trois nuits, elle n'avait cessé de pleurer. Elle avait appris plus tard qu'elle pouvait s'estimer chanceuse de ne pas avoir été envoyée au sous-sol, en confinement, où l'on enferme les filles récalcitrantes ou celles qui méritent plus que quelques coups de fouet. Puis, au milieu de cette troisième nuit de larmes, des coups à la porte l'avaient tirée de ses sombres pensées.

« Arrête de pleurer, petite Sakura. Arrête », avait dit Keiko en entrant.

Au son de sa voix, Hana s'était retournée. Keiko risquait une sanction en venant la voir ainsi. Les soldats auraient pu l'envoyer au sous-sol, et cette simple pensée avait suffi à la faire cesser de pleurer.

« Tu dois te ressaisir », l'avait réprimandée Keiko, même si ce ton ne correspondait pas à l'expression de pitié qui se lisait sur son visage. Keiko s'était penchée vers Hana pour dégager une mèche de son front. « Je sais à quoi tu es en train de penser : tu veux mourir. Nous avons toutes voulu mourir après nos premières nuits ici. »

Comme Hana ne répondait pas, Keiko avait ajouté : « Est-ce que tu veux revoir ta mère ? »

Sa mère. Ce mot lui avait transpercé le cœur.

« Je sais que je ne la reverrai jamais », avait soufflé Hana en se détournant.

Les voix des femmes du marché résonnaient dans sa tête. Même si Hana parvenait un jour à rentrer chez elle, ses parents n'allaient-ils pas mourir prématurément à cause d'elle ?

« Ce qui est sûr, c'est que tu ne la reverras jamais si tu meurs. Et pense un peu à elle. Elle ne saura jamais ce qui t'est arrivé. Elle passera le reste de sa vie à se le demander. »

Le souvenir du visage désespéré de sa mère au moment où le sabre de son oncle était arrivé chez eux avait refait surface dans sa mémoire. Elle avait donc réussi à sauver sa sœur, tout ça pour lui laisser une mère brisée. Hana préférait encore subir les pires tortures plutôt que faire du mal à sa propre famille.

Cette idée l'interpella. Elle préférait souffrir chaque jour aux mains des soldats, mais jusqu'à ce que – quoi ? Elle-même ne le savait pas. Jusqu'à ce que la guerre se termine ? Jusqu'à ce qu'elle tombe enceinte ? Ou jusqu'à ce qu'elle périsse ? Dans un cas comme dans l'autre, sa mère ne saurait jamais ce qui lui était arrivé.

« Je te promets que tu la reverras, lui avait dit Keiko. Tu ne resteras pas enfermée ici à jamais. Ni toi ni nous autres. Il faut attendre, c'est tout, et puis nous pourrons rentrer à la maison. »

Keiko avait continué à parler, mais Hana ne l'entendait plus. *La maison.* Cela semblait si loin, comme un lieu dont elle aurait rêvé il y a très longtemps. Était-il possible qu'elle finisse un jour par rentrer ? Keiko lui disait-elle la vérité ? Allait-on vraiment la renvoyer chez elle ?

« Viens, il faut nettoyer tout ça. »

Keiko lui avait montré comment se nettoyer, puis l'avait fait à sa place, voyant qu'elle ne réagissait pas.

Hana n'avait pas eu la force de l'en empêcher. La solution antiseptique brûlait encore plus que de l'eau de mer sur une plaie, mais Hana n'avait pas poussé le moindre cri. Tout du long, Keiko avait continué à parler comme si combler le silence allait apaiser la douleur.

« Cette guerre ne va pas durer éternellement, tout comme ta présence ici. Prends soin de toi, survis, et un jour ils te libéreront et tu reverras ta mère. »

Hana avait planté son regard dans celui de cette femme. C'était la deuxième fois qu'elle parlait de sa libération. Il était impossible de savoir si Keiko disait la vérité, mais la geisha n'avait pas détourné les yeux. Elle semblait même la défier. Hana était restée silencieuse. Puis, après un long moment, Keiko avait repris comme si de rien n'était :

« S'il faut qu'un jour tu endures le voyage pour retourner chez toi, tu devras prendre soin de toi du mieux possible pendant que tu es ici. Cela signifie qu'il faudra te laver après chaque visite d'un soldat, manger tout ce que l'on te donne, faire ta lessive et nettoyer ta chambre pour ne pas attraper de maladie à cause des insectes. C'est comme ça que nous survivons toutes ici. »

Lorsque Keiko était partie, Hana était restée étendue sur son matelas trop fin, le regard perdu dans l'obscurité. Elle écoutait les bruits qui l'entouraient : les autres filles dans leur chambre, les craquements du toit au-dessus de sa tête, le vent sous l'appentis.

« Je t'en supplie, Maman. Viens me chercher. Emmène-moi loin d'ici », avait-elle murmuré à la chambre vide.

Puis elle avait répété ces mots jusqu'à ce qu'ils ne soient plus qu'un chant monotone enterré au plus profond de son esprit.

Deux semaines se sont écoulées depuis, et Hana a appris à suivre les recommandations de Keiko. Elle tâche désormais de ne plus penser à mourir pour s'accrocher à la promesse de retrouver un jour sa liberté et revoir sa famille. Les soldats continuent de faire la queue devant sa porte. Personne ne la bat lorsqu'elle reste statique sur son tatami. Tout se passe comme si les hommes se moquaient de la savoir morte ou vive, du moment que son corps est présent pour leur permettre d'assouvir leurs envies.

L'une des filles, Hinata, lui a proposé un thé capable de soulager les douleurs entre les jambes et sur le reste du corps. Après quelques gorgées seulement, Hana s'était arrêtée, n'aimant pas l'état dans lequel elle se sentait – la tête qui tourne et la sensation d'être absente, étourdie. Elle avait eu du mal à rester éveillée. Elle avait appris plus tard qu'il s'agissait d'un thé à base d'opium, et avait refusé d'en boire de nouveau. À l'école de son village, tous les enfants étaient mis en garde contre les dangers de l'opium : seuls les gens inférieurs en consommaient, disaient ses professeurs, et c'était d'ailleurs la raison pour laquelle les Chinois en étaient tous dépendants.

Hana refusait d'en boire par peur de devenir dépendante, mais aussi parce qu'elle voulait garder le contrôle de son esprit. Hinata buvait quant à elle du thé à l'opium jour et nuit. C'était sa manière à elle de supporter les soldats. Sa manière à elle de survivre. Mais Hana savait qu'elle ne fonctionnait pas comme ça. Que l'opium finirait par lui faire perdre la tête et la refaire sombrer dans ses obsessions funestes. Ses souvenirs de son village sont puissants, mais les souffrances qu'elle endure au bordel le sont également.

Refuser de boire ce thé est un premier pas vers la survie. Avec la tête claire, Hana a le pouvoir de se retrancher dans son imagination. À chaque soldat qui la visite, Hana se coupe de la réalité et s'imagine en train de plonger dans les profondeurs de l'océan, échappant à ce qui l'entoure. Elle apprend petit à petit à retenir sa respiration lorsqu'un soldat l'assaille, étreinte par une sensation semblable à celle qui précède le moment de remonter à la surface. Elle ne regarde jamais les hommes en face. Mieux vaut ne pas penser à eux comme à des êtres humains. Ils ne sont pour elle que des machines qu'on lui envoie les unes après les autres, tout au long de la journée. Hana se concentre sur la promesse que tout finira par s'arrêter, car tout finit toujours par s'arrêter – puis elle s'endort. Capable de contrôler son esprit, elle choisit ce qu'elle y laisse entrer.

Chaque matin, lorsqu'elle se lève, la première chose qui occupe ses pensées est la mer. Le bruit des vagues sur les galets l'emplit. Puis elle se demande si sa mère se lève avec le soleil, elle aussi. Hana se demande si sa mère prépare le petit déjeuner pour sa sœur ou pour son père. La plupart du temps, elle leur donne du porridge de riz avec un peu d'algues et les restes de poisson de la veille. Il y a aussi parfois un œuf au plat coupé en petits morceaux, mélangé au porridge. Rien que d'y penser, Hana sent son bon goût salé et salive.

Au bordel, les filles n'ont droit qu'à quelques boules de riz ou bien un bol de bouillie, préparée par la vieille Chinoise. Les jours de chance, quelques légumes marinés japonais baignent en dessous. Mais leur pauvre potager est trop souvent pillé par les soldats qui, eux aussi, cherchent de la nourriture à tout prix.

L'eau provient quant à elle d'un puits situé au fond de la cour. Les filles se relaient toute la journée pour faire l'aller-retour. Lorsque Hana doit s'y rendre, elle prend le plus de temps possible pour effectuer sa corvée. Cela vaut la peine de profiter même de cinq minutes de répit.

Lorsqu'elle ne grappille pas du temps en allant au puits, elle trouve toujours une raison de prolonger sa toilette avant qu'un nouveau soldat n'arrive. Elle suit le conseil de Riko lorsqu'il la presse : prévention des maladies vénériennes – et s'il insiste, Hana va s'installer sur le tatami, mais en lui disant avoir remarqué des pustules rouges ou des plaies purulentes chez le soldat précédent. En général, ces mensonges suffisent, mais certains soldats n'en font qu'à leur tête. Ceux-là sont les pires. Hana a vite appris à ne rien dire et à leur obéir. Plus vite satisfaits, plus vite partis.

C'est pendant la nuit, une fois les soldats partis, que sa maison lui manque le plus. Allongée sur son tatami poussiéreux, sa vieille couverture remontée jusqu'au menton, Hana ferait n'importe quoi pour sentir le corps chaud de sa petite sœur contre le sien, pour entendre les doux ronflements de son père dans la pièce voisine et sa mère se retourner continuellement dans son lit en cherchant des abalones dans ses rêves. Hana songe aussi à ses amies, aux autres haenyeo qui travaillaient chaque jour auprès d'elle. Tout ce monde lui manque.

Ces souvenirs la rongent et la nourrissent en même temps. Ils emplissent le silence de sa minuscule prison, laissant sur elle des entailles comme la lame d'un couteau. C'est cette douleur qui lui rappelle son sacrifice. Si elle n'était pas piégée ici, sa sœur le serait à sa place. Hana supporte la vie au bordel, car un jour viendra où elle rentrera chez elle. Un jour viendra où elle reverra les siens.

Puis arrive le moment des corvées. Hana s'est levée de bonne heure pour faire sa lessive dans la cour, quand un garde l'arrête devant la porte de la cuisine.

« Retourne là-haut. Le médecin passe aujourd'hui. »

Il lui barre le chemin. Hana sait qu'il ne faut pas poser de question. Elle n'a encore jamais vu le médecin. La vieille Chinoise arrive en premier dans la chambre avec une carafe d'eau qu'elle verse dans la bassine. Hana se prépare pour se laver.

Une fois la femme partie, elle se demande pourquoi cette dame et son mari tiennent ce bordel. Ont-ils été obligés ? Sont-ils des prisonniers, eux aussi ? Mais un léger coup à la porte interrompt ses pensées.

Un soldat entre dans la chambre et Hana se lève d'un bond. Sans doute a-t-il vu son affolement, car il lève une main en signe de paix.

« Je suis le médecin, s'empresse-t-il de dire. Je suis ici pour vérifier ton état de santé. »

L'homme tient une sacoche noire de son autre main. Il fait signe à Hana de se rasseoir. Elle obéit avec hésitation, restant sur ses gardes.

« Ouvre la bouche », lui dit-il après avoir posé sa sacoche et s'être assis en face d'elle. Il lui examine la gorge, les dents, les gencives et la langue. « Bien, impeccable. Allonge-toi, maintenant. »

Hana se raidit. Elle n'a jamais été chez le médecin de sa vie et n'est toujours pas sûre que l'homme soit bel et bien celui qu'il prétend. Son uniforme militaire ne lui dit rien qui vaille, mais, lentement, elle s'exécute et s'allonge sur le tatami. L'homme soulève sa robe.

« Qu'est-ce que vous faites ? demande aussitôt Hana en se redressant.

— Il faut que je t'examine. » La réaction d'Hana l'a peut-être froissé ou énervé, mais il ne laisse rien paraître. « Allonge-toi, replie les jambes et soulève ta robe. Il faut que j'examine ton vagin. Ne me fais pas perdre davantage de temps.

— Non, je ne veux pas, répond Hana en rampant loin de lui.

— Tu n'as pas le choix. L'examen est obligatoire toutes les deux semaines. Je dois vérifier si tu es porteuse de maladies vénériennes, d'infections, si tu es enceinte ou si tu as des plaies. C'est pour ton bien. Pour ta santé, et pour celle des soldats. »

Hana le regarde fixement. La santé des soldats. Voilà la vraie raison de sa visite.

« Maintenant, allonge-toi, replie les jambes et soulève ta robe. »

Hana s'allonge, humiliée. La suite de l'examen est rapide. Le médecin insère un instrument en métal froid dans son vagin, la palpe avec ses doigts puis l'asperge d'un liquide orange. Il finit par lui injecter un sérum dans le bras gauche, soi-disant pour la protéger des maladies vénériennes.

La quatrième semaine touche à sa fin quand, un soir, tard, plusieurs officiers débarquent à bord d'une jeep. Tout le monde semble avoir bu ; deux des hommes ne tiennent même plus debout. Leurs camarades les épaulent et se dirigent avec eux vers le bordel, cahin-caha, avant de monter l'escalier en titubant et de bousculer les soldats attroupés dans le couloir pour passer devant eux.

« Tout le monde aux baraquements, crie le capitaine par-dessus les grognements des mécontents. Nous prenons les commandes pour le restant de la soirée. »

Les premiers soldats de la file protestent avec véhémence, clamant qu'ils attendaient depuis des heures. Le soldat qui occupait la chambre d'Hana entrouvre la porte et regarde à l'extérieur. Le silence s'abat lorsque le premier lieutenant dégaine son sabre, mais personne ne bouge pour autant. Dans la chambre d'Hana, le soldat revient sur ses pas et commence à se rhabiller sans rien dire. Hana en profite pour regarder dehors.

« Allez, dégage », crie le capitaine au soldat placé en tête de file.

C'est un soldat de deuxième classe, qui ne porte aucune médaille. Son uniforme est propre, mais usé. Il recule d'un pas, mais ne fait pas demi-tour tout de suite.

« Un problème, soldat ? » demande le capitaine en rejoignant son premier lieutenant.

Côte à côte, les deux hommes sont impressionnants. Ils sont plus grands que tous les autres et leur torse garni de décorations brille comme si des bijoux d'or et d'argent étaient incrustés dans leur veste. Le soldat en tête de file semble se rétracter sous leur regard.

« Nous partons au front demain matin, mon capitaine, tente-t-il d'expliquer d'une voix discrète et soumise.

— Non, vraiment ? répond l'autre.

— Oui, mon capitaine, font plusieurs hommes à la fois.

— Ça, c'est une bonne chose à savoir. » Puis, s'adressant à son premier lieutenant : « C'est une bonne chose à savoir, hein ?

— Oui, oui, bien vu, soldat, répond le premier lieutenant d'un air moqueur. Bon boulot. »

Le capitaine fait un pas vers le soldat, le dominant de toute sa hauteur. Le reste de la file se replie.

« Et d'après vous, soldat, qui va vous conduire sur le champ de bataille demain matin ? Quels supérieurs ? Une idée ? Vous savez, ceux qui mènent l'assaut, ceux qui meurent les premiers si nos troupes ne prennent pas l'avantage ? »

Les soldats les plus éloignés commencent à se disperser avant même que le capitaine n'ait terminé sa tirade, mais le pauvre soldat, lui, ainsi que ceux qui l'entourent sont forcés de rester et de l'écouter jusqu'au bout.

« Oui, mon capitaine. Toutes mes excuses, mon capitaine, dit-il en lui adressant un salut.

— Vos excuses ? Vous entendez ça, premier lieutenant ? Il s'excuse ! » Sur ces mots, le capitaine rit au nez de l'homme qui, à présent, tremble de tout son corps. « Je pourrais promener ta tête sur une baïonnette si je le voulais. Va donc faire part de ton ignorance à tes futurs camarades, et dis-leur de ne jamais remettre en cause la parole d'un officier, jamais. Maintenant, incline-toi », crache-t-il entre ses dents, à quelques centimètres de son visage.

Le soldat s'incline profondément, exposant sa nuque à la vue des deux officiers. Le premier lieutenant en profite pour poser la lame de son sabre sur sa peau nue. Un filet de sang apparaît.

« Quels sont vos ordres ? » demande-t-il à son capitaine.

Les tremblements du soldat ne font qu'enfoncer la lame plus profond. Du sang ruisselle sur son cou et imbibe son col.

« Je suis de bonne humeur. Je n'ai pas envie de nous gâcher la soirée. Fais-les tous sortir.

— Tu as entendu le capitaine. Dégage, crie le premier lieutenant en poussant le soldat contre le mur. Dégagez tous d'ici avant que je vous colle une sanction pour désobéissance. »

Le bruit des bottes résonne dans l'escalier. Le soldat dans la chambre d'Hana s'empresse de déguerpir tandis que le premier lieutenant fait son entrée. Le capitaine, quant à lui, se dirige vers la chambre voisine, celle de Keiko.

Hana s'empêche de le regarder. Elle reste silencieuse et attend qu'il vienne. Elle tente d'ignorer le sabre fermement serré dans sa main droite et sa façon décontractée de s'approcher d'elle. Tous les soldats portent sur le corps des cicatrices laissées par des supérieurs ivres et enragés. Hana a déjà entendu des actes de violence à travers les fines parois pendant qu'un soldat accomplissait sa besogne dans sa chambre. Le premier lieutenant s'assied à genoux devant elle et lui ordonne de se lever. Hana s'exécute en tremblant. Le regard de l'homme reste rivé sur sa toison pubienne. Puis il se penche comme pour l'inspecter, se servant de la pointe de son sabre pour fouiller dans ses poils.

« Ça fera l'affaire, conclut-il. Pas un geste ou je te fais mal. »

En utilisant sa lame, il entreprend de la raser. Du sang perle à la surface de sa peau tendre et Hana ne cesse de trembler tandis que la lame froide lui racle la chair. Elle se mord la langue lorsqu'il la coupe.

« Les filles comme toi sont bourrées de microbes, marmonne-t-il en travaillant. Votre hygiène est mauvaise. Vous êtes pleines de parasites. Je ne me laisserai pas contaminer. »

Hana ferme les yeux. Pleines de parasites ? Ce sont les soldats qui ramènent des maladies au bordel. Chaque fille qui arrive ici est innocente et nette alors que les soldats, ces monstres infestés de microbes, sont la raison pour laquelle les filles sont obligées de se soumettre à ces examens médicaux humiliants et de recevoir des injections si puissantes qu'elles ne sentent parfois plus leur bras ou souffrent d'inflammations. Si quelqu'un est plein de parasites, c'est lui. Hana ferme les yeux encore plus fort pour contenir sa colère.

Une fois son travail terminé, l'homme jette son sabre par terre et lui ordonne de se laver. Hana s'en va jusqu'à sa bassine dans l'angle de la chambre – destinée, a-t-elle appris, à faire tremper les préservatifs usagés – et s'accroupit. Une serviette lui sert à faire sa toilette. L'homme ne la quitte pas des yeux et lui demande à plusieurs reprises de frotter plus fort, de se laver encore mieux, de vérifier qu'elle est bien propre. Une fois satisfait, il lui ordonne de le déshabiller. Puis il s'étend, nu, sur le tatami, et lui demande de l'enfourcher.

« Fais-moi perdre la tête, fais-moi voir le sanctuaire de Yasukuni ! Si je meurs demain, je veux voir le lieu où reposera mon âme ! »

Mais l'homme est trop saoul pour jouir. Après une heure à s'acharner en vain, il pousse Hana par terre et s'endort comme une souche.

Les soldats parlent souvent de Yasukuni, ce sanctuaire shinto de Tokyo – Hana en a maintenant l'habitude –, mais la manière dont l'officier l'a humiliée est en revanche une première pour elle. Les gens de son rang ont le droit de passer la nuit au bordel. Allongée sur son tatami sous les ronflements sonores du premier lieutenant, Hana est trop énervée pour dormir. Elle ne ferme pas l'œil de la nuit et l'écoute qui respire. Chaque bouffée d'air qu'il prend la dégoûte, chaque exhalation chargée d'alcool manque de la faire vomir. Quant à elle, chacune de ses propres respirations ravive ses douleurs.

Au petit matin, le chant du coq réveille l'officier qui lui demande de l'aide pour se rhabiller. Sitôt qu'Hana finit de lui faire ses lacets, il l'envoie par terre d'un coup de pied. Hana reste à quatre pattes, espérant que sa gueule de bois lui fasse passer l'envie de la battre. L'homme se lève, passe ses doigts dans ses cheveux hirsutes, puis quitte la chambre, en criant à son ami de le rejoindre. Quelques instants plus tard, les deux officiers descendent l'escalier hilares, en se racontant leur nuit. Au moment où elle entend la porte d'en bas claquer et le moteur de la jeep s'éloigner, Hana sort de sa chambre et descend sans faire de bruit.

Keiko la suit dans la cuisine.

« J'ai entendu ce qu'il t'a fait », murmure-t-elle à l'oreille d'Hana.

Hana se recroqueville.

« Laisse-moi voir, ajoute-t-elle.

— Non, ça ira, répond Hana en s'écartant.

— Arrête. Si la coupure est profonde, elle va s'infecter. Allez, viens, dit-elle en lui prenant la main avant de la conduire dans le cagibi et de fermer la porte. Soulève ta robe. »

Hana finit par accepter. Keiko étouffe un soupir et secoue la tête.

« Il t'a bien amochée, le salaud », murmure-t-elle avec colère.

Keiko se dépêche d'attraper le flacon de désinfectant et d'imbiber une petite serviette avec. Elle tamponne les plaies d'Hana avec précaution. Les autres filles commencent à arriver dans la cuisine pour préparer leur petit déjeuner juste au moment où Keiko termine.

« Ne dis rien aux autres, lui souffle Hana, les yeux baissés.

— Pourquoi ? répond Keiko. Mieux vaudrait les mettre en garde contre lui.

— Je t'en supplie, je leur fais déjà assez pitié comme ça. »

Keiko attrape le visage d'Hana à deux mains et la regarde dans les yeux. Ses paumes sont douces et puissantes, et son regard intense. Les bruits de la cuisine parviennent jusqu'à elles. Quelqu'un pourrait ouvrir la porte du cagibi à tout moment, mais Hana ne veut pas blesser Keiko en la repoussant.

« La pitié est un bon sentiment, lui dit-elle d'une voix pleine d'autorité. Chacune de nous mérite qu'on ait pitié d'elle, mais personne dans ce maudit pays n'a suffisamment de compassion pour nous faire cette faveur. Voilà pourquoi nous sommes ici à vivre dans l'humiliation, torturées chaque jour. Que nous reste-t-il, sinon le peu de bienveillance que nous pouvons nous montrer entre nous ? »

Ces mots font réfléchir Hana. Depuis son arrivée, aucune des filles n'a jamais fait preuve de méchanceté à son égard, mais de gentillesse non plus. Comme Hana, les autres sont toutes des Coréennes, mais ce point commun n'a créé aucun lien entre elles. Hana est restée dans son coin, n'est jamais allée vers elles et n'a par conséquent jamais rien reçu en retour. Perdue dans son malheur, elle en a oublié que les autres souffraient tout autant. Mais il n'existe aucune différence entre ces filles et elle. Toutes sont prises au piège dans cette prison inhumaine. Peut-être qu'en leur montrant sa souffrance et sa honte Hana obtiendra leur attention. Comme dans un miroir, les autres filles se verraient en elle, meurtries et humiliées, et lui ouvriraient leur cercle.

Lorsque Keiko sort du cagibi, Hinata s'approche d'elle, curieuse, et Hana ne fait rien pour se cacher. Riko arrive à son tour et regarde derrière l'épaule d'Hinata. Sa main se lève aussitôt vers sa bouche. Lorsque Hana finit par sortir, une fois ses plaies désinfectées, toutes les filles l'attendent à la table. Et lorsqu'elle s'assied, Tsubaki se lève pour aller préparer du thé aux grains de riz. Pendant que l'eau bout, elle raconte le jour où un officier lui avait gravé son nom dans le dos avec la pointe de sa baïonnette avant de partir au combat.

« Il pensait mourir ce jour-là, mais il a survécu, raconte Tsubaki, les yeux plissés. Quand il est revenu au bordel, j'ai refusé de le servir. Je ne l'aurais jamais laissé me toucher de nouveau. Mais il a menacé de me tuer ! » Elle secoue la tête, folle de rage. « Alors je lui ai pris sa baïonnette des mains et, avant qu'il ait le temps de réagir, je la lui ai plantée dans le cou. »

Un grand sourire se dessine sur ses lèvres.

« Nous sommes allées l'enterrer dans le jardin en pleine nuit. Nous avons fait croire que la tombe était le prolongement du potager. »

À ce souvenir, toutes les filles se mettent à glousser en se couvrant la bouche.

« Quand le gardien de nuit s'est mis à poser des questions, nous avons toutes joué les idiotes, ajoute Keiko.

— De toute façon, ce n'était pas difficile vu l'opinion que les soldats ont de nous, répond Hinata, et toute la table éclate de rire.

— Cette année-là, nous avons eu une superbe récolte. Depuis, à chaque fois que les légumes ont du mal à pousser, nous sommes tentées de recommencer », dit Tsubaki. Puis elle ajoute en donnant un petit coup de coude à Keiko : « Si jamais ce premier lieutenant ne meurt pas au champ de bataille et qu'il revient, préviens-moi et je t'aiderai à t'occuper de lui. Et nous aurons de quoi nous remplir l'estomac ! »

De francs éclats de rire suivent les mots de Tsubaki, et même Hana ne peut réprimer un sourire. Son premier, depuis son arrivée ici.

Emi

Séoul, décembre 2011

Les manifestants scandent des slogans devant l'ambassade du Japon. Emmitouflés dans leurs manteaux les plus chauds, bonnets sur la tête, brandissant des banderoles de leurs mains gantées, ils crient : « Le Japon doit reconnaître ses crimes. Justice pour les grand-mères. » La voix d'un homme résonne dans un mégaphone : « Reconnaissez vos crimes de guerre, pas de paix tant que le Japon n'admettra pas sa culpabilité ! » Près du portail, quelqu'un crie à son tour : « Toutes les guerres sont des crimes contre les filles et les femmes de ce monde ! »

Le bâtiment de brique rouge semble vouloir disparaître derrière les grilles en fer forgé. Un plus grand nombre de policiers que d'ordinaire est posté devant, serré en rang d'oignons. Leur visage impassible masque leur humanité.

« On aurait dû préparer des pancartes, regrette Lane. Tout le monde en a. »

Emi balaye la foule du regard. Même les enfants ont quelque chose à brandir.

« Peut-être qu'on pourrait s'en fabriquer une quelque part, répond YoonHui. Allons voir dans cette tente, là-bas. »

La fille d'Emi pointe du doigt une tente blanche dressée près d'une scène devant laquelle sont alignées des chaises recouvertes de banderoles disant JUSTICE, RECONNAISSANCE DES CRIMES CONTRE L'HUMANITÉ, RECONNAISSANCE DES RESPONSABILITÉS, VIOLATIONS DES CONVENTIONS DE GENÈVE. De grands haut-parleurs grésillent dans l'air saturé, comme pour protester eux aussi.

« Et si on allait voir ? propose YoonHui en posant la main sur le bras de sa mère. Qu'en penses-tu, Maman ?

— Comment ? fait Emi.

— Et si on fabriquait des pancartes, nous aussi ? »

Emi suit sa fille jusqu'à la tente. À l'intérieur, deux femmes se tiennent derrière une grande table recouverte de cartons ; des marqueurs sont également mis à disposition. Lane choisit un marqueur rouge et commence à tracer des caractères japonais sur la pancarte blanche. Emi observe les va-et-vient fluides du feutre, impressionnée par cette écriture parfaite.

« Tu parles le japonais ? lui demande Emi.

— Oui, et le mandarin aussi », répond YoonHui à la place de son amie.

Emi hoche la tête avec respect, bien qu'en se demandant à quoi sert à une Américaine de connaître toutes ces langues. Quel motif a bien pu la conduire à partir si loin de chez elle et à s'immerger dans cette culture étrangère ? Lane lève les yeux vers Emi et lui tend le marqueur.

« Vous voulez en faire une ? » demande-t-elle.

Mais Emi secoue la tête. Sa fille, quant à elle, est en train d'écrire en anglais sur sa pancarte, comme pour rivaliser avec Lane. Emi ne comprend pas ce qui est marqué.

« Pour les caméras », explique YoonHui en se tournant vers les camions de télévision garés le long de la rue.

Un groupe de vieilles dames s'est formé près du bord de la scène. Curieuse de les voir de plus près, Emi préfère s'éclipser et sort de la tente sans se faire remarquer. Mais alors qu'elle s'approche d'elles à petits pas, sa jambe gauche recommence à la tourmenter. La douleur la ralentit, mais elle refuse de s'arrêter. Elle reconnaît parmi le groupe trois grand-mères déjà présentes aux autres manifestations. Les survivantes. Elle n'a en revanche jamais vu les deux autres et se rapproche davantage pour mieux les distinguer.

Ces femmes ont le même âge qu'elle, si ce n'est plus. Le temps a brouillé leur visage autrefois jeune. Doutant de pouvoir reconnaître sa sœur après toutes ces années, Emi se concentre sur leur attitude. La plus petite des deux parle en gesticulant d'une main, protégée par une mitaine rouge. L'autre, qui porte un bonnet rose, hoche la tête en tapant du bout de sa botte sur le sol. Emi les observe, guettant des gestes familiers. Puis l'une d'entre elles s'esclaffe. A-t-elle déjà entendu ce rire, peut-être en plus aigu, sorti d'une gorge plus jeune ?

Tordant le cou pour avoir un meilleur aperçu de la grand-mère, Emi attend de l'entendre rire une nouvelle fois. La vieille dame est en train de raconter une histoire à grand renfort de gestes, agitant ses mitaines rouges. Elle frappe des mains et s'esclaffe de nouveau. C'est un drôle de bruit, discordant et rocailleux. Elle est un peu plus petite que sa camarade, mais se tient de dos. Emi vient tout juste de se décaler de quelques pas pour mieux la voir, quand, soudain, la femme se tourne. Tous les regards sont braqués sur elle.

« On s'est déjà vues ? demande l'une des vieilles dames.

— Non, je ne crois pas, répond Emi d'un air confus, avant de faire demi-tour.

— Vous êtes sûre ? Attendez, venez avec nous », propose gentiment la femme aux mitaines rouges.

Emi se retourne vers la tente blanche en hésitant. Lane discute avec les femmes derrière la table, et sa fille est toujours en train de préparer des pancartes. Le groupe de vieilles dames murmure sans quitter Emi des yeux. Elle se met alors en route vers elles, sentant sa jambe traîner un peu plus que d'habitude, mais, malgré tous ses efforts, impossible de la faire fonctionner plus vite. Comme elle aimerait pouvoir nager ; le simple fait de lubrifier ses articulations lui apporterait un grand soulagement.

« Vous êtes déjà venue, non ? Je reconnais votre visage, demande l'une des survivantes les plus connues.

— Oui, l'année dernière. Nous nous étions croisées l'année dernière, admet Emi.

— Oui, je m'en souviens, répond l'autre en baissant les yeux vers sa jambe invalide. Vous cherchez quelqu'un ? Une amie ? »

Emi rougit. Se souvient-elle vraiment d'elle, ou cherche-t-elle simplement à être polie ?

« Oui, je cherche mon amie. Hana. Son nom est Hana.

— Hana ? Vous vous souvenez avoir connu une fille nommée Hana pendant la guerre ? »

Des murmures parcourent le petit groupe de femmes. Emi attend que les souvenirs de ce lieu de l'horreur refassent surface dans leur mémoire.

« J'ai connu une Hinata », fait l'une des femmes qu'Emi ne connaissait pas, celle qu'elle n'avait pas réussi à voir de face.

Cette dernière se tourne vers Emi et toutes les deux se dévisagent.

« Hinata ? répète Emi d'une voix absente, absorbée par ce visage si vieux, tâchant d'y voir des traits plus jeunes, moins marqués, des yeux plus vifs…

— Oui. "Tournesol", ajoute-t-elle en traduisant le prénom en coréen.

— Nous portions toutes des noms de fleur à la place de nos vrais prénoms, explique l'une des femmes sans cacher sa rancœur.

— Depuis cette époque, je déteste les fleurs, fait une autre.

— Oui, moi aussi. Je n'ai plus jamais réussi à les apprécier.

— Trop de mauvais souvenirs, renchérit quelqu'un.

— Personne ne connaissait le vrai prénom des autres, explique alors la femme aux mitaines. Personne ne pourra connaître le prénom de votre amie, à moins qu'elle n'ait pu le révéler à quelqu'un.

— Mais elle vous avait peut-être parlé de chez elle ou… de moi ? Je m'appelle Emi, Emiko. »

Le groupe répète ce nom et, les unes après les autres, les femmes se mettent à secouer la tête.

« Mon amie venait de l'île de Jeju. C'était une haenyeo, insiste Emi, comme si cette information changeait tout.

— Une haenyeo ? s'exclame l'une des femmes. Ils sont allés la chercher si loin ?

— Ils allaient chercher des filles partout, répond une autre. Même en Chine, aux Philippines, en Malaisie.

— Et les Hollandaises, alors ? Vous vous souvenez de cette femme qui avait parlé ?

— Oui, la Hollandaise. Quel courage d'avoir brisé le silence ! »

Emi se souvient avoir entendu parler de cette femme hollandaise dans les journaux. Comme tant d'autres « femmes de réconfort », elle avait caché pendant plus de cinquante ans à sa famille les viols et humiliations dont elle avait été victime. Puis, quand la première « femme de réconfort » coréenne, Kim Hak-sun, avait parlé en 1991, livrant un témoignage glaçant, d'autres avaient suivi. Tout le monde les avait alors dénigrées et étiquetées comme des prostituées qui ne cherchaient qu'à gagner de l'argent. C'était à cette époque que la Hollandaise, Jan Ruff O'Herne, s'était jointe au mouvement et avait fait éclater la vérité sur son histoire lors du Tribunal d'opinion sur les crimes de guerre japonais qui s'était tenu en 1992, à Tokyo, éveillant l'intérêt des pays occidentaux.

À l'époque, Emi n'avait pas encore réussi à s'avouer que le trou dans son cœur était lié à la disparition de sa sœur. Ni à accepter que sa sœur ait pu faire partie de ces « femmes de réconfort ».

« Maman ? demande YoonHui en s'approchant du groupe, sa pancarte à la main.

— C'est votre fille ? demande la femme aux mitaines rouges.

— Oui, voici YoonHui », répond Emi en souriant fièrement.

Tout le monde la salue poliment, mais l'esprit d'Emi est déjà ailleurs. Ces femmes ne pourront pas l'aider. Elle se remet à parcourir la foule des yeux à la recherche d'un élément familier, un port de tête aussi gracieux que celui d'Hana, un rire, une manière de marcher, de s'asseoir, n'importe quel signe qui lui rappellerait cette fille perdue autrefois.

La femme aux mitaines rouges s'écarte du groupe pour rejoindre Emi.

« Vous savez où ils l'ont emmenée ?

— En Chine ou en Mandchourie, d'après ce qu'on m'a dit. Mais je n'ai jamais été sûre.

— Ce devait être une amie très chère pour continuer à la chercher après toutes ces années. Je suis sincèrement désolée. »

Emi hoche la tête d'un air absent, se remémorant le jour où sa mère lui avait révélé ce qu'elle savait d'Hana. C'était un après-midi froid de janvier, des mois après sa disparition. Ses parents avaient désormais trop peur de la laisser seule sur la plage, ou même à la maison. Peu après l'enlèvement d'Hana, plusieurs soldats étaient revenus au village et avaient enlevé deux autres filles de l'autre côté du champ de mandariniers. Ce même jour, à seulement neuf ans, Emi avait appris à plonger en eaux profondes. Sa mère ne la perdait jamais de vue, pas même un seul instant.

« Comme ça, au moins, ils devront prendre le risque de se noyer s'ils veulent t'arracher à moi », avait-elle dit à Emi tandis qu'elles dépassaient à la nage les premiers récifs.

Cette année-là avait été marquée par une sécheresse inhabituelle. Les fermiers en avaient pâti, mais les plongeuses, elles, étaient parvenues à ne pas souffrir de la faim en travaillant de longues heures, même en plein hiver. Au lieu de rester dans l'eau pendant des périodes d'une à deux heures, comme d'ordinaire, elles pouvaient parfois rester trois heures dans la mer glaciale et ne se réchauffer qu'après grâce à des feux de camp allumés sur la plage. Emi avait appris à grimper sur la bouée pour garder le filet pendant que sa mère plongeait en eaux profondes. Cette dernière acceptait de laisser Emi l'aider seulement lorsqu'elle travaillait plus près de la côte, le long du récif, où l'on trouvait des oursins et des huîtres. Emi s'était adaptée à la mer plus vite que sa mère ne l'aurait pensé. Elle était plus menue que sa grande sœur et avait mis du temps à devenir bonne nageuse. Tout se passait comme si Emi n'avait pas eu d'autre choix que de rattraper son retard, étant donné les circonstances. Sa mère semblait s'en réjouir – sa seule réaction positive depuis l'enlèvement de sa sœur.

Un matin, après une longue plongée, elle et Emi étaient revenues sur la côte avec leur pêche pour se reposer près du feu. Emi avait trouvé une huître sur le récif et était en train de l'ouvrir à l'aide d'un petit couteau. À l'intérieur, au cœur de la chair, elle avait découvert une perle.

« Une perle ! » s'était-elle exclamée en la montrant à sa mère.

Les autres pêcheuses s'étaient toutes rapprochées pour voir.

« Ha ! avaient-elles fait. Elle est trop petite, il n'y a pas de quoi être si excitée. »

Sa mère avait à son tour examiné la minuscule perle.

« Dommage que tu ne l'aies pas trouvée dans quelques années. Elle aurait été magnifique. Quel gâchis ! »

Puis, en secouant la tête, elle s'était remise à trier son filet.

Depuis l'enlèvement d'Hana, sa mère était devenue de plus en plus distante et taciturne. Elle tenait malgré tout à garder Emi auprès d'elle, ce qui l'empêchait parfois de jouer avec ses amis.

« Elle n'aurait jamais pu trouver cette huître dans quelques années, avait remarqué l'une des femmes d'un ton plein d'amertume. Ces maudits pilleurs japonais, ils ne nous laissent plus rien à pêcher. Garde précieusement ta petite perle, Emi. Tu n'en trouveras peut-être pas d'autre ici. »

Emi avait brandi sa trouvaille au soleil. Elle n'avait jamais vu de perle de près et, d'après ce qu'elle savait, seules deux plongeuses en avaient déjà trouvé avant elle. Depuis leur arrivée, trente ans plus tôt, les Japonais avaient passé leur temps à saccager les bancs d'huîtres pour récolter leurs perles, si bien qu'à présent les haenyeo se retrouvaient obligées d'aller pêcher des algues, des abalones et autres créatures des profondeurs dont les Japonais n'avaient que faire.

Que se serait-il passé si elle n'avait pas décroché cette huître ce matin-là et l'avait trouvée des années après, comme sa mère l'avait dit ?

« J'aurais aimé qu'Hana soit là, avait soufflé Emi en faisant tourner la petite sphère entre ses doigts, sous les rayons du soleil. Elle aurait été contente pour moi. »

Sur ces mots, elle avait embrassé la perle et l'avait enfouie dans le sable.

En entendant le nom de sa fille aînée, sa mère avait laissé tomber l'oursin qu'elle nettoyait et poussé un soupir de colère en jetant un regard noir à Emi. Les autres pêcheuses avaient baissé les yeux, comme pour se faire oublier. Mais Emi était restée indifférente face à l'animosité de sa mère.

« Tu ne parles jamais de ce qui lui est arrivé, avait-elle remarqué. Pourquoi ? »

Sa mère avait ramassé son oursin puis, d'un geste vif, l'avait vidé avec son couteau avant de jeter la coquille dans un seau. Sans un mot, elle avait continué à trier, vider et compter ses prises.

Emi grelottait de froid. Elle prêtait d'habitude main-forte à sa mère pour emporter plus vite leur butin au marché et rentrer ensuite prendre un bain chaud et se changer. Mais elle était trop en colère pour s'arrêter.

« Tu sais ce qui lui est arrivé, pas vrai ? C'est pour ça que tu ne prononces jamais son nom. Dis-moi où ils l'ont emmenée. »

Sa mère n'avait pas levé les yeux. Elle triait et vidait sans répit. Mais en faisant tomber par terre un autre oursin, elle avait fini par pousser un nouveau soupir d'exaspération. Emi savait qu'elle allait se faire disputer, mais sa mère avait encore attendu avant de parler. Ses yeux étaient rivés sur l'horizon. La main en visière, face aux vagues scintillantes, Emi avait à son tour levé la tête. Au loin, les crêtes blanches des vagues semblaient s'être figées sous le regard assassin de sa mère, comme si le temps s'était arrêté. Même le vent s'était tu. Emi et les autres plongeuses retenaient leur souffle, s'attendant à un déchaînement de colère. Mais, à la place, sa mère s'était tournée vers elle.

« Ils l'ont emmenée sur les champs de bataille en Chine, ou peut-être même en Mandchourie, nous ne le saurons jamais. Mais ce que je sais, c'est qu'elle ne reviendra pas. »

Que sa mère réponde à sa question était la dernière chose à laquelle s'attendait Emi. Prise de court, elle s'était écriée :

« Alors tu sais où elle est ? Depuis tout ce temps, tu savais ? » Les autres plongeuses semblaient vouloir disparaître. « Et Papa, pourquoi ne l'a-t-il pas ramenée ?

— Tais-toi, petite. Tu ne comprends pas. Il ne pouvait pas la ramener. Pas… de là-bas.

— Alors, moi, j'irai ! Je n'ai pas peur. Dis-moi juste où la trouver. »

Emi s'était levée d'un bond, prête à partir à la recherche de sa sœur.

Sa mère l'avait attrapée par le coude.

« Il est trop tard. Ils l'ont emmenée sur les champs de bataille. Cela veut dire qu'elle est déjà morte. »

Le ton factuel qu'elle avait employé avait stupéfié Emi. Ses genoux s'étaient mis à flageoler. Elle s'était laissée retomber sur son rocher. Les vagues avaient recommencé à se gonfler et le vent à gronder. De nouveau, les mouettes criaient comme des enfants au-dessus de leurs têtes et les femmes s'étaient remises à bavarder pour dissiper le malaise.

Emi regardait fixement le visage fermé de sa mère, tâchant de déterminer si ce qu'elle disait était une certitude ou une simple supposition. Elle était si concentrée qu'elle ne s'était pas rendu compte qu'elle serrait la lame de son couteau dans sa main.

« Qu'est-ce que tu fais ? » lui avait crié sa mère en se précipitant sur elle et en lui arrachant son couteau.

Du sang perlait sur sa paume. Pendant que sa mère lui faisait un garrot en déchirant son vieux t-shirt de plongée, Emi avait observé son visage jusqu'à ce que la voix lui revienne.

« Pourquoi l'ont-ils emmenée sur les champs de bataille ? Ce n'est pas un soldat. C'est une fille. Il n'y a que les garçons qu'on emmène au combat. »

Sa mère avait essayé de terminer son bandage avant de parler. Elle tenait sur ses cuisses la main blessée de sa fille. Elle semblait peser ses mots, tout en caressant doucement le dos de la main d'Emi. Le vent qui redoublait faisait frissonner son corps frêle.

« Il se passe des choses dans ce monde qu'il vaut mieux que tu n'apprennes jamais, et tant que j'en serai capable, je t'en protégerai. C'est mon devoir de mère. Ne me repose jamais cette question. Hana est morte. Tu peux la pleurer, tu peux la regretter, mais ne me reparle plus jamais d'elle. »

Puis elle s'était levée d'un coup, avait attrapé son seau et s'était éloignée. En la voyant regarder derrière son épaule, Emi avait compris qu'elle devait la suivre sans discuter. Même s'il était désormais interdit de parler, sa mère ne l'aurait jamais laissée seule.

Lorsque son père était arrivé au marché, sa mère avait demandé à Emi de rentrer avec lui. Elle ne pouvait pas lui expliquer la raison de sa colère. Ils avaient mangé tous les deux une soupe légère aux pleurotes et aux algues. Son père était lui aussi devenu taciturne depuis l'enlèvement. Il ne chantait plus, ne récitait plus de poèmes, ne jouait même plus de sa cithare qu'il aimait tant. Son regard croisait parfois celui d'Emi et ils se souriaient tristement, faute de savoir quoi dire pour égayer l'atmosphère.

Sa mère était rentrée après la tombée de la nuit. Emi était restée à l'attendre en compagnie de son père.

« Viens, ma fille, avait-elle dit en franchissant la porte, sachant qu'elle trouverait Emi éveillée.

— Où est-ce que tu m'emmènes ? avait-elle demandé, craignant que sa mère soit toujours en colère.

— Viens toi aussi, mon mari. »

Ils avaient tous les trois marché jusqu'à la mer, guidés par les étoiles. Le fracas des vagues au pied des falaises leur indiquait la route à suivre pour ne pas tomber. En approchant du bord de la crête, Emi avait compris où ils se trouvaient. Debout sur un éperon rocheux, ils surplombaient la plage de galets noirs où Emi gardait les prises, autrefois.

Sa mère avait allumé une lampe à huile avant de la poser par terre. Puis elle avait ouvert un sac et en avait sorti une fleur. C'était un chrysanthème blanc, symbole de deuil en Corée. L'emblème de la famille impériale japonaise était un chrysanthème jaune, symbole de puissance. Du deuil ou de la force, Emi se demanda lequel des deux l'emportait. Puis son père avait soulevé la lampe et l'avait brandie pour éclairer les pétales blancs contre le ciel étoilé.

« Nous offrons cette fleur au dieu Dragon des mers au nom d'Hana, notre fille et fille de la mer. Aide son esprit, ô grand dieu, afin qu'elle trouve le chemin de l'au-delà ; guide-la jusqu'à nos ancêtres. »

Puis elle avait jeté la fleur du bord de la falaise, la laissant tomber dans les ténèbres et disparaître à jamais. Comme Hana.

Se tournant vers Emi, sa mère l'avait appelée à accomplir le *sebae* devant le dieu Dragon des mers. Face aux flots, Emi et ses parents s'étaient inclinés trois fois, respectueusement. Lorsqu'ils s'étaient relevés pour la dernière fois, des larmes coulaient sur leur visage. Ils avaient alors prié ce dieu tout-puissant de mener l'esprit de cet être aimé en lieu sûr, pour qu'il trouve le repos.

Le retour jusqu'à leur maison chaude s'était passé comme dans un rêve, lentement, rappelant à Emi le rituel du gut auquel elle avait assisté pour l'intronisation de sa sœur auprès des haenyeo, voilà toutes ces années. Emi n'avait que quatre ans à l'époque, mais elle se souvenait des grands rubans tournoyants de la chamane et de son cœur qui s'était serré si fort en voyant sa sœur devenir à son tour une haenyeo. *Toi aussi, ton jour viendra, Petite Sœur, et ce jour-là, je serai à tes côtés pour te souhaiter la bienvenue*… Les mots de sa sœur résonnaient encore dans sa mémoire.

« Tu as menti », avait soufflé Emi dans la nuit et, pour la première fois, elle avait senti qu'Hana était morte. C'était à cet instant qu'elle avait décidé de ne jamais plus y repenser, car la douleur était si grande qu'elle aurait pu la tuer. Le souffle coupé, Emi s'était pliée en deux et, tombant à genoux, elle avait dit à sa sœur ses derniers adieux.

*

Debout devant la grand-mère aux mitaines rouges, Emi se souvient de cette douleur qui résonne en elle, même après toutes ces années. Elle revit cet instant où la fleur avait disparu derrière la falaise, revit le choc et le moment où elle avait su que sa sœur était morte. Tout comme les autres grand-mères, elle non plus ne supporte plus les fleurs, surtout les chrysanthèmes, blancs ou jaunes. Levant les yeux vers la dame aux mitaines, elle chasse ces souvenirs de ses pensées. La patience de la vieille dame lui réchauffe le cœur.

Hana

Mandchourie, été 1943

Au fil des semaines, Hana se retrouve prisonnière d'une routine abrutissante malgré son amitié de plus en plus forte avec les autres filles. Les seules surprises que lui réservent ses journées viennent du vilain coq qui vit dans la cour. Les propriétaires du bordel ont aussi quelques poules qu'ils gardent dans des cages ; les filles n'ont jamais le droit de prendre leurs œufs. Hana déteste cette sale bête qui veille sur son territoire comme une sentinelle.

Chaque fois qu'elle s'aventure dehors, le coq la poursuit. Il lui picore les mollets lorsqu'elle sort laver son linge et la fait saigner avant même qu'elle n'ait pu le chasser à coups de pied. Et lorsque vient son tour d'aller au puits, le coq bondit sur son dos en lui faisant une peur bleue dès qu'elle se penche pour remonter son seau. La corde lui échappe des mains et il n'y a plus qu'à recommencer à zéro. À croire que ce coq maléfique n'a qu'une obsession : rendre sa vie au bordel encore plus pénible qu'elle ne l'est.

Chaque matin, en l'entendant chanter, Hana se réveille avec le sentiment que l'esprit de SangSoo l'a réellement suivie et la hante. Hana s'est mise à essayer de faire la paix avec lui. Désormais, elle garde même dans sa poche quelques grains de riz pour les lui donner. Mais cet oiseau de malheur se contente de les avaler avant de lui picorer la main.

Près de deux mois ont passé quand, une nuit, le cri du coq tire Hana d'un sommeil agité. Allongée dans le noir, elle attend que cet insupportable oiseau recommence à crier – puisqu'il crie toujours trois fois, en prenant son temps, avant de s'égosiller une dernière fois, plus longuement. Mais rien. Hana se demande si elle ne s'est pas trompée ; si ce n'est pas autre chose qui l'aurait réveillée.

Deux étoiles dont elle ignore le nom brillent faiblement derrière les barreaux en métal de sa petite lucarne. Au vu du ciel, il doit être bien plus de minuit, mais l'aube n'est pas encore levée. Hana tend l'oreille dans le noir, concentrée sur les bruits qu'elle connaît. Il y a les craquements du toit au-dessus de sa tête à chaque coup de vent, le chant des criquets et les éternels petits bruits de pattes de souris derrière les murs et sous les lattes du plancher. Tout semble comme d'habitude. Puis, quelque part au rez-de-chaussée, une porte se referme doucement et des bruits de pas résonnent dans le hall.

Il est trop tôt pour la relève, qui n'arrive qu'à l'aube. Les bruits de pas semblent étouffés. Personne parmi les gardes ne prend jamais la peine de traverser le bordel sur la pointe des pieds. Au contraire, il semblerait plutôt que les soldats cherchent à se faire remarquer en marchant le plus lourdement possible, sans penser un seul instant aux filles qui dorment en haut.

Les bruits sont maintenant dans l'escalier. Hana se dépêche de se recoucher. Les pas approchent de plus en plus près, jusqu'à s'arrêter brusquement, devant sa porte. Hana tire sa couverture jusqu'à son menton. Ce ne peut pas être la visite d'un officier. D'ordinaire, leur arrivée est toujours précédée d'un dîner arrosé puis de tout un protocole pour choisir une fille avant de la faire monter. Le faisceau d'une lampe torche filtre en bas de la porte. Hana regrette d'avoir repoussé tous les soldats qui cherchaient ses faveurs pour devenir son protecteur. Celles qui font le choix d'un protecteur ne reçoivent jamais de visite à l'improviste, par peur des représailles de l'homme qui s'est approprié la fille. Peut-être est-ce l'un des soldats dont elle a rejeté les avances, venu se venger. Mais comment lui expliquer avant qu'il ne la tue que cela n'avait rien de personnel, que les soldats du bordel la dégoûtent tous autant ?

La poignée grince en tournant. Hana fait semblant de dormir. Puis la porte s'ouvre et un halo de lumière apparaît derrière ses paupières closes. Hana tente de paraître détendue et de respirer le plus lentement possible, comme dans un profond sommeil, forçant sa poitrine à se soulever calmement, à un rythme régulier. Le faisceau de la lampe balaye la pièce. Puis, de nouveau, le noir s'abat. Les bruits de pas sont maintenant à l'intérieur. La porte se referme discrètement. Hana retient son souffle.

Un vent d'outre-tombe hurle sous l'appentis. Le bâtiment tout entier semble pousser un cri étouffé lorsque le vent s'engouffre par la lucarne. Hana ouvre les yeux et regarde devant elle dans l'obscurité. Une silhouette noire se tient près de la porte. Elle reste immobile pendant un long moment. Les criquets ont cessé de chanter, les souris semblent s'être figées. La respiration bruyante de l'intrus emplit le silence.

Il fait un pas vers elle et Hana serre un peu plus fort sa couverture. Puis un autre pas résonne, mais, avant même d'avoir pu réfléchir, Hana s'est déjà redressée et rampe par terre vers le mur le plus éloigné.

« N'aie pas peur, murmure-t-il. C'est moi. »

Hana reconnaît instantanément cette voix. Elle secoue violemment la tête. L'homme s'arrête devant la petite fenêtre. La lueur des étoiles éclaire son visage. Morimoto est de retour.

« C'est moi, répète-t-il, maintenant agenouillé devant elle. J'ai enfin réussi à revenir te voir. »

Il touche son genou tremblant et la chaleur de ses doigts lui envoie une décharge électrique à travers le corps. Hana se recroqueville, secouant toujours la tête, horrifiée que Morimoto soit revenu. Cet homme est le monstre qui envahit ses rêves lorsqu'elle revit son enlèvement et son emprisonnement. Chaque matin, Hana se promet que si son chemin recroise un jour celui de Morimoto, elle le poignardera en plein cœur – ou mourra en essayant de le faire.

Le moment est venu, mais son courage l'abandonne. Impossible de s'empêcher de trembler. Elle voudrait simplement disparaître. Lorsque son autre main s'approche d'elle, Hana doit se mordre la langue pour ne pas hurler.

« Je suis venu te chercher », souffle-t-il en enroulant ses doigts autour de son poignet et en la tirant vers lui.

Son ton la désarçonne. Morimoto semble s'attendre à ce qu'elle se réjouisse de le voir. Hana le repousse et se débat, mais, quelques instants plus tard, il se retrouve sur elle et l'écrase par terre de tout son poids.

« Pourquoi est-ce que tu me rejettes ? » demande-t-il sans prendre la peine de continuer à chuchoter. Si Keiko ne dort pas, sans doute l'a-t-elle entendu. « Tu ne comprends pas ? Je suis venu pour toi. »

Sur le visage qui flotte au-dessus d'elle, caché dans l'ombre, Hana projette l'image de l'homme de ses souvenirs. Celui qui l'a violée le premier en prétendant lui faire une faveur avant de la condamner à vivre cette vie démente – cette vie, ou plutôt ce purgatoire en enfer. Morimoto est l'incarnation de Gangnim, dieu de la mort, faucheur des âmes, venu la prendre.

Il défait la boucle de sa ceinture. Hana se tortille sous son poids pendant qu'il détache les boutons de son pantalon. Les mains à plat sur son torse, elle le repousse, tente de le soulever, mais il vacille simplement sur le côté. Sitôt l'équilibre retrouvé, il lui envoie un coup dans le ventre qui lui coupe le souffle. Pliée en deux, Hana lutte pour respirer.

« Ne m'oblige pas à faire ça, dit-il en baissant son pantalon jusqu'aux genoux.

— Je vais hurler, parvient à articuler Hana entre deux respirations douloureuses. Si le garde de nuit vous trouve ici, vous serez puni. »

Mais Morimoto la cloue par terre et grimpe de nouveau sur elle. Son visage est au-dessus du sien, leurs nez se touchent presque.

« C'est moi, le garde de nuit », dit-il.

Quelques moments plus tard, Morimoto est étendu à côté d'elle. Hana lui tourne le dos pour qu'il ne puisse pas voir ses larmes. Un nombre incalculable d'hommes ont abusé d'elle depuis son arrivée – plus de quinze rien que cet après-midi-là. Hana les hait tous autant qu'ils sont. Leur soif de sexe la répugne. Leur peur de la mort et de cette guerre pour leur vénéré empereur la révulse. Hana ne leur souhaite qu'une chose : mourir d'une mort lente et atroce, puis endurer les pires souffrances dans l'au-delà. Mais la haine qu'elle ressent pour Morimoto dépasse tout. Cette haine la consume tout entière, la paralyse ; alors, faute de pouvoir laisser sortir sa rage grandissante, Hana pleure dans son coin, en silence.

La respiration de Morimoto ralentit. Il semble s'être endormi. Hana s'essuie le visage sur un coin de sa vieille couverture. Les criquets se sont remis à chanter et les souris à trotter derrière les murs trop fins. Ses épaules s'affaissent. Hana est totalement impuissante face à cet homme. Si l'envie lui prend de venir lui rendre visite au beau milieu de la nuit, Morimoto peut faire comme bon lui semble. Pareil s'il veut la battre jusqu'à lui faire perdre connaissance. Elle n'a plus aucun contrôle sur son propre corps.

Elle se met à penser au puits derrière le potager. En se jetant dedans tête la première, elle pourrait avoir une chance de s'assommer avant de se noyer dans ses profondeurs obscures. Elle s'imagine déjà dévaler les escaliers et fracasser la vitre de la cuisine en sautant à travers, puis détaler dans la cour avant que le caporal Morimoto n'ait le temps de se précipiter à sa recherche. Puis elle voit l'eau noire du puits avaler son visage inconscient, meurtri. Voilà tout ce qui est en son pouvoir. Voilà le seul moyen de retrouver le contrôle de son corps.

Alors Hana se lève. Elle frissonne brusquement en quittant la chaleur du corps de Morimoto. Le caporal se tourne et Hana attend que sa respiration retrouve son rythme lent. L'image du puits occupe son esprit. Avec un peu de chance, cette mort sera rapide et indolore, et plus jamais elle ne sentira ses mains sur lui. Une fois certaine qu'il dort, elle enjambe son corps nu et se dirige vers la porte. Le plancher grince sous ses pieds, chacun de ses pas résonne bruyamment dans le silence de la nuit. Elle a presque atteint le couloir quand elle entend une voix qui lui parle.

Réveille-toi, ma fille. Ses poils se hérissent. C'est la voix de sa mère. Elle semble si proche. Hana ferme les yeux, espérant l'entendre une nouvelle fois.

Il est l'heure, souffle-t-elle encore, et, soudain, Hana la voit. Elle est chez eux et sa mère est auprès d'elle, elle tente de la tirer d'un sommeil profond. Hana sent sa main qui lui secoue doucement le bras jusqu'à ce qu'elle finisse par ouvrir les yeux. Hana se tient au milieu de sa minuscule chambre du bordel, prête à choisir entre la vie et la liberté qu'elle trouverait au fond d'un puits et, pourtant, ce souvenir lui semble si réel.

Viens, dit sa mère, et Hana se perd dans ses souvenirs. Elle n'est plus qu'une petite fille, âgée de onze ans.

Tandis que les tourbillons du vent s'infiltrent par les fissures du plafond au-dessus d'elle, elle se souvient de la chamane tourbillonnant sur le rivage, de ses rubans blancs dansant au gré du vent et de la petite main de sa sœur serrée fermement dans la sienne. Hana avait promis qu'elle lui apprendrait à plonger. Hana savait qu'elle le ferait un jour, certaine au fond de son cœur qu'elle verrait à son tour sa sœur vivre sa cérémonie et devenir une véritable haenyeo.

La revoir près d'elle, la tête haute dans la lumière du petit matin, fait courir une vague de chaleur dans ses veines. Hana donnerait soudain n'importe quoi pour assister à cette cérémonie, pour la voir se dérouler sous ses yeux. Il n'y a rien au monde qu'elle ne désirerait davantage que de voir sa petite sœur, Emiko, faire son entrée parmi les haenyeo. Alors elle retourne vers Morimoto. Tout en s'allongeant auprès de lui, elle prend une décision : si elle doit mourir, elle mourra en tentant de retourner chez elle et non en se jetant dans un puits. Éveillée toute la nuit, elle imagine son évasion.

*

Durant les semaines qui suivent, Morimoto lui rend visite chaque nuit où il se trouve en poste. Au départ, Hana tente de lui résister, mais Morimoto la neutralise sans aucun mal. Il prend toujours la peine de laisser son empreinte sur elle avant de partir. La dernière fois qu'Hana s'est débattue, Morimoto a failli la tuer en l'étranglant. Depuis, Hana a décidé d'arrêter de se défendre. Il vient et dispose d'elle comme bon lui semble. Il n'y a rien à faire contre.

Il s'enhardit davantage à chaque visite, lui parlant comme si elle était son amante plutôt que sa captive. Tout se passe comme si Morimoto avait été apaisé par sa capitulation, désormais moins enclin à ses crises imprévisibles. Il commence même à lui faire part de ses opinions sur la guerre.

« L'empereur envoie ses soldats à la mort, lui dit-il. Les Américains sont en train de nous battre dans le Pacifique sud. Personne ne sait si l'empereur est seulement conscient des pertes que nous avons subies. »

Morimoto emploie souvent des mots durs lorsqu'il se retrouve ainsi, au centre de l'attention, pendant qu'Hana le déshabille. Sa voix est grave, mais il ne murmure jamais, et Hana se demande si les autres filles l'écoutent à travers les murs ou se bouchent les oreilles pour pouvoir dormir. Aucune n'évoque jamais ses visites nocturnes. Au bordel, personne ne semble jamais rien savoir tant que le sang n'a pas coulé.

« Il faut que je quitte la Mandchourie. Je ne veux pas mourir pour une cause perdue. Ni au nom de l'empereur ni de personne d'autre. »

Il semble curieux pour un Japonais de parler ainsi. Au bordel, la plupart des soldats vénèrent l'empereur comme un véritable dieu. Tous seraient capables, et même heureux, de verser leur sang pour lui. Rares sont ceux qui le critiquent – et ceux-là sont, pour la plupart, des déséquilibrés. Quelque chose dans leur tête s'est brisé à force de voir des meurtres et de commettre des atrocités sur les champs de bataille. Hana commence à croire que Morimoto fait partie de ces hommes-là.

« Je t'emmènerai avec moi », lui dit-il une nuit.

Lorsqu'il parle de quitter la Mandchourie, Hana se remémore toujours qu'il ne cherche sans doute qu'à la séduire, à gagner sa confiance ou à réaliser Dieu sait quel plan sorti de son esprit tordu. Morimoto la dégoûte toujours autant, mais son désir de rentrer chez elle est plus fort que sa haine ; c'est pourquoi elle l'écoute malgré tout.

« Nous pourrions nous échapper d'ici ensemble. Partir en Mongolie. Je connais des gens là-bas. J'ai des contacts. » Il pose une main sur sa cuisse et Hana se crispe. « Qu'en penses-tu ? Est-ce que tu viendrais avec moi ? »

Elle reste silencieuse. C'est la première fois que Morimoto lui demande ce qu'elle veut. Il pourrait s'agir d'un piège. Si Hana répond qu'elle aimerait quitter le bordel, Morimoto pourrait l'envoyer en confinement pour projet d'évasion, mais en lui répondant non, il pourrait également la battre, furieux de la voir rejeter sa proposition. Il n'y a pas de bonne réponse à donner.

« Est-ce que tu m'as entendu ? » insiste-t-il en parlant bien trop fort dans le noir.

Sa main agrippe son bras et Hana sent qu'il cherche à la défier de s'opposer à lui.

« Si tel est votre désir », souffle-t-elle.

Sa main se détend et glisse le long de son bras pour la caresser.

« J'aime être avec toi », lui dit-il, puis il l'embrasse, profondément.

Hana retient sa respiration chaque fois qu'il la touche, si longtemps parfois qu'elle manque de s'évanouir. Il lui arrive aussi de compter afin de voir combien de temps elle est capable de tenir avant de devoir reprendre son souffle. Jusqu'ici, son record s'élève à cent cinquante-deux. Ce soir-là, elle était arrivée à quatre-vingt-quatre avant qu'il ne jouisse et roule sur le côté. Tandis qu'il se rhabille, Hana le regarde sans le voir, imaginant les milliers de plans d'évasion qu'elle a élaborés au cas où Morimoto l'aiderait réellement à sortir.

*

« Ne pars pas », lui dit Keiko alors qu'elle et Hana sont agenouillées dans la cour, en train de laver leurs préservatifs souillés.

Leur journée auprès des soldats est terminée et l'heure est maintenant venue de se consacrer à la seule barrière qui existe entre elles et ces hommes, capable d'éloigner les maladies et le risque de tomber enceinte. Hana déteste toucher les préservatifs. Même si les soldats sont partis pour la nuit, leur simple contact lui donne l'impression qu'ils sont encore là, comme s'ils avaient laissé une partie d'eux-mêmes derrière eux pour lui rappeler qu'ils reviendront dès le lendemain matin. Mais ils reviennent toujours – comment pourrait-elle l'oublier ?

Hana se concentre sur l'eau savonneuse, rinçant les préservatifs aussi vite que possible.

« Je ne sais pas de quoi tu parles, répond-elle.

— Inutile de me mentir, répond Keiko en lui saisissant le bras. Ne me laisse pas toute seule. Et ne lui fais pas confiance. Il est comme tous les autres. Ils diraient n'importe quoi pour te faire faire ce qu'ils veulent. Ils se servent de nous, ils nous font croire qu'ils nous aideront à nous enfuir si nous leur promettons notre cœur. Et tout ça pour quoi ? Du vent. Et tu risquerais d'y laisser une jambe… ou peut-être même plus. »

Hana retire doucement son bras, puis se remet à sa tâche.

« Je n'écoute jamais ce que disent les soldats, quels qu'ils soient. »

Keiko plisse les yeux.

« Même pas le caporal Morimoto ? »

Hana reste interdite en entendant ce nom dans la bouche de Keiko. Elles n'ont jamais parlé de ses visites nocturnes. Elle se tourne vers Keiko pour sonder son visage. Est-ce de la peur qu'elle lit dans son expression, ou quelque chose de plus terrible ? Se pourrait-il que Keiko soit jalouse qu'un soldat comme Morimoto ait choisi Hana plutôt qu'elle ? Hana garde le silence, ne sachant que dire ou même ressentir.

« Fie-toi à mon expérience : il ne faut jamais faire confiance à un homme. Surtout ici. »

Keiko réunit ses préservatifs, les sort de sa bassine et jette l'eau sale sur la terre nue. Puis, sans un mot de plus, elle retourne à l'intérieur.

Hana est-elle suffisamment naïve pour croire, ne serait-ce qu'un seul instant, que Morimoto n'est pas un menteur ? Qu'il ne la pousse pas dans un piège simplement pour le plaisir de la punir ensuite ? À moins qu'il ne soit qu'un fou, capable de les emmener à la mort tous les deux ?

*

Hana scrute la nuit claire. Le grand soir est arrivé. Debout sur la pointe des pieds, accrochée aux barreaux de sa lucarne comme aux barreaux d'une prison, elle guette l'horizon. Le métal est rouillé et rugueux, mais Hana s'accroche ferme pour se soulever le plus haut possible. L'été s'achève vite, en Mandchourie. Une brise fraîche lui caresse le visage. Sur son île, c'est encore la saison des pluies, et l'air de la nuit serait chargé d'humidité. Au début du mois de septembre, il règne toujours une chaleur insupportable dans sa maison à cause des pierres volcaniques qui la composent. À l'heure qu'il est, Hana serait en nage, épuisée. Mais une nouvelle bourrasque emplie du parfum vif des plaines de Mandchourie lui fait oublier cette pensée.

Elle reste encore un moment perchée sur la pointe des pieds pour observer le chemin de terre qui s'éloigne du mur d'enceinte. Il fait trop sombre pour le voir, mais Hana sait qu'il se trouve là. De jour, il est possible de le distinguer, tracé par les centaines et les centaines d'empreintes de bottes des soldats. Hana lâchc les barreaux et se laisse tomber par terre, genoux contre la poitrine. Son regard se fixe sur la série de minuscules arcs de cercle imprimés sur le parquet, au pied du mur. Du bout des doigts, elle compte chacune des marques douloureusement gravées dans les vieilles lattes… vingt-quatre… quarante-huit… quatre-vingt-trois. Elle enfonce l'ongle de son pouce pour marquer une nouvelle nuit qui succède à un nouveau jour. Quatre-vingt-quatre, en tout. Ses doigts continuent de se promener sur ces preuves de sa captivité tandis que son esprit dérive vers le couloir et vers toutes les filles allongées sur leur tatami. Elle tend l'oreille, à l'affût des bruits du bordel, mais eux aussi se sont tus. Ou peut-être est-ce sa décision imminente qui fait taire le vacarme habituel, remplacé par le même silence sourd qui faisait battre ses tympans lorsque l'immensité de l'océan la submergeait et qu'il n'existait plus rien hormis la pression de l'eau.

Des bruits de pas interrompent ses pensées. Morimoto est en bas. Il se prépare à partir. Le cœur d'Hana s'accélère. Morimoto lui a dit qu'il terminerait son tour de garde vingt minutes plus tôt et se rendrait jusqu'au chemin de terre sans verrouiller la porte derrière lui, cinq minutes précisément avant l'arrivée de la relève, afin qu'Hana puisse sortir.

Morimoto est comme un roi conquérant, parvenu à la faire capituler en acceptant de le suivre par cette porte ouverte pour venir tomber dans ses bras. Avoir accepté ses conditions est comme une seconde mort pour Hana.

Assise sous la fenêtre, sans quitter des yeux la porte de sa chambre, Hana l'écoute. Morimoto est en train de traverser les parties communes, au rez-de-chaussée. Sur la pointe des pieds, elle se dirige vers la porte et l'ouvre tout doucement. Le couloir est parfaitement silencieux. En général, les autres filles dorment comme des souches, mais mieux vaut rester prudente. Évitant les planches qui grincent, Hana se faufile sur le palier tout en suivant le bruit des bottes de Morimoto, qui semble à présent sortir par la porte de service. En bas, les charnières grincent et la poignée se rabat avec un petit bruit. Penchée par-dessus la rambarde, Hana attend le clic familier de la clé dans la serrure, puis le vieux verrou qui glisse, mais rien. Rien, hormis un air que Morimoto sifflote en s'éloignant.

Hana a cinq minutes avant que la relève n'arrive. L'indécision la tiraille : si les soldats la trouvent hors de sa chambre, elle recevra dix coups de fouet avant d'être jetée en confinement. Mais s'ils comprennent qu'elle tentait de s'évader, ils lui couperont une jambe. Il n'y aura ni juge ni jurés, seulement ces hommes qui la cloueront au sol. La peur de se faire prendre est plus forte que les images qui l'obsèdent, ces images de chez elle. Est-ce que ses parents pensent à elle ? Sont-ils partis à sa recherche ?

Ses pieds sont glacés à force de rester debout sur le palier. Combien de temps a bien pu s'écouler ? Une minute ? Deux ? Hana retourne dans sa chambre sur la pointe des pieds. Sous son tatami taché de sueur, à l'intérieur d'un trou dans le plancher, soigneusement enveloppés dans un carré de tissu, sont cachés les seuls objets de valeur qu'elle a amassés au fil de sa captivité : des pièces que lui ont jetées quelques jeunes gens généreux, une chaîne en or oubliée par un officier, une alliance elle aussi oubliée par un soldat que la nostalgie avait rendu étourdi, ainsi qu'un peigne en argent laissé par un autre de ces hommes sans visage et sans nom. Tels sont les seuls objets de valeur que possède Hana, même s'ils ne suffiront pas à lui permettre de partir.

« Tu veux que je t'emmène loin d'ici ? » lui avait demandé Morimoto plus tôt cette nuit-là, avant de s'en aller.

Sa confiance irradiait comme les rayons du soleil. Hana n'avait qu'un hochement de tête à faire pour satisfaire son ego. Un seul petit geste pour l'envoyer dehors, tout satisfait.

Mais malgré ses efforts, elle n'avait pas pu bouger. Son esprit lui hurlait d'accomplir le simple geste qui le ferait déguerpir, mais elle était restée pétrifiée, les yeux rivés sur lui, à deux doigts de ne plus pouvoir contenir son dégoût. Morimoto semblait commencer à douter. Son assurance était retombée et, les sourcils froncés, il lui avait demandé :

« Qu'y a-t-il, ma petite Sakura ? Tu ne me fais pas confiance ? »

Puis il lui avait attrapé les bras avant de les serrer. Au moment où la douleur devenait insupportable,

Hana avait cligné des yeux, rompant la tension qui s'était installée. Puis elle avait courbé la tête et dit :

« Qui suis-je pour vous refuser ma confiance ? »

Sa voix était si basse qu'elle n'était même pas sûre d'avoir réellement parlé, mais Morimoto l'avait relâchée, encore une fois content de lui, puis il l'avait laissée seule dans sa chambre.

Serrant ses maigres possessions entre ses bras alors que résonne encore dans sa tête le bruit de ses pas confiants se dirigeant vers la porte, Hana sait que Morimoto est déjà là-bas, caché dans l'ombre du pont, en train d'attendre qu'elle vienne à lui. Il ne doute pas une seconde qu'elle viendra. Dans le noir, Hana jette un dernier coup d'œil par la lucarne, priant le ciel de l'aider. C'est alors que la voix de sa mère, aussi limpide que si elle se trouvait à ses côtés, se met à résonner. *Toujours regarder vers la côte. Si tu la vois, tu es en sécurité.* Puis apparaît l'image de sa sœur, debout sur le rivage… Emiko.

À ces souvenirs, Hana serre les dents. Pourquoi penser à cela maintenant ? Le visage de sa mère envahit son esprit, suivi par celui de sa sœur, puis de son père. Ils sont tous les trois avec elle, leurs silhouettes de fantômes alignées côte à côte dans son minuscule cachot, comme s'ils attendaient qu'elle prenne sa décision : rester au bordel et servir des files interminables de soldats ou risquer de perdre une jambe, voire la vie, pour s'enfuir avec l'homme qui l'a amenée ici. Leurs yeux creux étincellent dans la nuit. *Prends une décision*, semblent-ils vouloir dire. Hana fait un pas en arrière.

« Vous n'êtes pas vraiment là », murmure-t-elle.

Les fantômes aux yeux fixes restent face à elle, statiques. Hana ferme très fort les yeux. Elle les voit alors tels qu'ils étaient avant que Morimoto ne la capture – avant qu'elle ne devienne Sakura. Elle les revoit sur son île, vivant près de la mer à l'époque où elle était encore Hana, un prénom qu'elle n'a révélé à personne ici.

Mais avant même de se résigner à rester, Hana fourre son petit balluchon dans son sous-vêtement. Puis elle se rue dans les escaliers et les dévale quatre à quatre. À l'approche de la dernière marche, les yeux des filles emprisonnées dans leur cadre semblent se braquer sur elle. Hana s'arrête pour contempler son propre visage. La simple idée que son portrait puisse rester accroché là, ne serait-ce qu'une nuit de plus, lui serre la poitrine.

Dressée sur la pointe des pieds au bord de la marche, elle attrape le cadre et le soulève légèrement pour le faire glisser le long du mur. Puis elle l'ouvre, sort rapidement la photo et la cache à côté du petit balluchon avant de se précipiter à travers le hall, en direction de la cuisine.

Elle n'est plus qu'à quelques pas de la porte de service lorsqu'elle sent, avec une certitude absolue, qu'une voix va bientôt gronder derrière elle, que des fusils vont être pointés sur son dos – et à cette pensée, ses muscles tétanisent. Hana trébuche et s'écroule. Agenouillée par terre, elle se prépare à l'inévitable.

Son cœur palpite aussi vite que les ailes d'un oiseau-mouche, mais seuls des ronflements tranquilles lui parviennent. Une envie soudaine de remonter s'empare d'elle. Les risques qu'elle encourt envahissent son esprit. Perdre une jambe ou être exécutée.

Et qu'en sera-t-il des filles ? Si Hana part, les autres seront punies, jetées au sous-sol ; certaines mourront peut-être à cause de son égoïsme. Au milieu de ces images, la voix suppliante de Keiko surgit. *Ne me laisse pas toute seule.*

La porte principale s'ouvre de l'autre côté du bordel. De grosses bottes traversent le porche d'un pas lourd avant d'entrer à l'intérieur. Si elle choisit de rester, Hana devra repasser par le hall afin de remonter à l'étage, et le garde de nuit la verra. Ses jambes brûlent rien qu'en imaginant la scie posée contre sa peau.

Il est trop tard. Impossible de rester, même pour épargner ses amies endormies. Hana se relève et se précipite jusqu'à la porte. Sa respiration tremble lorsqu'elle tente de tourner la poignée métallique. Un grincement, et le visage d'Hana se crispe. Elle retient sa respiration jusqu'à ce que la poignée ait complètement tourné. Puis elle souffle, et tire. La porte ne bouge pas. Une vague de chaleur enflamme ses joues. Hana tire de nouveau, le plus fort possible. Le verrou est fermé. Quelle imbécile. Morimoto l'a piégée.

Voilà comment sont punies celles qui écoutent les soldats japonais – celles qui se montrent si naïves. Hana voit la déception de Keiko aussi clairement que si elle se tenait devant elle à cet instant. Hana l'a trahie. Elle a choisi de faire confiance à un homme.

Désespérée, elle laisse tomber son front contre la porte. Elle mérite d'être punie. Elle mérite de mourir. Sentant déjà les dents glaciales de la scie contre sa cuisse, Hana manque de défaillir. Mais avant même d'avoir pu comprendre quoi que ce soit, elle sent la porte qui, lentement, s'ouvre. *Ne tire pas, pousse.*

La porte est ouverte. Morimoto n'avait pas menti. Des bruits de pas résonnent près de la cuisine. Hana ne regarde pas derrière elle. Elle se faufile par la porte ouverte, la referme, puis disparaît dans la nuit. Il n'y a plus de fardeau à présent ; juste l'extase de l'évasion.

Hana connaît la route jusqu'au pont où l'attend Morimoto. Il se situe au bout du chemin de terre qu'elle voyait depuis sa chambre. Il faut marcher un kilomètre et demi vers le nord. Morimoto sera à l'embranchement, juste avant les premiers baraquements militaires. Hana se le représente parfaitement, allant à sa rencontre et lui embrassant la joue, le cou, le front, la serrant de toutes ses forces avant de l'emmener en courant vers la rivière, vers la vie qu'il a prévue pour eux, en Mongolie. Et dans sa tête, ses mots résonnent. *Tu veux que je t'emmène loin d'ici ?*

Elle voit déjà son visage et ses yeux braqués sur elle, mais à présent, dehors sous le ciel noir, la voilà libre de répondre à cette question.

« Non, dit-elle d'un ton ferme, je ne veux pas que tu m'emmènes loin d'ici. »

Puis elle se met à courir.

Les étoiles éclairent son chemin. Hana court aussi vite que ses jambes peuvent la porter, non pas vers le nord, sur le chemin de terre où l'attend Morimoto, mais vers le sud, vers la Corée et son île au milieu de la mer. Ses jambes volent comme si elles savaient que Morimoto ne tardera pas à comprendre. Elles ne s'arrêteront pas avant qu'Hana puisse voir le rivage où sa sœur l'attendait autrefois, ancrant sa vie à la sienne.

Hana garde à l'esprit l'image d'Emiko tandis qu'elle file à travers la nuit, mais parfois son visage se transforme pour devenir celui de ses autres sœurs, ces sœurs qu'Hana a abandonnées. Sur ces visages se lit l'horreur qui les frappera en découvrant qu'elle est partie, l'horreur que Keiko ressentira. Mais Hana continue de courir jusqu'à ce que ses poumons brûlent et que sa poitrine la fasse souffrir. Elle surmonte la douleur comme si cette course était la plongée la plus profonde de sa vie, comme si elle remontait des profondeurs les plus noires de l'océan, vers la lumière.

Emi

Séoul, décembre 2011

Une vieille femme sanglote à quelques mètres de l'endroit où se trouve Emi. Sur la scène, une autre prend la parole au micro. Quelques larsens retentissent sous des grognements de mécontentement, et les enfants se bouchent les oreilles.

« Pour cette millième Manifestation du mercredi, nous avons organisé un événement spécial. Deux artistes ont créé pour cette occasion une statue de la Paix en mémoire des souffrances endurées par celles que l'on appelait les femmes de réconfort. Ce monument est dédié à toutes les filles et les femmes victimes d'esclavage sexuel militaire, qui ont perdu leur enfance, perdu leur famille, perdu leur santé et leur dignité et, pour un grand nombre d'entre elles que nous ne connaîtrons jamais, leur vie. »

Elle adresse un signe à un petit groupe de femmes qui s'empresse aussitôt de s'écarter de la statue, recouverte d'un drap. Deux femmes vêtues de superbes hanbok blanc et rose la dévoilent d'un geste ample.

La foule est parcourue de cris de surprise et de rires satisfaits pendant que tout le monde applaudit. Perchée sur la pointe des pieds, Emi tente d'apercevoir quelque chose malgré les gens qui lui bloquent la vue, en vain. À petits pas, elle s'approche alors de la statue, se frayant maladroitement un chemin au milieu du public.

« Où est-ce que tu vas ? » lui demande YoonHui en la rattrapant.

Emi continue d'avancer sans lui répondre. Il faut qu'elle la voie. Elle ignore pourquoi ce geste lui semble si important, mais voir cette statue est devenu une nécessité absolue. Au milieu de la foule, Emi joue des coudes pour avancer, le regard braqué sur cette silhouette de bronze. Les gens autour d'elle semblent s'écarter automatiquement, comme s'ils sentaient sa détermination. Emi se fraye un chemin sans difficulté, jusqu'à se retrouver en face de la statue.

Sa traversée lui a coupé le souffle. Le vent d'hiver glacial s'engouffre dans ses poumons à court d'air. Elle se trouve nez à nez avec la sculpture à taille humaine d'une jeune fille, pas plus âgée que seize ans, assise seule près d'une chaise vide, mains posées symétriquement sur les cuisses, poings serrés, regard rivé droit devant – droit sur Emi. Elle pousse un petit cri et, les mains sur la poitrine, tombe à genoux. *Hana…*

Plusieurs témoins se précipitent pour l'aider. Au même moment, comme par miracle, quelques flocons de neige tombent du ciel gris et tourbillonnent paresseusement, sans un bruit. Emi entend un cri de sa fille, perçant et tremblant de peur. Des mains la rattrapent alors qu'elle s'écroule en avant, le visage à quelques centimètres du sol.

« Maman ! » s'exclame YoonHui en accourant auprès d'elle.

Les personnes qui l'aident l'allongent sur le dos, la tête posée sur les genoux de sa fille. Lane rejoint à son tour YoonHui, et leurs deux visages flottent au-dessus d'Emi tels des anges gardiens. Un halo de lumière d'hiver projette des ombres sur leurs traits. Emi voit ses parents qui la regardent et l'appellent vers l'au-delà. La tentation de les suivre l'entraîne comme un courant sous-marin. Résister ne la mènerait qu'à la noyade, mais, en se laissant emporter, elle disparaîtrait, lentement charriée par les eaux. Tandis que la silhouette noire de la statue trône au-dessus d'eux, Emi se tourne pour l'apercevoir une dernière fois à travers la foule massée autour d'elle. Son regard s'arrête sur son visage, celui d'une jeune fille belle à couper le souffle et en même temps familière. Une certitude la gagne. *Pas encore, Mère. Père, pas encore. Hana m'a finalement retrouvée. Comment pourrais-je la laisser, elle qui a fait un si long voyage ?*

Hana

Mandchourie, été 1943

Les premiers rayons du soleil commencent à poindre à l'horizon. Hana s'écarte encore un peu plus de la route. Ses pieds sont en sang à cause du sentier rocailleux et jonché de bouts de bois. La nuit a été calme ; sur la route, elle n'a entendu le grondement que d'un seul camion. Elle s'est cachée derrière un arbuste en attendant qu'il passe, mais sait bien que cette cachette ne suffira pas maintenant que le matin se lève. Après le vent glacial qui l'a fait souffrir toute la nuit, elle accueille de bonne grâce ces premiers rayons.

De l'herbe sèche s'est collée à ses plaies sous ses pieds. Si Morimoto la cherche, il n'aura qu'à suivre les traces de sang laissées derrière elle. Hana s'arrête et, toutes les dix minutes, profite du temps qu'il lui faut pour reprendre sa respiration afin d'écouter la campagne déserte, à l'affût de bruits de pas – des bruits de bottes lourds –, derrière elle. Morimoto est forcément quelque part, près d'ici, fou de rage d'avoir été trahi. Le simple fait d'imaginer sa colère lui donne la chair de poule. Hana accélère encore sa course alors que le soleil se lève sur son premier jour de liberté.

Attentive à ne pas perdre de vue la route, à sa gauche, elle poursuit son chemin vers le sud. La campagne est magnifique. De petites collines ondulent à l'horizon. L'herbe des plaines lui monte jusqu'à la taille. S'asseoir la mettrait à l'abri des regards. Lorsque, quelques kilomètres plus loin, ses pieds n'arrivent plus à avancer, Hana se laisse tomber à genoux, bénissant sa nouvelle cachette. Elle se retient de regarder ses plantes de pied. Tout autour d'elle, des insectes chantent et bourdonnent. De petites fleurs jaunes se sont ouvertes au bout des tiges hautes. Hana a l'impression que des bras enfouis sous terre l'appellent à eux. Étendue ici, elle pourrait déjà avoir quitté la vie. Seule la douleur qui bat dans ses pieds lui rappelle qu'elle est encore de ce monde.

Hana sait qu'elle doit rester en mouvement pour empêcher Morimoto de la rattraper, mais ses pieds la supplient d'attendre, juste encore un peu. Le visage tourné vers le ciel, elle regarde les nuages changer de forme. Un serpent sort de la gueule d'une baleine qui se dissout au milieu d'une marée de petits monuments mortuaires avant de disparaître en fines traînées. Ces longues traces lui rappellent les volutes de fumée des cigarettes de Morimoto qui s'échappaient à travers les barreaux de sa lucarne. Cette pensée la fait frissonner. Hana imagine sa main sur son corps, sa soif d'elle qui pompait tout l'air qu'elle contenait dans ses poumons. Sa haine monte et son cœur s'accélère. Elle se redresse et écoute autour d'elle. Pourrait-elle l'entendre arriver ?

Elle finit par baisser les yeux vers ses pieds enflés. Des bouts de terre séchée sont mêlés à son sang. Il est impératif de s'en occuper. Elle arrache une poignée d'herbes pour nettoyer la plaie, supportant la douleur sans un bruit. Un oiseau chante à côté. Le vent lui caresse la joue. Elle retrouve une épine plantée dans son talon, suffisamment profond pour l'obliger à enfoncer ses doigts plus loin que la première couche de chair.

Elle s'y reprend à deux fois à cause de ses doigts glissants. Après s'être essuyée sur l'herbe, elle parvient enfin à l'enlever. En attendant de se remettre, elle effleure les herbes hautes. Les tiges ploient doucement sous le vent et ses doigts les balayent comme les cordes d'un précieux instrument.

Son père était musicien. Avant de devenir pêcheur, il avait étudié la poésie et avait mis plusieurs de ses compositions en musique. Ses mots étaient mélodieux et chargés d'histoire, voire même de messages politiques. Lorsque le Japon avait déclaré sa guerre au monde en envahissant la Chine, la répression contre les Coréens colonisés s'était encore durcie. L'interdiction de tous les livres d'histoire et de la littérature coréenne avait été renforcée, empêchant purement et simplement l'étude de la culture du pays. Devenu un hors-la-loi, c'était à cette époque que son père avait fui sur l'île de Jeju pour vivre sous les traits d'un modeste pêcheur. Et c'est alors qu'il avait rencontré sa mère.

Après une mauvaise journée en mer, il s'était assis sur la plage avec son filet vide et chantait de vieilles chansons populaires oubliées. La plupart des gens autour de lui s'étaient éloignés de peur d'être surpris par la police en train d'écouter des paroles dans leur langue natale et un air de leur pays, mais pas la mère d'Hana. Debout sur la plage, elle observait ce fou chanter ses chansons idiotes, une main en visière pour mieux le voir, riant à gorge déployée quand elle s'était aperçue qu'il s'agissait d'un jeune pêcheur rentré bredouille de sa journée. Son père avait levé la tête, mais n'avait pas cessé de chanter, et au moment où elle s'était approchée de lui pour venir s'asseoir sur le rocher tiède à ses côtés, il avait décidé qu'il ne voulait plus jamais la quitter. Un an plus tard, tous deux étaient mariés et Hana était née. Sa sœur avait mis plus de temps à arriver, mais, une fois parmi eux, il ne leur avait plus rien manqué.

Le soir, après la vaisselle, tous les quatre allaient s'asseoir près du feu pour se réchauffer, et son père jouait de la cithare. Lorsqu'il était de bonne humeur, il chantait même la vieille chanson populaire qui avait fait rire sa mère, la première fois.

Tu pars ? Tu pars ?
M'abandonnes-tu ?
Comment vivre sans toi ?
M'abandonnes-tu ?
Je voudrais m'accrocher à toi
Mais si je le fais, tu ne reviendras pas
Je dois te laisser partir, mon amour !
Alors, pars et reviens-moi vite !

Hana susurre cette chanson. Ces mots interdits semblent dégringoler de sa bouche. Hana a l'impression de commettre un acte de provocation en chantant dans sa langue natale, et se souvient de sa mère qui s'assurait que tous les volets étaient bien clos lorsque son père attrapait sa cithare. Elle prend garde de chanter sa chanson à voix basse pour être la seule à l'entendre. À quelques reprises, elle dresse la tête, guettant des yeux indiscrets au milieu des herbes hautes. Mais personne. Elle continue de chanter jusqu'à ce que sa gorge soit sèche.

Il lui faut trouver de l'eau, mais ses pieds lui font trop mal pour se lever. Tout en s'encourageant à repartir, elle continue à jouer avec les herbes en les entremêlant à ses doigts. Mais, en sentant ces tiges aussi solides que du bambou, Hana a soudain une idée. Elle en arrache une poignée et les noue ensemble avant de commencer à les tresser. Une fois la tresse suffisamment longue, elle l'enroule autour de son talon et la fait tenir à l'aide d'un nœud.

À présent capable de se lever, elle avance de quelques pas pour tester sa chaussure de fortune. À chaque pas, son excitation monte, mais juste au moment où elle s'accroupit pour s'en fabriquer une seconde, le nœud lâche et la tresse se déroule. Mais il en faudrait davantage pour la démotiver, alors Hana se rassoit et en fabrique une nouvelle, qui à son tour se casse, puis une troisième et une quatrième jusqu'à ce que son obstination décline en même temps que la lumière du jour. La tête posée sur son tas de tresses cassées, elle ferme ses yeux fatigués.

Hana dort d'un sommeil agité. Des cauchemars et des souvenirs heureux se mélangent ; plusieurs époques et plusieurs sentiments se confondent. Elle se réveille en hurlant. Une nuée d'oiseaux orangés s'envole dans le ciel du soir. Les insectes se sont tus. Est-ce à cause de son cri, ou quelque chose d'autre les a-t-il effrayés ? Hana se recouche, immobile, aux aguets.

Le bruit est d'abord distant. Juste un froissement d'herbe, comme celui du vent. Mais plus elle écoute, et plus le frou-frou se rapproche, maintenant accompagné par le crissement de lourdes bottes. Son cœur bondit dans sa poitrine. Hana voudrait pouvoir s'élancer vers le ciel et suivre les oiseaux, à l'abri. Elle s'oblige à rester immobile, raide comme un cadavre. Dans les herbes hautes, le moindre mouvement pourrait la trahir. Des voix d'hommes murmurent des ordres et des réponses. Hana tend l'oreille pour reconnaître *sa* voix. Morimoto se trouve-t-il parmi eux ? Pourraient-ils chercher autre chose qu'elle ?

Hana imagine déjà l'un des soldats lui piétiner le bras ou le visage et tomber sur elle en lui plantant sa baïonnette droit dans le cœur. Les yeux fermés, elle attend l'inévitable. Les soldats vont finir par la trouver, et la tortureront. Combien de temps la garderont-ils en vie avant de libérer son esprit de son enveloppe meurtrie ?

L'un des soldats s'est arrêté à quelques mètres d'elle. Hana aperçoit son uniforme beige à travers les hautes herbes. Il lui tourne le dos. Il ne l'a pas encore repérée. L'un de ses camarades est en train de lui murmurer quelque chose, son arme serrée entre ses mains.

Il fait un pas en arrière et sa botte écrase le rebord de la robe d'Hana. Impossible de fermer les yeux plus longtemps. Est-ce lui ? Il faut qu'elle voie son visage, son expression au moment où leurs regards se croiseront. Lira-t-elle de la surprise ? Du triomphe, du désir sexuel, de la haine ? Hana attend qu'il se retourne et trébuche sur elle.

Puis, tout à coup, un homme crie à travers le champ et le soldat déguerpit, relâchant sa robe. Hana entend des pas qui s'éloignent en courant. Les cris des soldats redoublent quand soudain, au milieu du chaos, un coup de feu résonne. Hana reste figée comme un faon au milieu des hautes herbes, retenant sa respiration, l'oreille dressée, attendant que les bruits s'éloignent pour de bon, que la nuit tombe et la dissimule à nouveau.

Ce n'était pas lui. Hana en est sûre. Si ce soldat avait été Morimoto, il se serait retourné et l'aurait trouvée. Impossible qu'il se soit tenu si près sans déceler sa présence. Cet homme est comme un animal. Il l'aurait flairée.

Hana regarde les heures s'écouler au gré des changements du ciel. Un azur pâle et vaporeux laisse place à un bleu saphir profond puis au noir violacé de la nuit. Craignant de bouger au cas où les soldats se trouveraient toujours dans les parages, Hana s'urine dessus. L'odeur attire les mouches. Elles se promènent sur sa robe en bourdonnant pour sucer le coton imbibé. C'est une odeur âcre, la même que celle qui régnait dans les latrines derrière le bordel. Peu importe les efforts déployés pour les laver, cette puanteur était incrustée jusque dans les lattes pourries du plancher.

Une chouette crie et Hana l'imagine, tournant au-dessus du champ à la recherche de taupes et de souris. Elle tend l'oreille, à l'affût d'un froissement d'ailes. Un deuxième cri lui donne du courage. Elle se redresse et, tout doucement, se lève. Sous le ciel nocturne, impossible de distinguer quoi que ce soit. Les mains tendues devant elle comme une aveugle, elle fait un premier pas à tâtons, puis un deuxième. Quelques instants plus tard, elle est en train de courir ; ses pieds mutilés lui hurlent de s'arrêter, mais son esprit refuse.

Elle n'est pas sûre de continuer dans la même direction que la route. Elle n'est même pas sûre de continuer vers le sud. Mémoriser la carte du ciel fait partie des choses qu'elle n'avait jamais réussi à faire. Son père avait toujours eu le désir de lui montrer où elle se situait dans ce vaste univers, mais Hana rechignait, elle qui était attirée par la mer, par ses profondeurs apaisantes et les créatures qui la peuplaient. Hana préférait écouter des histoires de pêcheurs qui parlaient de baleines bleues, d'espadons et de requins. Avec ses étoiles, son père ne l'avait jamais impressionnée. Elle lève les yeux vers le ciel et, comme pour répondre à son silence, les étoiles se contentent de briller.

*

Elle court toujours sans trop savoir où quand elle entend un cri dans le noir, grave au début, qui petit à petit se transforme en sifflement suraigu. Puis elle perçoit le rythme régulier des roues sur les rails. Le train. Elle a fini par retrouver son chemin. Elle s'élance à toute vitesse en direction du bruit, bifurquant soudainement pour le suivre. Le fracas du métal contre le métal augmente à mesure qu'elle se rapproche des voies, jusqu'au moment où le train passe dans un brusque souffle d'air et de bruit.

Tous les trains de nuit roulent vers le nord, il lui faut donc poursuivre dans la direction opposée. Ce sont des trains de matériel pour les travaux des champs ; circuler la nuit est le seul moyen d'éviter les bombardements aériens. Au bordel, Hana les écoutait siffler au milieu de la nuit en traversant le pont menant au camp.

Chaque semaine, le train annonçait son arrivée, ou toutes les deux semaines si des bombardements sur les voies l'avaient retardé, et chaque fois, le ventre d'Hana se vrillait. Elle était arrivée par l'un de ces trains, désignée comme « marchandise de première nécessité » sur l'inventaire de l'armée. Lorsqu'elle songeait à son évasion, Hana pensait toujours à cette ligne de train, sachant qu'elle l'aiderait à retrouver le chemin de sa maison.

Hana marche à présent prudemment, les mains de nouveau brandies devant elle, craignant de trébucher sur les traverses et de tomber sur les rails. L'herbe pelée est couverte de cailloux qui s'enfoncent dans ses pieds, mais elle les ignore, concentrée sur le sentier obscur qui s'étire devant elle. Son gros orteil heurte quelque chose de dur. Aussitôt, elle s'agenouille pour tâter un morceau de métal lisse. Elle pose son oreille sur le rail et écoute. Dans quel sens le train est-il allé ? De quel côté est-elle arrivée ?

Un bourdonnement sourd lui parvient. Elle pose une main sur le métal et sent une faible vibration. Peu à peu, le bourdonnement s'arrête. La vibration cesse sur le rail, à présent immobile sous sa main. Hana est entourée par le silence. Une vague de panique monte lentement dans sa poitrine. Par où aller ? Le seul bruit est celui du vent, la seule lumière celle des étoiles. Puis un faible sifflement retentit comme un lointain écho. Venait-il de la droite ? Hana tourne la tête et guette ce bruit fantomatique, mais plus rien. Alors elle se relève et fait demi-tour, se fiant à ses oreilles, à son cœur et à sa peau où s'imprime ce vaste silence pour partir vers la gauche, le long des rails, priant pour qu'ils la mènent vers le sud.

Elle avance dans la nuit. Craignant de se perdre, elle supporte la douleur et marche sur les traverses et les graviers tassés au milieu des rails. Voilà deux nuits qu'elle n'a rien bu ; sa tête tourne et sa langue est enflée. Elle ne pense plus qu'à boire. *Demain matin*, se dit-elle ; il faut attendre la lumière du jour pour trouver de l'eau. Pour l'instant, l'important est de continuer à avancer pendant que l'obscurité la camoufle.

Quand le soleil sera haut, elle pourra trouver de l'eau, et peut-être un endroit où se reposer. Il doit forcément y avoir une rivière ou un lac depuis lequel l'eau des champs est acheminée et où s'abreuvent les oiseaux. Le matin venu, Hana le trouvera. *Ne t'arrête pas, pas maintenant*. La distance qui la sépare de la mer est sans doute plus grande qu'elle ne l'imagine. Son seul espoir de l'atteindre est de continuer. L'un après l'autre, elle soulève ses pieds même si son corps la supplie de se reposer.

Peu avant l'aube, la nuit se transforme en un gris brumeux. Au départ, Hana ne distingue même plus le contour de ses mains pâles tendues devant elle. À mesure que le soleil se lève, apparaissent les rails et le paysage autour d'elle. Les herbes hautes ont laissé place à des champs ondoyants de fleurs jaunes.

À sa grande surprise, Hana découvre un chemin de gravier parallèle aux voies. Un convoi de soldats aurait pu y passer à n'importe quel moment et la voir. Elle s'empresse de quitter les rails pour continuer sa route à travers les champs de fleurs. Les plantations ne lui montent pas plus haut que les genoux, alors elle continue au pas de course, s'éloignant jusqu'à ne plus apercevoir que des lignes lointaines à la place des voies. Elle prend garde de continuer à les suivre pour ne pas se perdre ou finir par tourner en rond.

C'est alors qu'elle remarque des silhouettes marron à l'horizon, regroupées dans l'herbe. Le beuglement profond d'un bœuf transperce le silence. À genoux sur le sol, Hana cherche du regard des fermiers ou des nomades surveillant le bétail. Le soleil brille sur la campagne, mais plus question d'admirer la beauté du paysage. Hana balaye les environs du regard, le troupeau semble abandonné. Un long beuglement retentit de nouveau. Sans doute une vache est-elle en train de mettre bas. *Du lait*, songe-t-elle tout à coup, puis elle se précipite en courant vers les bêtes sans cesser de chercher autour d'elle des gens susceptibles de l'aider ou de l'attraper.

Mais une fois plus près, tous ses espoirs s'effondrent. Les cris ne provenaient pas d'une vache en train de mettre bas, mais d'un bœuf tombé dans un vieux piège de chasseur, la patte prise entre ses dents métalliques rouillées. L'os inférieur de sa patte arrière ressort sous la peau déchirée et pend dans le vide. Le bœuf pousse un nouveau cri et Hana se bouche les oreilles. Ce bruit est celui de la mort qui plane.

Hana recule loin de cette pauvre bête, les mains sur les oreilles pour bloquer ce gémissement atroce, mais impossible de ne pas l'entendre. Des souvenirs se déclenchent lorsqu'il retentit de nouveau – celui de sa première nuit au bordel, lorsqu'elle avait assisté à l'agonie de cette femme coréenne qui avait accouché d'un bébé mort-né. Hana entend les cris inhumains de la femme comme si elle se trouvait encore derrière la porte entrouverte de cette chambre éclairée à la bougie. Il y avait entre ses jambes écartées une quantité de sang impressionnante. Hana se revoit en train de faire demi-tour pour se précipiter dans l'escalier et remonter dans sa chambre. C'était à ce moment-là qu'elle avait fait la connaissance de Keiko, la geisha agenouillée sur son tatami, en pleurs, le visage enfoui dans les mains.

Un nouveau cri du bœuf fait sursauter Hana. Le bordel a disparu. La voilà libre, et forcée de faire le nécessaire pour le rester. Prenant son courage à deux mains, elle retourne vers l'animal, vers sa tête. Le bœuf a les yeux révulsés et sa patte tressaute à l'approche d'Hana. Du sang frais s'écoule de la blessure à l'endroit où la peau de la bête s'est ouverte à force de se débattre.

« Là, mon pauvre », murmure-t-elle d'une voix douce.

Elle s'agenouille près de sa tête et lui caresse le front. Le bœuf se calme. Son souffle est court. Des mouches se sont agglutinées sur sa patte et des asticots grouillent déjà sur la plaie. Hana lui caresse le cou avec de grands gestes lents. Cela doit faire des jours qu'il gît ici. Hana imagine sa souffrance, la ressent tandis que la brise lui caresse le visage. Hana sait ce que cela fait de se retrouver à terre, impuissant, le corps anéanti. Penchée sur la bête, elle lui murmure à l'oreille :

« Endors-toi, gentil bœuf. Endors-toi, s'il te plaît. Pose ta lourde tête sur cette terre. Laisse ton esprit fatigué s'élever et quitter cet enfer. Va, gentil bœuf, va. Et pardonne-moi, je t'en supplie… pardonne-moi. »

Là-dessus, Hana pose un baiser sur l'oreille de la bête avant de marcher à quatre pattes vers son jarret brisé. Tandis qu'elle le contourne, sa main reste sur son flanc et elle ne cesse de lui murmurer des paroles apaisantes. Le bœuf souffle, mais n'envoie pas de coups de sabot. Peut-être n'a-t-il plus suffisamment d'énergie pour se défendre. Lentement, Hana tend la main vers sa patte cassée.

Elle ne se laisse pas le temps de réfléchir et l'attrape d'un geste vif, puis la tord en tirant dessus de toutes ses forces. La chair ne se détache pas aussi facilement qu'elle l'espérait. Penchée en arrière, accroupie, talons enfoncés dans la terre, elle tente de garder l'équilibre pour ne pas tomber sur la bête. Le piège en métal se soulève bruyamment, mais la chaîne demeure fermement ancrée au sol. Le bœuf hurle, et le son est encore pire que ses gémissements. Hana tire sur la patte et la tord, malgré les soubresauts de l'animal qui, désespérément, tente de s'échapper. Hana a l'impression d'être en train de se livrer à un combat de tir à la corde.

Le bœuf hurle à la mort. Le piège s'agite bruyamment contre le pied d'Hana. Elle n'en peut plus, ses bras sont sur le point de lâcher. Craignant de ne pas pouvoir tenir plus longtemps, elle songe un instant à tout abandonner quand soudain, au terme d'un dernier coup, la patte cède.

Hana tombe en arrière, tenant entre ses mains le jarret arraché. Le bœuf tente toujours de se relever, de fuir à tout prix. Hana est incapable de se retourner vers la pauvre bête terrifiée. Elle fixe alors son regard sur les fleurs que le bœuf écrase en remuant. Puis, comme résignée, la bête se laisse tomber et reste immobile. Il n'y a plus que sa poitrine qui se soulève et ses naseaux qui se dilatent tandis qu'elle respire avec difficulté.

Dégoûtée par elle-même, Hana libère la lourde patte encore prisonnière du piège en tentant de ne pas penser à ce qu'elle vient de faire. Elle se dépêche de se relever et part en courant, loin de l'animal, serrant dans ses bras le jarret au bout duquel pend un sabot. Pas le temps de penser à son crime. Elle baisse les yeux vers la patte et, à sa propre horreur, entend son ventre gargouiller. Un cri de lamentation lui échappe. Un seul. Puis plus rien, plus rien hormis le bruit de ses pas foulant la terre cependant qu'elle s'éloigne du carnage.

Elle court jusqu'à ne plus être capable d'avancer, puis s'écroule par terre à genoux, les yeux rivés sur la patte sanguinolente. Elle ne sait pas quoi en faire ni comment la manger. Le seul point positif est que tous les asticots sont tombés. Son ventre gargouille et, de nouveau, Hana se dégoûte. Elle ferme les yeux. Ce n'est pas une patte, se dit-elle. Ce n'est pas une patte. C'est un… un poisson, un long poisson tout fin qui s'est jeté dans ses filets. Son père lui avait souvent montré comment retirer la peau et les arêtes des poissons. Il n'y a donc rien de plus simple : ceci est un poisson mort, et Hana voit apparaître les mains tannées de son père tenant un maquereau et une lame aiguisée. Elle l'observe lever les filets avec la plus grande dextérité, avec des gestes sûrs, réguliers.

Puis, comme si ses mains étaient les siennes, Hana commence à travailler. Ses doigts se glissent sous la peau à l'endroit où la patte s'est arrachée, d'abord avec hésitation, puis une assurance croissante. Au terme d'un dernier effort, elle finit par arriver au sabot. Le jarret n'est pas facile à écorcher. Hana est obligée de racler énergiquement la chair avec ses doigts pour lui permettre de se détacher. Mais une fois arrivée à la moitié, impossible de tenir plus longtemps. Elle porte le morceau à sa bouche et mord dedans.

Ce n'était pas un gros bœuf. Elle parvient à l'os en un rien de temps. Elle suce même la moelle qui sort à son extrémité et s'étonne de ne pas être écœurée par son goût terreux et prononcé. Elle n'a pas mangé de viande fraîche, n'a pas senti le goût du sang depuis le jour de son enlèvement. Au bordel, les filles n'avaient droit qu'à de maigres morceaux de poisson séché – les jours de chance.

Il arrivait que les soldats offrent un petit sachet de fruits frais ou de légumes à leur fille préférée. Keiko recevait souvent ces présents et ne manquait jamais de les partager avec Hana. Que pouvait-elle bien faire à cet instant ? Hana imagine l'élégante geisha accroupie au sous-sol du bordel, en confinement. Là-bas, les cellules faisaient à peine plus d'un mètre de haut, ce qui obligeait à se tenir assis constamment. Combien de jours et de nuits allait-elle devoir payer pour l'évasion d'Hana ? Et qu'en serait-il des autres filles ? Allaient-elles subir des représailles, également ?

Hana ferme les yeux et les frotte de sa main ensanglantée pour chasser ces images. Elle ne peut pas penser à Keiko et ses autres sœurs, pas pour le moment. Si elle veut avancer, il ne faut penser à rien d'autre qu'à sa maison.

Comme pour cacher son crime, elle décide d'enterrer l'os, mais garde avec elle le morceau de peau dont elle se sert pour se nettoyer les doigts. Au départ, la terre restée sur ses mains se colle au sang et souille les poils de bœuf, mais, à force, tout ce mélange finit par sécher et partir. Avec ses dents, Hana déchire ensuite la peau en bandelettes pour les enrouler, couche par couche, autour de ses talons. Après avoir marché quelques pas afin de les tester, elle fait demi-tour pour retrouver l'endroit où elle avait entendu le bœuf beugler et poursuit sa route le plus vite possible, en longeant les voies de loin.

*

Il règne une chaleur anormale pour la saison. Des nuages amassés dans le ciel forment comme une grosse montagne grise. Hana marche d'un pas lent désormais, laissant traîner ses pieds dans l'herbe. Les collines sont maintenant loin ; il n'y a plus que des plaines autour d'elle. Voilà des kilomètres qu'elle a perdu la trace de la voie de chemin de fer. Les rails ont disparu derrière des collines sans jamais réapparaître. Après avoir erré à leur recherche, Hana est maintenant perdue. Plus de route, plus de rails, plus aucun signe de vie humaine – Hana est perdue au milieu des steppes de Mandchourie, entourée par des kilomètres de rase campagne.

C'est alors qu'un bruit strident résonne dans ses oreilles, comme le sifflement ininterrompu d'un train qu'elle ne peut pas voir. Aucun signe de vie animale non plus, pas même quelques traces de bétail pour lui redonner un peu d'espoir. Quelques heures plus tôt, elle avait cru apercevoir un troupeau de chameaux sauvages, si vite disparu qu'elle s'était demandé s'il ne s'agissait pas d'un mirage, si son esprit n'était pas en train de lui jouer des tours. En route, elle s'est nourrie de quelques touffes d'herbe qui lui semblaient différentes des autres. De fleurs, également, mais après avoir failli vomir en tombant sur une pousse particulièrement amère, Hana a abandonné l'idée de survivre grâce à la végétation qui l'entoure. Elle marche, désormais. Et rien d'autre.

La soif est une torture. Au bordel, chaque matin au réveil, elle descendait chercher de l'eau. La distance qui la séparait de la cuisine lui semblait parfois insurmontable tant son corps était épuisé. Keiko arrivait toujours la première, et toutes les deux s'asseyaient en silence pour boire. Quand les autres filles descendaient, elles commençaient alors à préparer leur petit déjeuner frugal.

Il n'y avait jamais suffisamment à manger. Les filles disaient que la nourriture manquait, car l'armée rencontrait des difficultés pour assurer l'approvisionnement vers le nord. Les soldats aussi étaient mal nourris, d'après elles, même s'ils ne semblaient jamais manquer d'énergie. Hana les trouvait mieux portants que les soldats japonais qu'elle croisait sur son île. Les quantités de nourriture qu'elles recevaient au bordel étaient sans doute prévues pour que les filles aient seulement la force de remplir leur rôle. Et qu'il ne leur reste plus aucune énergie pour s'enfuir.

Les jours de corvées, elles étaient autorisées à écouter un petit transistor. Les émissions se réduisaient principalement à des bulletins d'information et à de la propagande japonaise. Mais cela ne dérangeait personne, car entre deux bulletins la station diffusait une chanson ou deux. Toutes les filles écoutaient en faisant le ménage ou en mangeant.

Les informations annonçaient toujours que les forces étrangères étaient partout, en train de s'armer contre les Japonais, et que l'empereur avait besoin d'autant de volontaires que possible pour les tenir à distance. Les Chinois, les Mongols, l'ensemble du continent européen et l'Amérique, tous ces pays étaient des ennemis de l'empereur. Même les Soviétiques étaient suspects ; chaque jour qui passait, des entorses étaient faites au traité provisoire signé avec le Japon. Tout était mis en œuvre pour instiller la peur dans l'esprit des filles – peur du monde extérieur et de l'ennemi qui s'y cachait.

Pour Hana, il n'y avait pas d'autre endroit où fuir qu'en Corée du Sud. Mais le chemin jusque chez elle était encore long. Peut-être pouvait-elle y arriver si elle trouvait de l'eau. Des images de son île lui brouillaient la vue. De l'eau débordant des seaux qu'ils remontaient du puits de leur maison. Bonne et glacée comme de la neige fraîchement fondue. En fermant les yeux, Hana avait presque l'impression de pouvoir y goûter.

« Tu m'as éclaboussée », piaillait sa petite sœur en posant sa timbale avant de détaler.

Hana rit tout haut en revoyant la scène. C'était une chaude journée d'été, sa sœur et elle avaient soif, et Hana l'avait arrosée. Elle se concentre sur ce souvenir comme si elle le revivait, comme s'il se déroulait devant elle, bien qu'elle donnerait n'importe quoi pour sentir ne serait-ce qu'une goutte de salive dans sa bouche desséchée.

« Reviens ! Promis, je ne recommencerai pas », lui avait-elle crié.

La petite tête de sa sœur était réapparue à l'angle de la maison.

« C'est vrai ? »

Le cœur d'Hana se serre en pensant à ses grands yeux innocents, si curieux de découvrir le monde.

Chaque fois qu'Hana les regardait, un sentiment de responsabilité l'inondait. Il était de son devoir de préserver ces yeux des atrocités de la guerre. Certaine que la mort de son oncle aurait été un trop grand choc pour elle, Hana avait fait promettre à ses parents de ne pas en parler à Emiko. Elle l'avait même aidée à lui écrire des lettres en lui faisant croire qu'elle allait les poster. Un jour, Hana avait envoyé une réponse en imitant l'écriture de son oncle. Sa mère était furieuse lorsqu'elle s'en était rendu compte, mais elle lui avait simplement demandé de lui promettre d'arrêter.

« Allez, reviens », lui avait de nouveau crié Hana.

D'un pas hésitant, sa sœur était sortie de sa cachette en brandissant sa timbale devant elle. Hana avait remonté le seau puis l'avait posé par terre en prenant garde de ne rien faire déborder.

« Tiens, plonge-la dedans, comme ça tu ne seras pas mouillée », lui avait-elle dit.

Sa sœur s'était accroupie et avait enfoncé sa main tout entière dans l'eau avant de s'écrier :

« C'est froid ! »

À genoux à côté d'elle, Hana avait plongé ses deux mains dans le seau pour soulager ses paumes et ses poignets brûlants. Puis elle avait penché la tête jusqu'à ce que ses lèvres frôlent la surface de l'eau renfermée dans ses mains. L'eau avait la même odeur que de la glace. Mais avant même qu'elle n'ait pu en boire une goutte, une petite main lui avait enfoncé la tête dans le seau. Hana s'était retrouvée à boire la tasse par le nez. Alors qu'elle se relevait, trempée par l'eau glacée, en se mouchant et en toussant, elle avait entendu résonner le rire de sa sœur qui filait se cacher.

Hana se souvient de ce rire aussi cristallin que des clochettes tintant dans le vent. Une brise venue du sud se lève et rafraîchit sa peau. Elle s'arrête, vacillant légèrement sous les bourrasques qui la fouettent. On dirait le vent de la mer. Sur ses lèvres craquelées et sa langue râpeuse, Hana sent l'iode qui l'imprègne. Ce n'est peut-être que le goût salé de son propre sang, mais, en fermant les yeux, elle a l'impression d'être de retour à la maison.

Elle se tient debout sur les rochers noirs qui surplombent la plage de sable, le regard tourné vers les flots sombres et immenses. Les vagues sont des danseuses tourbillonnantes venues acclamer son retour, qui se fracassent sur la falaise dans de grands bruits d'applaudissement. Des voix sont charriées par le vent, et Hana entend celle de sa mère qui l'appelle. Elle se retourne. Sa mère court vers elle, les bras grands ouverts. Son père est là, également. Il crie son nom par-dessus le rugissement du vent et des vagues.

« Je suis là, leur crie Hana en retour. Je suis là », dit-elle en avançant d'un pas.

Mais ses pieds sont comme enterrés dans le sable. Exténués après un si long voyage, ils sont trop lourds à soulever.

« Sakura ! crie son père. Sakura ! »

Une troisième voix s'élève et parvient à ses oreilles. C'est une petite voix, comme celle d'un enfant, une voix qui semble provenir d'une île très lointaine située dans son dos. Hana se retourne vers la mer, les mains en visière sous le soleil étincelant. Sur les flots agités, une fillette vogue dans un petit bateau de pêche blanc. Elle crie son nom. Hana plisse les yeux pour distinguer son visage et son cœur fait un bond.

« Emiko ! s'écrie-t-elle. Petite Sœur, je suis rentrée ! »

Elle lui fait de grands signes et tente de sauter sur place, folle de joie, mais ses pieds restent cloués au sol.

À l'intérieur du bateau, la petite fille se lève pour monter sur la proue.

« Petite Sœur, fais attention ! » crie Hana, inquiète qu'elle ne parvienne à nager avec ce courant.

Emiko relève la tête et crie une dernière fois son nom avant de plonger dans la mer noire. Le temps d'une seconde, Hana est ébahie par son plongeon gracieux, mais aussitôt quelque chose l'interpelle. Sa sœur l'a bien appelée « Hana », le prénom que lui a donné sa mère, celui que sa famille emploie – et non Sakura. Sakura est le nom gravé sur la plaque de bois clouée devant sa porte : fleur de cerisier.

Hana se retourne alors vers son père, mais les rochers et le rivage disparaissent. À l'horizon, ce ne sont plus ses parents qui accourent vers elle, mais un cheval noir lancé au grand galop. Impossible de ne pas reconnaître la silhouette de l'homme perché sur son dos, en train de fouetter les flancs de la bête. Morimoto l'a retrouvée. Il est trop tard pour courir, mais Hana se retourne malgré tout et tente de s'enfuir. Ses muscles refusent de lui obéir, mais elle s'obstine.

Un pied après l'autre, elle se met en marche jusqu'à courir à toute vitesse. Elle n'a plus rien pour la faire avancer que l'adrénaline et, sous les brûlures qui irradient ses muscles, son corps menace à chaque instant de lâcher. Le bruit sourd et noir des sabots sur la terre résonne de plus en plus fort à mesure que le cheval gagne du terrain. Elle ne peut faire le poids contre un tel animal, et pourtant, lorsque la main de Morimoto l'attrape par le col de sa robe, les jambes d'Hana continuent de s'agiter, de courir dans le vide. Morimoto la hisse sur le dos du cheval comme un sac de grain. Hana se débat, remue les bras et les jambes, en vain. Morimoto fait ralentir le cheval puis s'arrête avant de l'attraper par les cheveux pour lui faire tourner la tête.

« Sakura, lâche-t-il, le souffle court. Il ne faut pas me laisser comme ça. »

Sa voix est aussi rugueuse que ses mains. Morimoto la tire pour la faire descendre de l'animal et la cloue par terre. Hana se débat, mais le soldat la gifle jusqu'à ce qu'elle s'arrête.

« Tu n'as donc pas compris ? dit-il. Tu es à moi. »

Un coup de tonnerre déchire le ciel. L'air est chargé d'électricité. De gros nuages noirs se sont massés au-dessus de leurs têtes. Morimoto est couché sur elle et l'empêche de respirer. Il susurre son prénom et lui embrasse le cou, tendrement à présent ; sa main soulève sa robe.

Si elle cesse de se débattre, Hana sait qu'elle ne sentira rien. Ses membres, morts d'épuisement, ne sont plus connectés à son esprit. Elle détourne la tête pour ne pas sentir son menton piquant et cherche la mer, le regard rivé sur l'horizon.

C'est alors que les premières gouttes de pluie s'écrasent sur ses lèvres, aussi froides que l'eau du puits de son père. Elle les lèche avec avidité, mais le soulagement n'est que de courte durée. Une douleur lancinante, diffuse, la transperce à chaque coup de reins que s'empresse de donner Morimoto, ravivant en elle toutes ces images atroces de soldats, de bouches et de chair – toutes ces images qu'elle voulait fuir.

Une averse s'abat sur son corps vidé de ses forces, inerte dans l'herbe.

*

Hana gît au fond de la mer, ses yeux ouverts tournés vers le soleil qui scintille à la surface au-dessus d'elle. Les battements du cœur du grand océan résonnent contre ses tympans. Les courants lui caressent la peau. Elle sent contre sa poitrine le poids d'une vieille ancre qu'elle a trouvée. Hana la serre contre elle pour ne pas remonter. D'ordinaire, son corps de petite taille se serait mis à flotter tout seul vers la surface, mais pas aujourd'hui ; aujourd'hui, elle veut demeurer dans les profondeurs de l'océan jusqu'à ce que le soleil s'y abîme. Tel est son jeu préféré, et Hana gagne tout le temps. Lorsqu'elles s'amusent à retenir leur respiration, les autres filles abandonnent et remontent toujours à la surface avant elle. La dernière de ses concurrentes a tenu aussi longtemps qu'elle le pouvait, mais vient d'amorcer sa remontée, laissant dans son sillage une traînée de bulles. Hana la regarde partir. Elle a gagné. Personne ne peut la battre.

Sauf lui. Morimoto est l'ancre qui l'arrime au sol. Hana est prisonnière sous son poids et attend qu'il la punisse encore plus fort ou la tue pour lui faire payer sa trahison. Son corps massif s'enfonce en elle plus profondément, lui comprime la cage thoracique tandis qu'il la plaque dans la boue le temps de reprendre son souffle.

Elle pourrait courir, se dit-elle, pourrait lui griffer la figure et le pousser par terre, dans un dernier élan de survie, mais les plaies à vif sous ses pieds lui crient grâce, la sommant d'achever ce voyage ici, dans cette plaine paisible, sous cette montagne de chair humaine en train de remuer sur elle. *Plus de souffrances*, se dit-elle, résignée, puis, les yeux fixés sur le ciel gris, elle attend.

Morimoto se soulève pour la considérer. Leurs regards se croisent et Hana ne parvient pas à détourner la tête.

« Comment as-tu pu me laisser attendre près du pont comme un imbécile ? » Sa voix déborde de rage. « J'ai risqué ma vie pour t'aider à t'échapper du bordel, et c'est comme ça que tu me remercies ? En t'enfuyant ? »

Puis il se tait comme s'il attendait des excuses ou des explications. Ne la voyant pas répondre, il s'esclaffe. Son rire est amer et sombre.

« Comme si je n'allais pas te retrouver ! Je connais cette zone comme ma poche. Tu n'aurais jamais pu te cacher. »

Il la secoue, cherchant à obtenir une réponse, mais Hana n'a aucun argument. Elle reste couchée sous son poids, inerte et muette, comme du gibier tombé sous les coups d'un chasseur. Morimoto se penche sur elle, et Hana sent son souffle sur son visage. Il va la tuer. Elle ferme les yeux.

Sa main s'enroule autour de son cou ; son pouce appuie sur sa gorge. Un spasme la secoue et Hana se débat, comme par automatisme. L'autre main de Morimoto s'accroche à son cou. Il commence à serrer. Hana ouvre les yeux, cherchant le soleil dans le ciel, mais les nuages noirs le masquent.

« Je vais te tuer, lui murmure-t-il à l'oreille. Refais-moi un coup pareil, et je vais te tuer. »

Il ne la relâche pas, mais continue de serrer, plus fort, jusqu'à ce qu'il ne reste plus d'air dans les poumons d'Hana.

*

Hana est réveillée par la douleur. Ses joues brûlent comme si un millier d'aiguilles étaient plantées dans sa peau. Sa lèvre inférieure est en feu. Un goût de sang flotte dans sa bouche.

« Réveille-toi », lui dit-il en la giflant du plat de la main sur l'autre joue.

D'un geste brusque, Morimoto la hisse sur ses pieds, mais impossible de tenir debout. Hana s'écroule sur le sol trempé.

« Quelle bonne à rien », marmonne-t-il entre ses dents serrées, avant de la soulever de terre comme si elle ne pesait rien.

Le cheval s'ébroue à quelques pas de là. Ses sabots martèlent le sol. Hana n'a jamais vu cet animal de si près. C'est un cheval noir avec des taches blanches au-dessus des sabots.

Morimoto siffle et la bête s'approche. Hana frôle son flanc pendant que Morimoto attrape une sacoche près de la selle. Il dévisse le bouchon et s'en sert pour y verser de l'eau, puis le porte aux lèvres d'Hana. Hana boit goulûment, mais ce petit bouchon ne suffit pas à étancher sa soif. Elle résiste à l'envie d'en demander un second. Comme s'il le sentait, Morimoto sourit puis, très lentement, referme la gourde. Ses yeux ne la quittent pas un instant. Hana ne dit rien, mais elle ne peut s'empêcher de se lécher les lèvres.

Il l'attrape alors par la taille et la soulève pour la faire monter sur le dos du cheval. Son esprit est embrumé par la fatigue et la soif. Le simple fait de monter en selle lui est difficile. Ses bras ne veulent plus lui obéir.

« Debout », lui ordonne-t-il avant de la tirer.

Hana parvient à attraper la selle lorsqu'elle comprend ce qui ne va pas. Morimoto l'a ligotée. Il la pousse une nouvelle fois pour l'asseoir sur le dos de la bête. Puis il jette l'une de ses jambes par-dessus le cou du cheval pour lui permettre de l'enfourcher, avant d'enrouler autour de sa taille une autre corde qu'il attrape en même temps que les rênes.

« Ne songe même pas à t'enfuir avec le cheval. » Il lui montre la corde attachée à sa taille. « Je te ferais tomber en moins de deux secondes… et nous serions tous les deux obligés de continuer à pied », ajoute-t-il en appuyant sur ses plaies à vif pour bien se faire comprendre.

Hana grimace de douleur. Morimoto la regarde fixement, avec une telle intensité qu'elle ne peut détourner les yeux. Puis il plonge une main dans sa poche pour en sortir un carré de tissu. C'est le petit balluchon qu'elle avait caché dans son sous-vêtement. Hana manque de tomber à la renverse en tentant de l'attraper. Elle se raccroche à la selle et réussit à se stabiliser.

« Tu étais allongée là-dessus, dit-il en le déballant, révélant son contenu. Quelles jolies petites breloques. »

Hana voudrait de nouveau tendre la main vers le balluchon, mais elle ne lui fera pas le plaisir de la voir souffrir une nouvelle fois. Alors elle regarde droit devant elle et se concentre sur la ligne d'horizon.

« Je devrais être jaloux que tu aies gardé toutes ces choses », dit-il. Elle commence à s'inquiéter. Un par un, Morimoto passe les objets en revue, en les inspectant comme s'il cherchait un signe. « Tout ça appartenait à un soldat en particulier ? Il devait avoir un nom, pas vrai ? »

Hana secoue la tête. Son ton ne lui dit rien qui vaille. Morimoto la fixe, son regard lui transperce le crâne comme s'il cherchait à lire des réponses dedans. Il baisse de nouveau les yeux vers le contenu du balluchon puis semble réfléchir pendant un moment avant de relever la tête vers elle avec un grand sourire.

« Tu n'as plus besoin de tout ça maintenant que tu es avec moi. »

Là-dessus, il penche la main et laisse tous les objets tomber, un par un, avant de les enterrer avec le talon de sa botte. Hana se retourne pour regarder une dernière fois l'alliance en or, la chaîne, les pièces et le peigne en train de disparaître sous terre. Il ne lui reste plus rien.

Morimoto a l'air content de lui, comme un enfant qui a gagné un prix. Hana est son trésor de guerre. L'idée la traverse d'éperonner si violemment le cheval qu'il se cabrera et le piétinera à côté de ses biens perdus, mais elle n'a même pas la force de le faire.

« Mais ça, ajoute-t-il comme s'il parlait après avoir réfléchi. Ça, je vais le garder précieusement. »

Il brandit devant elle son portrait et une vague de colère la submerge. Hana voudrait le lui arracher. Elle ne supporte pas de le voir toucher son portrait. Cette photo a été prise avant que les soldats ne fassent la queue devant sa porte pour la première fois ; Keiko ne lui avait pas encore coupé les cheveux, et Hana n'avait pas encore appris à se tenir tranquille en attendant que les soldats aient fini leur besogne – elle était encore « Hana », sur ce portrait. Cette photo lui appartient.

Mais elle s'empêche de lui faire le plaisir de réagir comme il le voudrait, même si chaque fibre de son corps brûle de sauter du cheval pour le clouer par terre. Ce n'est qu'au prix d'un effort surhumain qu'elle accepte de lui céder le dernier souvenir de celle qu'elle était avant. Lentement, elle détourne la tête et regarde droit devant elle. La satisfaction de Morimoto est palpable tandis qu'il range la photo dans sa poche, sur la poitrine de son manteau.

Il fait alors claquer sa langue pour dire au cheval d'avancer. Marchant devant, il le conduit et Hana tourne la tête pour ne pas voir l'homme qui la gardera prisonnière à jamais.

Sous l'orage qui redouble, tous deux avancent sans un mot. Hana ouvre la bouche pour recevoir des gouttes de pluie pendant que le tonnerre gronde au-dessus d'eux. Elle se moque bien de pouvoir être frappée par la foudre : une mort pareille serait même la bienvenue. Morimoto compte donc mettre son plan à exécution. Ils se dirigent vers le nord, vers la Mongolie, progressant sous une pluie torrentielle comme si ce départ à deux était prévu depuis le début.

*

Des nappes de grisaille recouvrent la plaine. Impossible de voir à un mètre. Hana continue de boire l'eau tombée du ciel. Son ventre commence à gonfler, mais elle ne peut pas s'arrêter. Le visage tourné vers les nuages, elle s'abreuve jusqu'à ne plus en pouvoir. Lorsqu'elle se retrouve sur le point d'exploser, elle redresse la tête, trop épuisée pour rester penchée en arrière plus longtemps. Morimoto tire sur les rênes pour faire avancer le cheval plus rapidement.

Tandis qu'ils traversent la steppe, Hana sent son visage et ses pieds s'apaiser grâce au froid de la pluie. Avec une journée de repos supplémentaire, peut-être lui serait-il possible de courir, mais elle n'a aucune idée de la distance qui les sépare encore de la Mongolie. Elle ne sait pas non plus si Morimoto doit retrouver quelqu'un, un complice – ou peut-être plusieurs –, mongol ou soviétique. Un homme comme lui aurait même été capable de pactiser avec les Chinois.

La peur la gagne en imaginant ce groupe d'hommes sans visages, venus de différents pays. Que leur a-t-il promis ? Fait-elle partie de leur accord ? Son regard est fixé sur la nuque de Morimoto. A-t-il l'intention de la donner en pâture à ces hommes ? Sa tête se remplit d'images de ces barbares en train de lui arracher sa robe déjà toute déchirée. Hana baisse la tête mais, même les yeux fermés, elle voit Morimoto, arrivant après le passage de ses camarades.

Pliée en deux, elle vomit tout ce que son estomac contenait. Ses épaules frêles sont secouées de frissons tandis qu'elle expulse toute cette eau de pluie. Puis, avant même de pouvoir réagir, elle sent son corps glisser de la selle, incapable d'amortir la chute avec les mains ligotées. Son épaule droite percute le sol. Une douleur soudaine et atroce lui coupe la respiration. Le cheval se cabre, mais Morimoto le maîtrise rapidement. Il se précipite vers elle en la voyant recroquevillée par terre.

« Qu'est-ce qui te prend ? » lui dit-il.

D'un geste brusque, il la tourne sur le dos. De l'eau ruisselle sur le visage d'Hana. La douleur, l'humidité et les images de l'avenir qui l'attend l'empêchent de respirer. Il l'attrape par les épaules et la soulève pour la remettre sur pied, mais son bras droit glisse et Hana hurle de douleur. Morimoto la relâche pour l'examiner. Elle grimace lorsqu'il lui tâte l'épaule. Ses doigts se promènent sur sa chair et trouvent rapidement l'origine de la blessure.

« Elle est déboîtée, dit-il. Il faut que je la remette en place. »

Sa voix est douce, inquiète. Mais Hana s'en moque. Son regard reste rivé droit devant, sur la masse de brume grise. Morimoto desserre ses liens ; la corde se déroule et glisse par terre. Puis il l'aide à se redresser jusqu'à ce qu'elle se retrouve assise. Le cheval tourne légèrement la tête comme pour regarder la scène d'un seul gros œil noir. Morimoto lui malaxe d'abord lentement le biceps, puis le haut de l'épaule. Ses gestes sont sûrs, expérimentés. La douleur reste supportable.

« Fais-la rouler vers l'arrière, lentement », lui dit-il.

Hana s'exécute et sent son articulation se remettre en place. Morimoto ramasse la corde qui servait à la ligoter pour lui fabriquer une écharpe.

« Il faut faire plus attention. Tu aurais pu te briser le cou si tu étais mal tombée. Qu'est-ce qu'on serait devenus, hein ? dit-il en secouant la tête d'un air dépité.

— "On" ? » répète-t-elle en le fixant, abasourdie.

Morimoto termine de nouer l'écharpe autour de son épaule et sourit, les yeux rivés sur elle à travers la pluie. Il semble chercher sur son visage un signe de gratitude. Hana se rappelle la première fois où Morimoto lui avait fait part de sa volonté de l'aider. Il laisserait la porte de service ouverte afin qu'elle puisse s'échapper, lui avait-il dit. Hana avait fait tout son possible pour lui cacher sa nervosité. Elle s'était arrêtée de respirer pour faire ralentir son cœur, comme lorsqu'elle nageait très vite pour regagner la rive. Elle s'était empêchée de trembler en se répétant dans sa tête, *Il ment, il ment, il ment*, jusqu'à ce que son corps finisse par y croire. Les mots de Morimoto n'étaient que du vide et, le matin venu, Hana savait qu'elle se réveillerait dans sa chambre, toujours prisonnière, et qu'une file de soldats dépravés attendrait devant sa porte.

« Tu n'as pas l'air contente que je te propose de t'échapper d'ici. Y a-t-il quelqu'un qui te retient ? Un autre soldat, peut-être ? »

Sa question l'avait prise de court. Le menton levé vers elle, Morimoto l'avait regardée dans les yeux. Il n'y avait pas d'autre bruit que celui de leur respiration, celle de Morimoto, calme et régulière, et celle d'Hana, sur le point de s'emballer.

« Tu as fini par trouver un favori ? »

La jalousie du caporal lui donnait envie de vomir. C'était lui qui l'avait amenée ici pour subir les viols répétés des soldats, et voilà que, soudainement, il se mettait en colère en comprenant que certains d'entre eux pouvaient se montrer reconnaissants avant de partir à la mort ? Néanmoins, Morimoto avait parlé d'évasion. L'idée qu'il puisse l'aider à réaliser ce qu'elle désirait le plus au monde lui avait fait tenir sa langue.

« Aucun homme dans toute l'armée de l'empereur ne pourrait prendre votre place dans mon cœur », avait-elle répondu.

En vérité, Hana n'avait jamais haï personne autant que Morimoto. Dans son cœur, il resterait à jamais le pire de tous les soldats qui lui avaient rendu visite.

Ainsi donc, Hana s'était échappée du bordel, mais ne lui avait pas échappé, à lui. Morimoto attend toujours un signe de gratitude. Hana se détourne, repoussant sa main, et s'allonge sur la terre détrempée, la tête à moitié enfoncée dans une flaque. L'eau boueuse a un goût terreux et puissant, le même que celui de la moelle du bœuf, le même que celui d'une tombe. Morimoto la soulève et tourne son visage vers le sien.

« Quand nous serons en Mongolie, nous commencerons une nouvelle vie. Tous les deux. Je ferai de toi ma femme. »

Morimoto la sonde comme s'il cherchait un sourire, mais ses projets retournent l'estomac d'Hana. Il ne semble pas douter un seul instant qu'elle accepterait cette vie. Hana donnerait n'importe quoi pour lui envoyer des mots cinglants à la figure, pour le blesser. Telle est la seule façon possible de l'atteindre dans sa fierté.

« Peu importe ce que tu fais. Pour moi, tu es et resteras un soldat japonais », lui susurre-t-elle en coréen, à l'oreille, comme Morimoto le fait si souvent avec elle.

Surpris, Morimoto recule et Hana lui crache de l'eau de pluie à la figure. Ses mains se resserrent sur son épaule blessée, mais Hana refuse de crier. Elle se mord la lèvre jusqu'à sentir le sang couler. Morimoto serre de plus belle, mais elle retient son souffle, à deux doigts de s'évanouir. Lorsqu'il finit par la lâcher, des points lumineux dansent devant ses yeux.

« Un jour, tu comprendras », dit-il en la soulevant pour la remettre en selle.

Jamais je ne te comprendrai, lui répond-elle dans sa tête, et les mots se répandent sur sa langue tandis qu'Hana la mord pour se retenir de les prononcer tout haut. Guidé par Morimoto, le cheval se met en route, marchant d'un pas lourd vers cet avenir qu'elle ne supportera pas. Elle se laisse tomber contre son cou, les yeux rivés sur le sol qui défile à ses pieds. L'odeur entêtante de l'animal inonde ses narines et Hana sombre dans le sommeil par intermittence, comme si sa vie était un rêve dont elle voudrait se réveiller.

*

Lorsqu'elle ouvre les yeux, elle et Morimoto sont en train de traverser une voie de chemin de fer. Le bruit des sabots sur le bois détonne après la monotonie de la terre trempée, et la réveille d'un sommeil agité. La pluie s'est transformée en crachin et le soleil semble sur le point de percer à travers les nuages gris. Hana lève la tête vers le ciel. Le cheval ralentit en la sentant bouger, indiquant à Morimoto qu'elle s'est réveillée. Morimoto l'arrête, lui flatte le front et lui donne une poignée de nourriture qu'il gardait dans la poche de son manteau. Le bruit de ses bottes s'arrête à côté d'elle.

Il fait descendre Hana du cheval, mais ses jambes refusent de la porter. Serrée dans ses bras, Hana est envahie par la peur en sentant son parfum familier. Le reconnaître à ses signes distinctifs la dégoûte, mais elle ne peut s'empêcher d'identifier l'odeur du tabac et de la sueur, de l'herbe, du sel et de la pluie. Elle détourne la tête et se force à respirer par la bouche.

« Nous avançons à un bon rythme », déclare-t-il.

Hana ne répond pas. Elle voudrait en savoir plus, savoir où ils se dirigent – vers une ville, un camp ou une nouvelle base militaire ? – et ce qu'il se passera une fois qu'ils seront arrivés à destination. Ses jambes ont retrouvé leur vigueur et, à présent capable de tenir debout toute seule, elle s'écarte d'un pas, respirant à pleins poumons l'air de fin d'après-midi pour chasser l'odeur de Morimoto. Puis elle pose le front contre le cou épais du cheval. La bête gratte le sol du pied, mais ne la repousse pas. Hana aimerait pouvoir rester appuyée sur elle à jamais.

« Tiens », dit alors Morimoto en la tournant vers lui.

Il lui tend une pomme. Hana la regarde sans réagir comme si elle n'était que le produit de son imagination. Sa peau rouge sang contraste avec le gris de la steppe.

« Prends », lui ordonne-t-il.

Lentement, Hana tend son bras valide vers la pomme. Lorsque ses doigts entrent en contact avec le fruit, elle comprend qu'il ne s'agit pas d'une hallucination et le lui arrache des mains pour le dévorer tout entier, même le trognon. Morimoto l'observe d'un air gourmand, mais Hana s'en moque. Il ne peut lui infliger pire que ce qu'il lui a déjà fait subir. Hana se lèche les lèvres et les doigts. Puis elle suit la main de Morimoto du regard tandis qu'il la plonge dans la poche de son manteau. Comme par magie, une deuxième pomme bien rouge apparaît sous ses yeux. Hana ne la quitte pas du regard alors que Morimoto croque dedans. Elle se met à saliver, mais tant pis. Plutôt que de s'en préoccuper, elle le regarde mordre une deuxième fois dans le fruit.

Elle fait un pas vers lui. Morimoto refrène un sourire. Hana se penche, ses lèvres maintenant toutes proches de la pomme, mais, lentement, Morimoto l'éloigne pour la porter de nouveau à sa bouche. Hana suit son mouvement jusqu'à ce que ses lèvres touchent celles du soldat. Morimoto l'embrasse. Sa langue se tortille dans sa bouche. Hana le laisse faire, mais son regard ne quitte jamais la pomme, pas même une seconde.

Sa main se referme dessus. Au départ, Morimoto résiste. Hana se fige et le laisse continuer de l'embrasser, ses yeux grands ouverts toujours rivés sur le fruit. Lorsque Morimoto finit par s'écarter, un sourire flotte sur ses lèvres. Il lâche alors le fruit. Hana se retourne face au cheval et, les épaules voûtées, dévore la moitié de la pomme. Morimoto est en train de soulever sa robe alors qu'elle avale le dernier morceau. Elle pose le front contre la crinière noire du cheval tandis que ses mains commencent à la toucher.

Morimoto lui embrasse le cou avant de se coller à elle par-derrière, en la poussant contre le cheval. Hana écoute sa respiration et la sienne s'élever tour à tour, écoute la pluie qui tambourine autour d'eux. Elle entend le vent qui chasse les nuages. Morimoto la serre si fort qu'Hana se demande s'il ne cherche pas à la broyer jusqu'à ce qu'il ne reste plus rien d'elle, juste un souvenir qui continuera de vivre en lui – lui, la dernière personne sur terre qui l'aura vue vivante.

Son cœur tressaille. Hana est en train d'étouffer, mais il bat toujours avec vigueur contre les bras de Morimoto. Elle prend une longue inspiration par la bouche et sa poitrine se gonfle malgré ces bras qui l'enserrent.

Un rayon de soleil se met à briller dans le ciel dégagé, révélant un îlot de verdure au loin. Morimoto finit par la relâcher. Hana peut enfin respirer. Avec le soleil, le goût de l'air a changé, plus chaud, plus frais. La douleur qui palpite encore dans son épaule lui rappelle qu'elle est toujours en vie, que son corps, petit à petit, guérit. Elle jure tout bas que le visage de Morimoto ne sera pas le dernier qu'elle verra.

Morimoto la soulève pour la refaire remonter en selle. À sa grande surprise, il monte ensuite derrière elle, collé contre son dos. Hana tente d'ignorer son corps pressé contre le sien, cette proximité, mais lorsqu'il commence à siffloter, entonnant le même air qu'elle entendait souvent à travers les barreaux de sa lucarne lorsqu'il finissait son service au bordel, elle ne peut tenir plus longtemps. Elle se penche alors vers le cou du cheval et s'accroche à lui, sa crinière serrée dans ses poings. Son épaule la lance, mais elle préfère rester ainsi. La douleur est même la bienvenue : elle hurle dans sa tête et bloque les notes de cet air affreux.

Emi

Séoul, décembre 2011

Emi se réveille au son d'un écho, celui de la voix de la fille. Elle frissonne et parcourt la pièce du regard – une chambre stérile. Le bip d'un moniteur cardiaque résonne à côté d'elle. Elle tend une main vers lui, mais s'aperçoit qu'une sorte de petite pince est accrochée au bout de son doigt, reliée à un tuyau dont elle ne peut voir l'extrémité. De son autre main, elle se touche le front et, lentement, les souvenirs de la manifestation remontent. Un essaim de visages inconnus bourdonne dans sa tête, et tout s'éclaire soudain.

La statue lui revient en mémoire. Son visage de bronze, le visage d'Hana, qui brille de reflets moirés comme de l'or sous un soleil. Emi se redresse et le moniteur s'affole. C'est alors qu'elle aperçoit son fils, endormi dans un fauteuil de l'autre côté de la chambre. Le bip de la machine ralentit et revient à la normale tandis qu'elle l'appelle.

« Tu es réveillée », lui dit-il avant de tousser.

Emi lui sourit alors qu'il vient s'asseoir à son chevet.

« Je dois y retourner, dit-elle.

— Y retourner ? répète-t-il. Mais où ça ? Chez toi ? Parce que je préfère te prévenir, tu n'es pas en état de prendre l'avion. Le médecin a dit que… »

Mais Emi lui coupe la parole.

« Non, à la manifestation.

— La manifestation est terminée, Maman. Cela fait deux jours que tu es à l'hôpital. »

Cette nouvelle est un choc. Le cœur d'Emi manque un battement et son fils se tourne vers le moniteur, l'air inquiet. Il tapote sur l'écran, mais le rythme est de nouveau régulier. Puis il se retourne vers elle d'un air hésitant. On dirait un enfant qui se demande ce qu'il doit faire.

« Maman, tu ne vas pas bien. Le médecin a dit que ton cœur en avait pris un coup. Il faut que tu restes encore quelques jours à cause… à cause de tes problèmes. » Il lui caresse le bras, faute de savoir quoi faire de ses mains. « Je vais aller chercher YoonHui. Elle t'expliquera tout ça mieux que moi. Elle est sortie boire un café. »

Là-dessus, son fils se lève sans la quitter des yeux, comme pour lui demander la permission d'y aller. Puis il lui caresse de nouveau le bras et lui dit d'un ton rassurant « Je reviens tout de suite », avant de passer une main dans ses cheveux gris et clairsemés et de se diriger vers la sortie.

La porte claque légèrement et Emi se retrouve seule. *Hana.* Il faut qu'elle la revoie. Cela fait deux jours qu'elle se trouve ici, a dit Hyoung. La statue sera-t-elle encore là ? Emi ne parvient pas à se souvenir si cette pièce devait faire l'objet d'une exposition permanente ou temporaire. Quoi qu'il en soit, il doit quand même être possible de la voir pendant quelques jours au moins, mais le temps presse. Depuis son départ, le temps n'a pas joué en sa faveur ; son réveil dans cette chambre d'hôpital en est une nouvelle preuve.

Lorsque le médecin de son village lui avait annoncé que son cœur fonctionnait mal et qu'elle n'avait plus que quelques mois à vivre, Emi lui avait ri au nez. On mourait tous d'un arrêt du cœur ! Mais très vite, son amertume s'était transformée en désespoir. Elle devait partir à la recherche de sa sœur, juste une dernière fois, même si elle n'avait jamais vraiment cru qu'elle finirait par la trouver. Pourtant, voilà qui est chose faite ; Hana est là et attend qu'Emi vienne la retrouver.

Emi se débarrasse de sa couverture. En dessous, ses jambes sont nues. Elle ne porte rien d'autre qu'une blouse d'hôpital. Elle retire la pince accrochée à son doigt, mais, aussitôt, une alarme stridente se déclenche sur le moniteur. Emi tente d'appuyer sur les commandes de la machine pour la faire taire. Puis elle tourne un bouton et, enfin, le bruit s'arrête.

Descendant du lit avec prudence, elle se met en quête de ses vêtements. Elle les trouve dans la salle de bains attenante à la chambre, soigneusement pliés près du lavabo – une attention de sa fille. Elle s'habille aussi vite que son corps le lui permet, mais impossible de retrouver son sac à main. Emi parcourt le placard, les tiroirs et regarde même sous le lit, mais il n'est nulle part. Elle ne peut pas partir sans.

Dans le couloir, une équipe médicale passe devant elle en courant. Lane se tient dans la salle d'attente, debout devant la fenêtre, face au ciel gris. Il s'est remis à neiger. Emi marche jusqu'à elle.

« Mère, vous êtes réveillée, lui dit Lane. Mais que faites-vous ici ?

— Où est mon sac à main ? répond Emi en prenant soin de donner l'impression d'être calme et d'avoir toute sa tête.

— Votre sac à main ? répète Lane comme si elle entendait ce mot pour la première fois.

— J'en ai besoin pour retourner là-bas, explique Emi.

— Attendez, Mère, vous n'êtes pas bien. Tenez, mettez-vous là, lui dit Lane en l'aidant à s'asseoir. C'est moi qui ai votre sac à main. Il est ici », ajoute-t-elle en fouillant dans un tas de manteaux posé sur la chaise voisine.

Elle en retire le sac d'Emi et le lui rend.

Les mains sur la poitrine, Emi sent une vague de soulagement l'envahir. Elle lève les yeux vers Lane en se demandant comment lui expliquer son plan. Voyant passer une infirmière, elle se redresse aussitôt sur sa chaise, comme si se tenir droit était signe de bonne santé. Une fois l'infirmière partie, Emi se penche vers Lane.

« Il faut que je retourne voir la statue. Mes enfants ne pourront pas comprendre, mais peut-être que toi, oui. »

Lane semble sceptique, mais se penche à son tour pour l'écouter.

« Il ne me reste plus beaucoup de temps, lui confie alors Emi. Je sais depuis un moment que j'ai des problèmes de cœur. »

Elle lance un regard lourd de sens à Lane, qui met quelques secondes à comprendre. Sa main se lève alors vers sa bouche. Emi hoche la tête.

« Depuis combien de temps le savez-vous ? demande Lane en posant la main sur l'avant-bras d'Emi.

— Ça n'a pas d'importance. Ce qui compte, c'est ce dernier voyage à Séoul, répond-elle. C'est ma dernière chance de la trouver.

— Mais bien sûr que c'est important ! s'écrie presque Lane, puis elle regarde aussitôt derrière Emi pour vérifier où se trouve YoonHui. Vous devez le dire à vos enfants. Combien de temps vous reste-t-il ? »

Alors qu'une série de phrases et de questions lui échappe, Lane s'arrête tout d'un coup pour fixer Emi du regard. Elle lui dit :

« Vous ne pouvez pas mourir. Pas maintenant. Votre fille a besoin de vous.

— Ma fille est une grande personne. Elle est à l'abri et a réussi sa vie, répond Emi avant de toucher l'épaule de Lane. Et puis, elle t'a, toi. »

Lane semble décontenancée par ces mots. Emi poursuit :

« Il faut que je finisse ce que je suis venue faire ici.

— Et de quoi s'agit-il, exactement ? demande Lane en prenant la main d'Emi entre les siennes.

— Il faut que je revoie ma sœur. »

Silence. Lane détourne la tête et regarde par la fenêtre. Le ciel blanc projette des ombres sur son visage pâle.

« YoonHui ne comprendra jamais, finit-elle par dire.

— Je sais, répond Emi. Mais je dois sortir d'ici avant qu'elle ne m'arrête.

— Pas question, répond Lane en relâchant sa main. Elle ne comprendra pas pourquoi vous ne lui avez jamais parlé de votre sœur. » Elle lui lance un regard accusateur. « Cela fait trois ans que vous venez assister aux Manifestations du mercredi. Vous nous avez menti à YoonHui et à moi… Vous auriez dû nous dire que vous étiez à la recherche de votre sœur. »

Emi baisse les yeux vers le sol en lino. Elle n'a pas le temps de discuter, ni avec Lane, ni avec sa fille et son fils. La peur de rester bloquée dans cet hôpital la submerge. Si sa maladie s'aggrave, elle n'en sortira pas.

« Ma sœur est un secret que je garde depuis si longtemps. Je ne savais pas comment dire la vérité à YoonHui. Je ne savais pas comment dire la vérité aux gens.

— Nous étions prêtes à tout entendre sur votre famille et votre passé, tout. Je sais que YoonHui aurait compris. Surtout une chose pareille. Elle aurait pu vous aider à la chercher. »

Emi reste silencieuse. Son regard est braqué sur ses mains, toujours fermement agrippées à son sac.

« Je ne suis pas sûre que tu aies raison, dit-elle en toute honnêteté.

— J'ai raison. Je la connais. »

Ses cheveux poivre et sel sont rassemblés en une queue de cheval lâche. Plusieurs frisottis dressés sur sa tête forment autour de son visage comme une crinière de lion. Emi considère cette femme au tempérament bien trempé qui semble mieux connaître sa fille qu'Emi ne la connaîtra jamais. Peut-être n'avait-elle jamais pu dire à ses enfants ce qui était arrivé à leur tante, car elle-même refusait d'accepter la vérité. Elle-même refusait d'accepter que son silence sur la plage, ce jour-là, avait condamné sa sœur à devenir une esclave sexuelle. Au départ, c'était la culpabilité qui l'avait empêchée de parler. Mais après tant d'années, la vérité était devenue impossible à révéler. Emi s'affaisse sur sa chaise et une douleur lancinante se réveille dans sa poitrine.

« Je n'ai pas le temps de tout expliquer, pas maintenant, dit-elle. Mais je te promets de le faire. Dis à YoonHui que je lui expliquerai tout quand je reviendrai.

— Faites-le vous-même », répond Lane en désignant le bureau des infirmières.

À l'intérieur, YoonHui est en train de s'énerver contre la femme assise derrière le bureau d'accueil, lui criant que sa mère a disparu. Emi regarde la scène comme à travers un écran de télévision. À chaque phrase, la voix de sa fille monte d'un ton. Puis celle de son fils, rauque, l'interrompt, et Emi comprend qu'elle ne peut pas partir tout de suite. Il lui faudra d'abord convaincre ses enfants de la laisser sortir, comme une petite fille qui demande la permission.

Hana

Mongolie, été 1943

L'orage se dissipe pour laisser place à un ciel bleu comme un lac suspendu au-dessus de leur tête. Hana retient sa respiration. Elle s'imagine sombrer au fond de l'océan. Le rythme sourd des sabots sur la terre résonne dans ses oreilles comme les battements d'un cœur. Les yeux fermés, le souffle coupé, elle se croirait ailleurs. Voilà deux nuits qu'ils voyagent ; le cheval ralentit, mais ne s'arrête jamais. Tour à tour, Morimoto monte sur son dos et marche devant pour que l'animal se repose. Ils se sont arrêtés boire à une rivière, mais cette pause remonte déjà à un jour. Son épaule la fait toujours souffrir. Le temps semble figé.

Le soleil commence déjà à décliner en cette fin d'après-midi. Hana n'en peut plus d'être assise sur la selle et son visage tuméfié ainsi que ses plaies à vif sous les pieds ne font qu'accentuer son calvaire, même si le fait de pouvoir s'absorber dans ses pensées lui offre quelques moments de répit. Elle n'a alors plus mal. Son corps glisse à travers l'océan. Ses jambes s'agitent avec force au milieu des courants – une force grâce à laquelle, autrefois, elle contribuait à nourrir sa famille. Elle est à des kilomètres sous les flots bleus quand le cheval s'ébroue. Elle ouvre les yeux et aperçoit du mouvement à l'horizon, puis une habitation.

Elle ne quitte pas du regard la maison qui grossit à mesure qu'ils approchent. Au départ, ce n'est qu'un point ovale au loin, mais qui petit à petit se transforme en une structure surmontée d'un toit circulaire, en toile tendue. Ils sont arrivés en Mongolie, annonce Morimoto. Un petit groupe d'hommes les salue. Ils sont au nombre de quatre, tous vêtus de manteaux de couleur vive. Un chien qui ressemble à un loup leur tourne autour en aboyant. Hana met quelques secondes à s'apercevoir qu'il est attaché à un piquet planté dans le sol. La grosse bête grogne au passage du cheval. L'un des hommes lui envoie un coup de pied en criant, et le chien se couche, gueule ouverte, langue pendante. Les hommes accueillent le tortionnaire d'Hana comme un vieil ami. Personne n'a le moindre regard pour elle. Un jeune homme, sans doute proche de son âge, attrape les rênes et attend que Morimoto aide Hana à descendre. Puis il conduit le cheval jusqu'à un enclos qui abrite déjà quelques poneys et une vache.

Maintenant qu'elle est à terre, Hana sent leur regard sur elle, cette fille brisée vêtue d'une robe en lambeaux, au visage tuméfié, au bras retenu par une écharpe. La main de Morimoto se pose sur sa taille tandis qu'il parle aux nomades dans leur langue, et les hommes acquiescent. Sans doute est-il en train de la vendre ou, pire, de la mettre à leur disposition le temps de leur passage sur le camp. Baissant les yeux vers les bandelettes de peau tachées de sang enroulées sur ses pieds, Hana se sent impuissante et humiliée.

Une fois son discours terminé, Morimoto la pousse vers l'une des tentes circulaires, appelée *ger* ou yourte, comme elle l'apprendra plus tard. Un rideau servant de porte s'ouvre à leur approche. À l'intérieur, une femme les accueille. Au lieu d'entrer, Morimoto hoche la tête en regardant la femme, puis laisse retomber le lourd rideau sans un seul mot pour Hana. Cette attitude est comme une claque en pleine figure. Un sentiment d'abandon l'envahit.

Son attention se tourne vers la femme mongole. Son visage est rouge et sa peau sillonnée de rides, sans doute dues au soleil plutôt qu'à l'âge. Elle ne doit pas être plus vieille que sa mère. Lorsque l'inconnue pose une main sur le bras invalide d'Hana, la douceur de sa peau la surprend. Les doigts ne sont pas calleux, la paume n'est pas rugueuse ; cette femme doit être douce à l'intérieur aussi, se dit Hana. Elle se laisse conduire plus avant dans la yourte et accepte de s'asseoir sur un coussin en soie posé à même le sol et de se faire déshabiller, puis laver avec un linge. La femme commence par son visage, puis descend vers son corps pour finir par ses pieds. Une fois sa toilette terminée, elle l'aide à enfiler un manteau mauve foncé brodé de soie aux manches longues et larges, qui lui descend en dessous des genoux.

Hana se concentre uniquement sur ses sensations, sur les mains de cette femme sur sa peau, sur le peigne en os qui glisse dans ses cheveux. Il n'y a pas d'autre bruit que la respiration de l'inconnue, celui du vent qui s'abat sur la yourte et du feu qui crépite dans un poêle en forme de marmite au centre de cet espace rond, au toit en toile tendue. La pénombre et le calme lui donnent l'impression d'être retournée dans le ventre chaud et rassurant de sa mère, et Hana ferme les yeux, soulagée de se sentir en sécurité pour la première fois depuis son enlèvement. Elle se demande si Morimoto savait qu'elle serait traitée de la sorte, mais le simple fait de penser à lui perturbe sa sérénité. Elle le chasse de son esprit et ne pense plus qu'à l'instant présent. Elle s'imprègne de cette quiétude, tout doucement.

La femme finit par dire quelque chose et Hana sursaute, brusquement tirée de sa torpeur. Elle ne comprend pas un mot. La femme porte un manteau semblable au sien, tant par sa coupe que sa couleur. Sans doute lui a-t-elle prêté l'un de ses vêtements, songe Hana. Prenant entre ses doigts le manteau délicat, elle incline la tête pour la remercier. La femme sourit. Ses dents sont blanches et droites à l'exception d'une canine, mais cette petite imperfection la rend encore plus belle.

La femme s'éloigne pour aller tisonner le feu. De la fumée s'élève des braises, absorbée par un conduit en métal relié à un grand trou découpé au sommet du toit. La femme lève une main vers sa bouche en regardant Hana, tout en lui disant quelque chose dans sa langue. Hana hoche la tête. L'étrangère ouvre alors un gros coffre en cuir posé près d'un petit autel dans le fond de la yourte. À l'intérieur, Hana aperçoit de la nourriture empaquetée dans de la peau de bête et du tissu, ou rangée dans des paniers. La femme lui tend un panier, et Hana soulève le couvercle.

Elle y découvre de la viande séchée et incline de nouveau la tête en signe de remerciement. Morte de faim, elle se rue sur les morceaux de viande. Le sel lui pique la langue. L'eau à la bouche, elle regarde la femme couper plusieurs bouts de pain dans une grosse miche irrégulière avant de les placer dans le panier d'Hana. Puis la femme hoche la tête, se lève, enfile une paire de bottes en daim et disparaît derrière le rideau en grosse laine et en peau.

Un bout de pain à la main, Hana se lève à son tour et s'avance jusqu'à la porte. Tout en continuant de manger, elle pose une main sur le rideau qui la sépare des hommes. On entend dehors le chien qui aboie, les rires des hommes et le vent qui siffle. Plus loin, le cheval s'ébroue ; derrière son rideau, Hana pourrait précisément dire où tout le monde se trouve. Une envie soudaine de le soulever et de se glisser dehors s'empare d'elle, lui picote le bout des doigts.

Quelques minutes s'écoulent, mais personne ne revient dans la yourte. Hana reste près de l'entrée, réprimant sa curiosité, avant de finir par faire demi-tour et se rasseoir sur le coussin en soie pour terminer sa viande séchée. Une fois son petit panier vidé, la femme revient. Hana profite de son arrivée pour jeter un coup d'œil par l'ouverture du rideau. Le cheval noir qui les a amenés jusqu'ici est enfermé dans l'enclos triangulaire. Morimoto est assis sur la selle. Hana remarque un ballot attaché derrière lui. Il compte donc l'abandonner ici. L'espace d'une seconde, leurs regards se croisent, puis le rideau retombe et, de nouveau, Hana se retrouve seule avec l'étrangère au milieu de ce cercle d'ombre et de lumière, à l'abri du froid.

Les poils sur sa peau se hérissent délicieusement et des ondes de chaleur remontent jusqu'à ses oreilles. Morimoto a dû la vendre. Faut-il en être soulagée ou craindre le pire ? Hana l'ignore. Au moins, la femme semble gentille. Ses mains douces et bienveillantes donnent à Hana l'espoir que les Mongols la libéreront une fois qu'ils comprendront que les soldats japonais l'ont enlevée à sa famille.

La femme lui apporte un bol d'eau fraîche. Hana la laisse couler dans sa gorge et lui remplir l'estomac en faisant gonfler le pain et la viande salée, jusqu'à se sentir repue pour la première fois depuis des mois. À son grand soulagement, elle entend les sabots du cheval qui s'éloignent. Elle imagine Morimoto disparaître dans la plaine au galop, à jamais.

Ses paupières sont lourdes, et bien que son épaule la fasse encore souffrir, elle ressent le besoin de s'allonger et de dormir tout son saoul. Comme si elle lisait dans ses pensées, la femme apporte une fourrure et lui fait signe de s'étendre dessus. Après tant de nuits enfermée au bordel dans son cachot, et trois autres, si ce n'est plus, passées sur le dos d'un cheval, sentir ces poils soyeux est une chose divine. Hana promène sa main dans la fourrure et l'y enfonce. La femme dépose sur elle une couverture artisanale tissée ; Hana parvient à peine à garder les yeux ouverts. Installée non loin de là, la femme se met alors à fredonner en s'affairant devant un métier à tisser. Le frou-frou de son manteau qui se soulève sous ses mouvements plonge Hana dans un sommeil profond.

Dans son rêve, elle flotte dans l'eau chaude d'une piscine naturelle entourée de rochers noirs, près du rivage. L'eau n'est pas très profonde, et la chaleur du soleil accumulée pendant l'après-midi se diffuse à travers son corps. Elle la sent se répandre sur ses joues et entend les cris des mouettes au-dessus de sa tête ;

un lion de mer aboie quelque part. Elle se dit à cet instant qu'elle devrait ouvrir les yeux et vérifier où se trouve sa mère, mais malgré tous ses efforts, ses paupières refusent de se décoller. Elle continue à flotter dans les ténèbres, sous ce soleil radieux.

*

Il fait nuit quand elle se réveille. La respiration rauque des Mongols endormis emplit l'air chaud. Ses yeux s'acclimatent à l'obscurité où luisent encore quelques braises rouges. Malgré la douceur de cette nuit d'automne, les Mongols gardent le feu en vie, même au minimum. Lentement, Hana lève la tête et découvre trois silhouettes couchées à quelques mètres d'elle.

La première est celle de la femme. Une autre silhouette noire se trouve à sa gauche, une silhouette d'homme, même si, dans le noir, Hana ne parvient pas à distinguer son visage. Une autre personne est couchée à côté, pas plus grande que la femme. Sans doute s'agit-il du garçon qui a emmené le cheval à leur arrivée. Les deux autres hommes semblent absents. Rassurée, Hana se rallonge et s'installe sous sa couverture, confortablement.

Le sommeil ne vient pas. Elle écoute les bruits autour d'elle. Il y a les ronflements sourds et réguliers de l'homme, les longues expirations de la femme qui s'achèvent par un soupir doux, et le garçon qui ne cesse de s'agiter comme s'il faisait un mauvais rêve. Dehors, le vent s'est calmé. Même le chien semble s'être endormi, mais les poneys continuent de marteler la terre avec leurs sabots, de temps à autre, et ce bruit rappelle à Hana le voyage qui l'a menée ici. Où a bien pu partir Morimoto, se demande-t-elle, et que lui arrivera-t-il quand le jour sera levé ?

Hana, reviens… La voix de sa sœur paraît toute proche, comme si elle se tenait à l'entrée de la yourte. Hana se redresse et tend l'oreille, mais rien. Rien, hormis les ronflements, les respirations et le feu qui crépite de temps en temps. De crainte d'avoir imaginé la voix, Hana hésite longuement à sortir vérifier. Elle s'apprête même à se recoucher lorsque le cri d'une chouette résonne dans le ciel, au-dessus de la yourte, et lui donne le courage de se faufiler par le rideau.

Dehors, les étoiles brillent si fort qu'il fait plus clair qu'à l'intérieur. Des milliers de petits points blancs illuminent la voûte noire. Hana tombe à genoux. Après le calme des moments passés auprès de l'étrangère, puis ce sommeil bienfaisant, la beauté de cette nuit la submerge d'émotion. Les yeux grands ouverts, elle reste ébahie sous le ciel criblé d'étoiles.

Les grognements du chien interrompent sa rêverie. Elle tourne la tête dans sa direction et voit bouger la silhouette noire du bâtard qui se dresse sur ses pattes, à quelques mètres de là. Son ombre s'étire sur la plaine éclairée par les étoiles, puis il pousse un nouveau grognement, à peine audible, comme un avertissement. Hana admire une dernière fois la splendeur du ciel avant de faire demi-tour pour se glisser dans la yourte. Elle rejoint discrètement son matelas de fourrure et se réfugie sous la douce couverture tissée. La femme se retourne, les ronflements de l'homme ont cessé et le garçon, quant à lui, est maintenant immobile. Tous les trois sont réveillés, mais personne ne dit mot. Puis, après un long moment, la tension finit par se dissiper. Les trois silhouettes demeurent baignées par le halo rouge des braises qui crépitent. Hana voit encore les étoiles briller dans le ciel noir. Le visage tourné vers le trou par lequel s'échappe la fumée du poêle, au-dessus d'elle, elle en aperçoit une, puis une autre, comme deux yeux blancs qui veillent sur elle.

*

L'étrangère réveille Hana en lui pressant doucement la main. Hana bondit, le cœur battant. La femme lui sourit et lui touche tendrement la joue. Puis elle tend à Hana une paire de bottes en daim et lui fait signe de les enfiler pour la suivre dehors.

Le soleil est à peine levé. Plus aucune étoile ne brille dans le ciel mauve. Le chien grogne lorsque Hana émerge de la yourte, mais la femme le fait taire d'un geste de la main. L'animal se couche. Sa queue continue de battre le sol. Toujours attaché au piquet, il se tient le plus près possible de la yourte. La femme passe alors un bras autour d'Hana, puis, prenant sa main entre les siennes, l'emmène vers le chien. Effrayée, Hana recule par réflexe, mais la femme la regarde dans les yeux et secoue la tête d'un air rassurant. Hana accepte de la suivre.

En approchant du chien, la femme commence à lui parler doucement. Le bâtard semble réagir positivement, comme si tous les deux communiquaient, la femme avec des mots et l'animal par des jappements et de petits aboiements. Lorsque Hana et la femme se trouvent suffisamment près pour pouvoir le toucher, le chien laisse échapper un long grognement d'avertissement, le même que la veille. Hana hésite, mais la femme insiste et lui pose doucement la main sur son museau. Sans le quitter des yeux, Hana reste sur ses gardes, craignant qu'il ne lui attrape la main et ne l'arrache à tout moment.

Son pelage gris dressé en l'air ressemble aux poils d'un chat en colère. Il lui renifle la main et éternue trois fois, comme allergique à son odeur. En voyant sa réaction, la femme lui dit quelque chose. Puis le chien laisse échapper un long gémissement triste. Hana se demande si ce bâtard pourrait réellement avoir du sang de loup. Ses yeux jaunes restent braqués sur elle, mais il baisse la tête et la pose par terre.

Lâchant la main d'Hana, la femme l'encourage à caresser le chien, comme elle. Tandis que ses doigts se promènent dans son épaisse fourrure, l'étrangère continue de lui susurrer des mots étranges. Tout doucement, Hana se penche, prête à toucher le front du chien. En l'effleurant simplement, peut-être aura-t-elle le temps de retirer sa main avant que ses dents ne se plantent dedans.

De longues minutes semblent s'écouler avant que ses doigts n'entrent en contact avec le pelage de l'animal. Hana s'arrête pour lui laisser le temps de décider s'il l'autorise à continuer, mais voyant qu'il ne proteste pas, elle lui donne une longue caresse sur l'échine. Après une deuxième tentative, le chien se retrouve gueule béante, puis roule sur le dos, révélant le doux pelage de son bas-ventre. De nouveau, la femme encourage Hana à continuer, et Hana s'exécute, à présent heureuse de sentir sous sa main ces poils duveteux. Sans même le vouloir, elle se retrouve à son tour à parler tout doucement au chien, quelques instants plus tard.

« Comme tu es beau, lui murmure-t-elle en lui grattant le ventre. S'il te plaît, souviens-toi de ce moment où toi et moi sommes devenus amis. »

Hana et l'étrangère s'attardent quelques minutes encore. Lorsque le chien se met à lui lécher la main, la femme fait signe de se lever. La rencontre a fonctionné ; l'heure est à présent venue de poursuivre la journée. Hana suit la femme vers la yourte. Mais une fois en chemin, elle s'arrête net, stupéfaite par le spectacle qui s'offre à elle : à l'horizon, derrière les plaines ondoyantes, des montagnes bleues se dressent dans le ciel du matin. Cette vision magique la laisse sans voix. La femme lui fait signe de lui emboîter le pas jusqu'au petit enclos. Hana ne parvient toujours pas à comprendre comment elle n'avait pu voir ces montagnes, la veille.

Lorsque le portail s'ouvre, la vache aux poils hirsutes et aux mamelles gonflées lève la tête. Les quatre poneys, courts sur pattes et râblés, chacun de couleur différente, les regardent d'un air alarmé. Une autre yourte, plus petite que la première, se trouve derrière l'enclos, avec trois chameaux attachés à un piquet à côté de l'entrée. Voilà sans doute l'endroit où dorment les deux autres hommes. Peut-être ne font-ils pas partie de la même famille, songe Hana, tout en attrapant le seau en métal que la femme lui tend. Puis elles s'avancent dans l'enclos, en direction de la vache.

Malgré ses beuglements, l'animal ne rechigne pas à se faire traire. Hana s'efforce de ne pas penser au jarret du bœuf qu'elle avait arraché après son évasion. Elle se concentre sur la femme agenouillée et observe ses gestes. Une fois le seau presque plein, cette dernière se lève et fait signe à Hana d'essayer.

Assise dans la même position que la femme, Hana place son seau sous la mamelle et attrape deux pis. Sa douleur à l'épaule se ravive, mais elle persiste. Comme les premières tentatives ne donnent rien, la femme lui montre la technique en pressant doucement le pis, plus haut, avant de glisser vers le bas jusqu'à ce que le lait jaillisse. La femme attend qu'Hana ait réussi plusieurs fois avant de ramasser son seau et de sortir de l'enclos pour se diriger vers la yourte, la laissant terminer sa tâche seule.

Hana peine au départ, et se demande même si le lait ne s'est pas tari, mais après un nouvel essai avec deux autres pis, elle parvient à remplir son seau, lentement mais sûrement. Elle essuie son front en sueur avant de soulever le récipient bien plein. Son épaule l'élance à cause du poids. Elle la masse tout en contemplant le paysage que le jour éclaire petit à petit, fascinée par ces herbes vertes à perte de vue. De grosses ombres dérivent lentement sur la plaine tandis que des nuages passent dans le ciel. On croirait voir la mer – la mer du Sud, imagine-t-elle.

Une bourrasque lui envoie une mèche de cheveux dans les yeux. Hana est en train de la ramener derrière son oreille lorsqu'elle perçoit un mouvement sur sa droite. La vache s'écarte. Hana se retourne, le cœur battant, craignant que le chien ait tout à coup décidé de lui sauter dessus et de la prendre à la gorge. Mais ce n'est que le garçon, appuyé sur la barrière de l'enclos, le menton posé sur ses bras croisés, qui la regarde en souriant.

Il s'agit bien de celui qui avait emmené le cheval la veille, le même qui dormait également dans la yourte près de la femme. Hana se détourne brusquement et se lève avec son seau. En le portant à deux mains, elle parvient à avancer et quitte l'enclos pour retourner vers la yourte. Son épaule proteste, mais Hana ne laisse rien paraître.

Sans même l'avoir vu arriver, elle trouve tout à coup le garçon à côté d'elle, en train de lui prendre le seau des mains. Elle s'arrête aussitôt et tire sur l'anse pour lui résister. Du lait se renverse par terre. Le garçon retente alors d'attraper le seau, mais Hana l'esquive. Interloqué, l'étranger lui répond par un sourire, puis place ses mains dans son dos. Hana le contourne avec prudence avant de poursuivre son chemin vers la yourte.

Tel un chien curieux, le garçon la suit à distance, comme pour ne pas l'alarmer. Hana ne regarde derrière son épaule qu'une seule fois pour s'assurer qu'il ne l'a pas rattrapée, puis elle se faufile sous le rideau sans se retourner. Ce n'est qu'après avoir versé son lait dans un grand tonneau posé près de l'entrée, comme le lui indique la femme, qu'il les rejoint à l'intérieur pour aller s'asseoir sur son boutis enroulé. En remarquant qu'il les observe, la femme le houspille et le garçon déguerpit aussitôt de la yourte, mais non sans avoir lancé un dernier regard à Hana. Son attitude l'incite à rester sur ses gardes. Elle n'a pas encore vu les autres hommes, mais celui-ci, même jeune, semble vouloir lui mettre la main dessus.

Pendant tout le reste de la journée, Hana fait en sorte de rester à proximité de la femme. Elle la suit partout, comme une petite fille sage. Le reste du travail est plutôt simple : aller chercher de l'eau fraîche dans un ruisseau derrière une petite colline, à l'est du camp ; donner à manger aux poneys, à la vache et aux chameaux ; baratter le lait pour en faire du beurre, du fromage et une boisson fermentée ; réparer et repriser des chaussures, des vêtements et certaines parties de la yourte. La journée s'achève rapidement. Mais à l'approche de la nuit, Hana sent la nervosité la gagner.

Les hommes sont réunis à l'intérieur de la yourte principale. Le repas vient de se terminer ; il ne reste plus rien dans les plats. Assis autour du poêle, les hommes se mettent à chanter tout en dégustant leur breuvage fermenté. Leurs rires semblent danser dans l'atmosphère paisible et, voyant leur bonne humeur, Hana commence à craindre le pire.

Elle se faufile dehors, camouflée par la nuit noire, et s'en va caresser l'un des poneys attachés au piquet près de l'entrée, comme en prévision d'un départ imminent. C'est un poney adulte, mais il n'est pas plus haut qu'un jeune cheval. En le voyant, Hana repense à l'élevage qu'elle avait un jour aperçu de loin, sur son île. Les chevaux de Jeju étaient très prisés des habitants ; Hana se sent proche de cet animal qui lui rappelle sa terre d'origine. Elle lui tend quelques morceaux de poire gardés pendant le repas. Les naseaux humides du poney se promènent sur sa paume avant qu'il n'attrape le premier morceau. Le bruit de ses dents rappelle à Hana celui des carillons en bois que le vent agitait à l'entrée de sa maison. Une vague de nostalgie la submerge.

En lui caressant le dos, ses mains s'arrêtent sur sa drôle de selle en bois. Contrairement au cheval noir de Morimoto, cette espèce, typique de Mongolie, serait suffisamment petite pour qu'Hana puisse grimper dessus sans trop de mal. Un bond, et elle serait sur son dos. Sa main se pose sur le pommeau de la selle. Hana le serre et tâte le vieux bois. Elle pourrait disparaître dans la nuit. Les Mongols ne parviendraient pas à la suivre dans le noir. Elle pourrait y arriver.

Tout à coup, le chien jappe derrière elle. Hana se retourne. Quelqu'un s'est approché de lui et, accroupi, lui caresse la tête. C'est une silhouette longue et fine. Le garçon. Hana s'empresse de retirer ses mains de la selle. A-t-il deviné ses intentions ? Hana entend ses bottes de cuir piétiner l'herbe rare alors qu'il s'approche. Sentant sa présence derrière elle, elle se tourne vers lui.

Elle entend à présent les hommes à l'intérieur de la yourte. Le rideau est entrouvert, retenu par une corde pour laisser passer l'air du soir. Un chant guttural parvient jusqu'à elle. Un faible triangle de lumière éclaire le visage du garçon. Il ne sourit pas. Son visage semble plutôt troublé, nerveux. Il lui fait signe de retourner à l'intérieur. Tournant son regard vers le rideau, Hana regrette de ne pas avoir pris la fuite. Ses pieds sont lourds tandis qu'elle marche vers la yourte, comme si elle s'enfonçait dans du sable mouillé. Les secondes semblent interminables, puis elle finit par se baisser pour se faufiler par le rideau, et pénètre dans le cercle de lumière et de chaleur, sous le grand toit tendu.

Des coussins en soie ont été disposés en demi-cercle autour du poêle. À l'extrémité, l'un d'entre eux est inoccupé, à côté de la femme. Cette dernière fait signe à Hana de venir s'asseoir. Elle contourne avec prudence les hommes assis qui continuent à chanter. La femme jette un coup d'œil vers le garçon en le voyant entrer. Il se laisse tomber sur le coussin le plus proche de l'entrée, partiellement caché par le poêle. Le bleu roi de son manteau brille sous la lumière du feu tandis qu'il se joint au chant des hommes en tapant dans ses mains et en se balançant de gauche à droite, laissant entrevoir par intermittence son visage empli de joie.

Hana écoute ces chants étrangers tout en observant ses nouveaux ravisseurs. Les hommes semblent de plus en plus ivres. Ils se claquent les cuisses, sourient et éclatent de rire en regardant la femme, chargée de leur resservir du breuvage fermenté chaque fois que leur tasse est vide. Lorsque le feu commence à faiblir, Hana se prépare à l'assaut – auquel on ne peut échapper avec des hommes ivres et joyeux, comme elle l'a appris. Ses mains sont raides, posées sur ses genoux, et elle ne se balance pas au rythme de leur chanson. Pas de sourire sur ses lèvres non plus. Son regard reste aiguisé, guettant le moment où ses nouveaux habits seront arrachés, où la puanteur de ces hommes se gravera à jamais dans son esprit. Voilà, après tout, le but de sa présence, la véritable raison pour laquelle Morimoto l'a amenée ici.

Le poney est toujours attaché dehors. Les hommes sont saouls. Hana pourrait se lever et les contourner discrètement pour sortir, en prétextant une envie pressante. Une fois dehors, il lui suffirait de détacher le poney et de l'emmener en silence pour l'enfourcher et partir au galop dans la nuit avant que les Mongols ne s'en aperçoivent. C'est une possibilité, songe-t-elle, mais son regard croise alors celui du garçon, et elle s'aperçoit qu'il n'est pas saoul. Qu'il la surveille. Il entendrait à coup sûr les sabots du poney. Et l'arrêterait.

La dernière flamme s'éteint, remplacée par la lueur des braises. Le visage des hommes est maintenant plongé dans l'obscurité et un lourd silence descend sur le groupe comme des nappes de brume. Les chants se sont arrêtés. Une main lui touche le bras. Inutile de ramper en arrière. *Ça y est*, se dit-elle, mais c'est alors que la main la tire pour l'aider à se mettre debout et la mène à l'écart des hommes qui, à leur tour, commencent à se lever. C'est la main de la femme, qui la conduit à l'endroit où Hana a dormi la veille. Elle étale par terre la grosse fourrure et Hana s'allonge, puis elle attend. À sa grande surprise, les hommes sortent de la yourte. Leurs voix résonnent encore dehors et, l'oreille dressée, Hana se demande lequel viendra le premier et comment l'ordre de passage sera déterminé.

Le poney s'ébroue. Le bruit sourd de ses sabots sur la terre s'élève tandis que quelqu'un l'emmène. Puis ce bruit se transforme en galop, qui bientôt s'éteint. Un homme revient dans la yourte. Il passe à pas feutrés à côté d'Hana pour aller s'agenouiller près de la femme. Son manteau de soie raide bruisse lorsqu'il s'assoit. Puis il se dévêt et s'étend près de la femme, qui lui adresse un murmure indistinct. Alors Hana cesse d'épier.

Les bruits familiers du couple lui rappellent ceux de ses parents. Hana se souvient des moments où elle les entendait faire l'amour en silence, chez eux, pendant qu'elle s'endormait près de sa sœur. Avant son enlèvement, ce qui se passait dans l'intimité de la nuit était un mystère pour elle. Elle s'empêche à présent d'écouter ces bruits qui, présume-t-elle, sont ceux du véritable désir, et peut-être même de l'amour entre un homme et une femme. Ses parents s'aimaient ainsi.

Comme elle, le garçon reste silencieux, mais Hana sait qu'il ne s'est pas endormi. Puis le silence revient, et des ronflements emplissent l'obscurité. Hana ferme les yeux. Le sommeil ne vient pas. Elle ne peut cesser de se demander si Morimoto l'a abandonnée pour de bon ou s'il reviendra.

Emi

Séoul, décembre 2011

Emi est assise sur le rebord de son lit, dans sa petite chambre d'hôpital. Entourée par ses enfants, elle leur raconte l'histoire de l'enlèvement de leur tante, qui n'était à l'époque qu'une jeune fille. Elle leur raconte sa course à la nage pour rejoindre la rive et cacher sa petite sœur sous un éperon rocheux. Les mots se déversent de sa bouche, comme dans une seule longue expiration, sans aucune pause. Lorsqu'elle s'arrête, le silence qui règne n'est rompu que par les reniflements discrets de sa fille.

Son fils parle le premier.

« Dire que nous t'avons cru fille unique, pendant toutes ces années.

— Je sais, je suis désolée. »

Mais il poursuit :

« Et maintenant, tu nous annonces que tu as une sœur qui pourrait encore être en vie ? Et que tu te rends à ces manifestations dans l'espoir de la retrouver ? Mais enfin, qu'est-ce que tu voudrais qu'on pense ?

— Du calme, lui dit Lane d'une voix douce. N'oublie pas que ta mère est mal en point.

— Pourquoi n'avoir jamais rien dit ? »

Ses mots sont pleins de mépris. L'atmosphère se tend dans la chambre. Emi avait oublié ses colères. Son fils commence toujours par les laisser éclater avant de pouvoir réfléchir et faire preuve de compréhension. Elle attend qu'il se calme avant de lui répondre. Un silence pesant s'installe. Sa fille renifle encore plusieurs fois avant de sortir un mouchoir. Le bras de Lane ne quitte pas un instant les épaules de YoonHui. Puis Emi finit par répondre à son fils :

« Je ne voulais pas faire peser ma honte sur vous.

— Ta honte ? s'exclame soudain YoonHui. Maman, il n'y a aucune raison d'avoir honte. »

Elle prend la main de sa mère et la serre.

Incapable de masquer sa colère, son fils ne fait aucun commentaire. Ses oreilles sont toutes rouges.

« Vous ne pouvez pas comprendre, je sais, souffle Emi.

— Maman, murmure YoonHui. Nous ne demandons que ça. Aide-nous à comprendre. »

Emi ne peut pas les regarder. Ses yeux restent rivés sur les petites fleurs jaunes imprimées sur le drap blanc. Elle touche du bout des doigts ces petits points, tous identiques. Ces fleurs lui rappellent des chrysanthèmes jaunes. Sa main s'écarte aussitôt et les motifs se troublent pour se fondre avec le drap blanc. Elle essuie alors ses larmes, et rassemble tout son courage pour dire :

« *Moi*, j'ai honte. »

Chaque mot est plus douloureux que celui qui précède. Son cœur lui fait mal.

« Non, ce sont eux qui doivent avoir honte… ces Japonais, lâche YoonHui d'une voix étranglée, une voix qu'Emi ne lui connaît pas. Ce sont eux qui devraient avoir honte de ce qu'ils ont fait, pas toi. »

Du revers de sa main tremblante, Emi s'essuie les yeux. Puis elle lève la tête vers le plafond et les ferme très fort avant de leur confier son secret le plus noir, le plus profond – un secret qu'elle n'a jamais voulu s'avouer, même en son for intérieur.

« Je suis restée cachée derrière des rochers ce jour-là et je les ai laissés l'emmener à ma place. Elle s'est sacrifiée pour me sauver… et je l'ai laissée faire. C'est pour cette raison que je ne vous en ai jamais parlé… ni à vous ni à personne. Parce que j'avais honte de ma lâcheté. »

La tête d'Emi bascule dans ses mains et ses épaules se voûtent comme si son corps voulait se recroqueviller jusqu'à disparaître. L'effroi qui l'avait saisie ce jour-là ressurgit et se répand dans tout son corps, comme si Emi se trouvait là, accroupie derrière les rochers. Hana avait tenu tête au soldat ; ses mots parvenaient jusqu'aux oreilles d'Emi. Sa sœur avait menti au soldat japonais, puis deux autres hommes étaient arrivés et l'avaient emmenée. Emi entend encore leurs voix s'éteindre tandis qu'ils s'éloignaient pour rejoindre la route. Elle aurait alors pu se lever et regarder discrètement par-dessus l'éperon rocheux sans être vue, mais elle n'avait pas osé. Elle était restée plaquée contre les rochers jusqu'à ce que sa mère accoure.

« Tu es blessée ? Emi, que s'est-il passé ? » Sa voix alarmée n'était pas parvenue à la sortir de son état de choc. « Emi ? » avait répété sa mère, de plus en plus inquiète.

C'est alors qu'Emi avait éclaté en larmes, la poitrine secouée de gros sanglots. La peur de sa mère s'était transformée en panique.

« Emi, où est Hana ?

— Ils l'ont emmenée, avait-elle fini par répondre entre deux hoquets.

— Mais qui donc ?

— Les soldats. »

Emi se souvient de l'horreur qui s'était dessinée sur le visage de sa mère comme si elle la revoyait devant elle. Ses yeux s'étaient écarquillés en deux puits noirs si grands qu'ils semblaient vouloir l'avaler. Sa bouche s'était tordue comme celle d'un enfant et ses lèvres s'étaient mises à trembler, puis un gémissement de douleur que même le vent ne pouvait emporter lui avait échappé. C'est à cet instant que la honte avait envahi la petite Emi, honte de s'être cachée dans le sable, recouverte par les algues, pendant que la première-née de sa mère, sa source de fierté, sa partenaire des mers, tombait aux mains des soldats japonais. Emi n'avait rien fait pour les en empêcher.

« Ta sœur t'a sauvée », souffle doucement YoonHui en libérant le visage enfoui de sa mère. Elle lui caresse la joue. « Et je lui en suis reconnaissante. Maman, je suis reconnaissante que ta sœur… que ma tante… ait choisi de te sauver en partant avec eux. Elle était ta grande sœur, et tu n'étais qu'une enfant. Elle a accompli son devoir et mérite qu'on se souvienne d'elle à ce titre, oui. Mais tu n'as pas à te sentir coupable. Elle ne voudrait pas ça. »

Emi ne peut pas accepter ce discours facile. Elle se revoit, le lendemain matin de l'enlèvement d'Hana. À son réveil, elle s'était assise lentement dans son lit et, en se frottant les yeux, s'était tournée pour réveiller sa sœur. Elle n'avait pas tout de suite compris en voyant les couvertures vides, puis elle s'était écriée :

« Hana ! Où est Hana ! »

Elle avait répété ces mots jusqu'à ce que sa mère se précipite dans sa chambre et l'attrape dans ses bras en la berçant pour la calmer.

Elles étaient restées ainsi, serrées l'une contre l'autre, à se balancer, pétries de douleur. Quand Emi avait levé les yeux vers le visage de sa mère, des larmes silencieuses roulaient sur ses joues lisses.

« Ne pleure pas, Maman, avait-elle dit. Papa la trouvera. Je sais qu'il la trouvera. »

Puis elle s'était levée et avait traversé la maison calme sans vraiment rien voir autour d'elle. Une fois dehors, elle s'était assise sur les marches du perron et avait attendu que son père ramène sa sœur.

L'attente avait été interminable, mais à la nuit tombée, son père n'était toujours pas revenu. Sa mère l'avait rejointe sur le perron, et toutes deux avaient regardé l'horizon s'assombrir sans un mot. Emi avait dû s'endormir, car elle s'était réveillée le lendemain matin, toute seule sous ses couvertures, pour se mettre à hurler de nouveau en appelant Hana. Sa mère s'était précipitée à son chevet et l'avait serrée dans ses bras jusqu'à ce qu'elle s'apaise. Puis, toutes les deux, elles étaient ressorties s'asseoir sur le perron et avaient regardé le soleil tracer sa courbe dans le ciel comme un témoin silencieux, tandis que cette nouvelle journée d'attente s'écoulait.

Plusieurs semaines avaient passé ainsi puis, un jour, en se réveillant, Emi avait su qu'Hana ne serait pas à ses côtés. Elle avait enfoui sa tête sous sa couverture et essayé de se rendormir. Sa mère l'avait trouvée ainsi, plus tard ce matin-là, et lui avait caressé le dos tout doucement en demandant qu'elle se lève.

« Pas tant que Papa ne l'aura pas ramenée, avait protesté Emi sous sa couverture.

— Nous allons manquer de nourriture si nous n'allons pas pêcher aujourd'hui », avait répondu sa mère d'un ton formel, en retirant sa main du dos d'Emi.

Son contact lui avait instantanément manqué, mais Emi avait réprimé l'envie de se retourner.

« Je ne mangerai plus rien jusqu'à ce que Papa soit revenu avec Hana. »

Sa mère n'avait pas répondu tout de suite. Son silence agaçait Emi, mais elle avait pris sur elle et n'avait pas bougé.

« Je dois retourner en mer. Je dois remplir mes responsabilités et rapporter à manger. Nous ne pouvons pas compter éternellement sur la générosité de nos amies.

— Je n'ai pas faim, avait menti Emi alors que son ventre, secoué par des spasmes, gargouillait.

— Eh bien, moi, si. Viens, ma fille, il est temps de retourner travailler, avait dit sa mère en posant sa main dans le bas de son dos.

— Vas-y. Moi, j'attends Papa ici. »

Un lourd silence s'était alors abattu sans qu'Emi comprenne pourquoi. Avait-elle mis sa mère en colère ? Lui avait-elle fait de la peine ? Impossible à dire. Elle avait fini par se retourner pour la regarder. Son expression était indéchiffrable. Emi redoutait sa réaction.

« Je ne peux pas te laisser ici toute seule. C'est trop risqué, avait alors dit sa mère, si bas qu'Emi n'était pas sûre de l'avoir correctement entendue.

— Trop risqué ?

— Les soldats pourraient revenir. »

La vision de ces Japonais sans visage lui avait traversé l'esprit et, aussitôt, elle s'était assise dans son lit.

« Pourquoi reviendraient-ils, Maman ?

— Pour venir chercher les filles qui restent. Toi, et toutes celles qu'ils ont laissées ici. »

En prononçant ces mots, sa mère lui avait touché la joue avec une telle tendresse qu'Emi avait fini par comprendre. Sa mère avait peur de la perdre, elle aussi.

« Ils ne m'attraperont pas, Maman. Je sais que je ne suis pas encore très bonne nageuse, mais je vais le devenir. Comme Hana. Et je pourrai rester près de toi dans la mer. Je sais que je peux y arriver. »

Elle s'était levée et, debout près de sa mère agenouillée, s'était dressée, la tête haute et le dos droit.

« Je sais, ma fille, je sais. »

Le sourire de sa mère n'était pas le même que d'habitude ; ce sourire timide était une chose qu'Emi n'avait jamais vue.

À partir de ce jour, elles avaient marché ensemble jusqu'à la mer.

Un mois plus tard, son père avait fini par rentrer, seul. Son visage émacié disait à lui seul les kilomètres qu'il avait parcourus pour retrouver Hana. Emi n'avait pas demandé pourquoi il avait renoncé. Il ne servait à rien de blesser un homme déjà brisé.

*

Les mains sur le cœur, Emi se souvient de ce premier jour où elle était devenue une haenyeo. La peur de sa mère lui insufflait sa force – une force qu'Emi regrettait de ne pas avoir eue au moment où Hana s'était sacrifiée.

« Tu n'as pas à avoir honte d'avoir fait ce choix, d'avoir voulu survivre, répète YoonHui, tirant Emi de ses pensées. Et tu n'as pas à avoir honte que ta sœur ait fait partie de ces "femmes de réconfort". Tu as traversé tant d'épreuves. Tu mérites d'être heureuse. Arrête de te torturer, et profite au moins du temps qu'il te reste. »

La honte : ce mot pèse sur l'esprit d'Emi. L'entendre prononcé tout haut lui est douloureux. La honte qu'elle ressent est enracinée en elle et n'a rien à voir avec le fait que sa sœur ait été victime de prostitution forcée. Cette honte est si profonde qu'elle fait désormais partie d'elle et ne pourra jamais s'effacer. Sa honte est son han. Honte d'avoir survécu à deux guerres alors que tant d'autres étaient morts et avaient souffert autour d'elle, honte de n'avoir jamais réclamé justice, honte de s'être accrochée à une vie qui n'avait pourtant aucun sens pour elle.

Emi a parfois eu l'impression d'avoir été mise au monde uniquement pour souffrir. Contrairement à la génération actuelle, qui semble trouver légitime de passer sa vie en quête du bonheur, sa génération à elle n'a jamais envisagé le bonheur comme un droit dont chacun devrait jouir. Emi n'avait encore jamais vu les choses ainsi. Mais elle regarde à présent sa fille et sa vie avec Lane. Jusqu'à son fils, qui est heureux à sa façon, même s'il ressemble par bien des aspects à son père, ce policier habitué à agir comme si des ordres lui étaient constamment dictés. Mais cette vie semble lui convenir, et Emi s'en réjouit. Elle n'aurait pas pu espérer mieux, jusqu'à aujourd'hui. L'image de cette fille de bronze la hante. Il faut qu'elle la revoie, juste une fois au moins.

Hana

Mongolie, automne 1943

Pendant une semaine, chaque journée se déroule de la même façon. Hana reste auprès de la femme et, le soir venu, s'endort dans la yourte en se demandant combien de temps encore durera cette routine. Puis, un matin, la main de l'étrangère la réveille. Hana la suit dehors pendant que les autres continuent à dormir. Cette fois, la femme lui tend les deux seaux métalliques avant de lui indiquer l'enclos d'un signe de la tête et de partir. L'heure est venue de se débrouiller seule.

Même si Hana porte à présent un seau dans chaque main, son épaule la fait à peine plus souffrir que d'habitude. Dans la lumière de l'aube qui baigne la plaine, la silhouette de la femme miroite au loin. Les mains en visière, Hana scrute l'horizon, derrière la yourte, mais, aussi loin que porte son regard, elle ne voit rien que l'herbe verte qui s'étend vers les montagnes. Le manteau mauve de la femme – appelé *deel*, comme l'a appris Hana – semble noir, vu de loin.

Hana se tourne lentement et ouvre l'enclos. Elle connaît à présent quelques mots en mongol. « Chien » se dit *nokhoi*. « Cheval », *mori*. Et « avoir faim », *olon*. Elle se répète ces mots afin de pouvoir s'en servir en cas de besoin.

Le chien jappe sur son passage. *Nokhoi*, se dit-elle avant de poser ses seaux pour lui offrir sa main. Le chien la lèche avec entrain, et Hana s'agenouille pour lui gratter le ventre. Il n'est pas attaché aujourd'hui, mais reste à sa place alors qu'il pourrait s'échapper. Ces caresses procurent à Hana un sentiment de chaleur qu'elle n'avait pas ressenti depuis longtemps. Mais elle s'arrête brusquement en s'apercevant qu'elle sourit, puis récupère ses seaux pour se mettre à sa tâche. Le chien roule sur le côté et s'en va en trottant dans la même direction que la femme.

La vache se met à humer l'air au moment où Hana arrive. Les poneys lèvent la tête et pressent leurs doux naseaux contre ses bras.

« Je n'ai rien pour vous maintenant », dit-elle en caressant la crinière du plus petit.

Elle poursuit son chemin pour aller s'asseoir à genoux devant la vache. Derrière elle, des bruits de pas approchent, mais inutile de se retourner : Hana sait de qui il s'agit. Le garçon avait gardé ses distances tant que sa mère veillait, mais son départ semble l'avoir enhardi. Son pas est léger, contrairement aux autres Mongols dont les bottes martèlent le sol comme celles des soldats. Le garçon la salue, mais Hana l'ignore, tout à son travail, comme si traire cette vache était la chose la plus importante au monde. Ses oreilles, cependant, suivent les mouvements du garçon qui l'observe, désormais appuyé sur la clôture à côté d'elle, le menton sur les bras.

« Altan », finit-il par lâcher.

Hana se retourne et le voit, une main sur le torse.

« Altan », répète-t-il en se tapotant la poitrine, avant de la désigner d'un air interrogateur.

Le garçon attend, mais Hana ne veut rien dire. Il répète alors les mêmes gestes, mais elle reste muette.

À la troisième tentative, elle ne peut s'empêcher d'éclater de rire. Elle se couvre la bouche avec sa main, mais malgré cette barrière, et même en appuyant le plus fort possible, d'autres rires lui échappent. Très vite, elle se retrouve à se tenir le ventre, incapable de s'arrêter. Voilà bien longtemps qu'elle n'avait pas ri ainsi. Impossible de se contrôler. Les larmes ruissellent sur ses joues. Le garçon la regarde sans trop savoir comment réagir. Peut-être se sent-il insulté. Il monte sur la barrière et saute par-dessus pour s'approcher. Le fou rire d'Hana s'arrête aussitôt. Elle se lève en s'essuyant les yeux du revers de la main.

Face à face, le garçon et elle font à peu près la même taille. Le garçon la dépasse à peine, la tête légèrement penchée pour la regarder dans les yeux. Hana sait que son visage porte encore les traces des coups de Morimoto et que les marques d'étranglement n'ont pas encore disparu sur son cou, mais elle refuse l'idée que cela puisse donner d'elle une impression de faiblesse. Sa mâchoire se contracte et ses poings se serrent. Si le garçon l'attaque, doit-elle se défendre ? Il n'est certes pas aussi fort qu'un adulte, mais serait sans doute difficile à battre. Tout en le défiant du regard, Hana espère que se dresser devant lui suffira à ce qu'il apprenne à la laisser tranquille.

C'est alors que la main du garçon se lève. Le visage d'Hana se crispe. Puis il presse sa paume contre sa poitrine.

« Altan. »

Un sourire sincère, immense, s'est dessiné sur son visage. Il place la main sur elle, au même endroit, et lève les sourcils. Personne ne lui a jamais posé cette question depuis sa capture. Hana n'est même plus sûre de savoir comment elle s'appelle. Doit-elle utiliser le prénom que les soldats lui ont donné au bordel ou lui révéler le vrai ? Tandis qu'elle réfléchit, elle ne peut ignorer les doigts du garçon sur sa poitrine. Calmement, elle pose sa main sur la sienne pour qu'il la retire. Son bras retombe le long de son corps.

« Hana », finit-elle par dire.

Le garçon répète son prénom plusieurs fois de suite, et Hana éclate de rire.

« Ha-na », dit-elle en insistant sur chaque syllabe pour le corriger.

De nouveau, le garçon le répète avant de pointer son doigt en direction de sa propre poitrine, sans rien dire. Hana sourit.

« Altan », dit-elle.

Il semble content de l'entendre prononcer correctement. Un peu plus loin, les poneys se mettent à gratter le sol. C'est à ce moment-là qu'Hana se rend compte qu'ils ont un public : depuis l'entrée de la petite yourte, l'un des autres Mongols, un jeune homme, les observe avec un sourire malicieux. Hana rougit, mais le garçon adresse un signe au jeune homme, qui secoue la tête avant de sortir et de disparaître derrière sa yourte pour aller faire pipi. Le bruit de son jet d'urine sur la terre sèche embarrasse Hana.

Elle retourne à sa tâche, faisant comprendre par son silence que la conversation est finie. Altan se retire poliment, la laissant seule à l'intérieur de l'enclos. Elle le regarde partir en petites foulées vers la femme. *Ekh*, se corrige Hana. « La mère. »

Les mots sont un pouvoir, lui avait un jour dit son père après lui avoir récité l'un de ses poèmes au message politique. *Plus tu en connaîtras, plus tu auras de pouvoir. C'est pour cette raison que les Japonais ont banni notre langue natale. Ils limitent notre pouvoir en limitant nos mots*. Hana se répète ce nouveau vocabulaire tout en continuant son travail, concentrée sur chaque mot pour accroître son pouvoir.

Une fois ses seaux remplis, elle en attrape un dans chaque main, mais ils sont trop lourds. Elle porte le premier jusqu'à la yourte en prenant soin de ne pas réveiller l'homme qui dort encore près du poêle. Ses ronflements la rassurent. Du moment qu'il dort, Hana n'a pas peur de se retrouver près de lui. Puis elle retourne chercher le second seau, mais à son arrivée, l'enclos est occupé par le jeune homme, qui se trouve près des poneys.

Hana hésite à entrer. Elle l'observe de loin, en train de brosser l'une des bêtes pour retirer les teignes et les épines accrochées à ses poils épais. Il semble en trouver quelques-unes, puis soulève les sabots, un par un, avant de faire le tour de la bête, deux fois, pour terminer l'inspection avant de passer à l'autre poney. Hana reste à l'entrée de l'enclos en attendant que l'homme ait terminé. Ce n'est qu'au bout du troisième poney qu'il remarque sa présence.

Il pousse un grognement, mais Hana ne réagit pas. Il désigne alors le seau posé près de la vache impassible, qui semble attendre sagement le retour d'Hana. Sous le soleil maintenant bien levé, Hana remarque que l'étranger ne doit pas être beaucoup plus âgé que les plus jeunes soldats qui fréquentaient le bordel. Peut-être s'agit-il du grand frère d'Altan. Celui-ci la dépasse largement, d'une tête au moins. Il a les épaules larges et les jambes musclées, épaisses comme des troncs d'arbre. Elle n'aurait aucune chance de le battre.

Ne la voyant pas bouger, il éclate de rire et marmonne quelque chose au poney. Puis il lui tire la queue et l'animal s'en va au trot vers l'entrée de l'enclos. Les deux autres poneys lui emboîtent le pas, et, quelques secondes plus tard, tous les trois se sont élancés dans les champs au galop. Hana s'étonne de les voir ainsi libres. Le quatrième poney, quant à lui, est resté en retrait et regarde Hana d'un air curieux.

Le jeune homme lui dit alors quelque chose. Hana sursaute, surprise par cette soudaine tentative de communication. Mais l'autre éclate de rire et s'avance vers elle. La tête haute, Hana fait mine de l'ignorer. Il s'arrête et, tourné vers elle, sans dire un mot, la regarde dans les yeux. Hana le regarde en retour pour le défier. Puis il sourit. Le tabac a rendu ses dents jaunes. Sa peau est si tannée qu'elle brille. De nouveau, il dit quelque chose en se tapant la poitrine.

« Ganbaatar. »

Puis il sourit, et c'est alors qu'Hana comprend qu'il se moque d'elle après l'avoir vue avec Altan. Les yeux plissés, elle s'abstient de répondre. Le vent se lève et fait tourbillonner les herbes sèches éparpillées dans les champs. Hana se détourne avant de s'en aller d'un pas rapide vers son seau. Le jeune homme glousse une dernière fois et attrape quant à lui le quatrième poney pour le faire sortir de l'enclos. Lui aussi prend la direction des montagnes, comme Altan et la femme.

De retour avec son seau, Hana est surprise par le silence qui règne dans la yourte. Assis près du poêle, torse nu, le Mongol est en train de prendre son petit déjeuner composé de fromage et de viande séchée. Aussi vite que possible, Hana déverse son lait dans le tonneau et se tourne pour déguerpir.

« Attends », lui dit-il.

Hana se fige. L'homme a parlé en japonais. Elle se retourne vers lui. Il s'est levé et enfile son maillot en coton tout en terminant de mâcher sa viande séchée. Le ventre d'Hana gargouille. Une fois habillé, son deel boutonné aux épaules, l'homme se rassoit.

« Approche », lui dit-il en lui désignant le coussin à côté du sien.

Hana réfléchit. Elle pourrait s'enfuir en espérant rejoindre la femme et le reste du camp, mais retrouverait forcément l'homme en rentrant. Ou faire face à ce qui l'attend tout de suite, et en finir. Ses poings sont serrés si fort que ses ongles s'enfoncent dans sa peau. Les yeux baissés, elle trace dans sa tête le chemin qui la sépare du coussin.

« Tu n'as pas dit un mot depuis que tu es arrivée », lui dit-il alors qu'elle s'assoit.

Il s'adresse à elle sans la regarder, tout en continuant à mâcher sa viande et à l'inspecter comme s'il s'attendait à découvrir quelque chose dessus. Il lui en propose, mais Hana décline.

« Je ne savais pas que vous parliez japonais, répond-elle sans quitter le sol des yeux.

— Ah, tu parles si bien, et ta voix est si douce. C'est bien d'avoir une voix douce, pour une fille. »

Hana se raidit. Les compliments mènent toujours à des choses qu'elle redoute, mais elle s'efforce de ne pas laisser paraître son dégoût.

« Je ne suis pas sûr d'avoir compris pourquoi tu es ici », dit-il alors, puis il lève la tête vers elle.

L'homme a de fines rides autour des yeux qui lui donnent l'air gentil. Sa peau brune et épaisse indique qu'il n'est pas tout jeune – peut-être le grand-père d'Altan plutôt que son père. Devant le silence d'Hana, il continue :

« Je sais pour quelle raison le caporal Morimoto t'a amenée ici, mais cela ne veut pas dire que cette raison est la bonne. »

Hana finit par lever les yeux. L'homme semble intrigué par elle comme par un animal qu'on ne sait pas comment nourrir et dont on ne connaît pas l'origine. Finalement, il ne paraît pas si terrible. Les épaules d'Hana se détendent.

« Quelle raison vous a-t-il donnée ? ose-t-elle demander en évitant de le regarder dans les yeux.

— Il a dit que tu étais une orpheline. Une rescapée de l'armée du Guandong, en Mandchourie. Et qu'il te ramenait chez ton oncle, à l'ouest. Que fait ton oncle dans l'ouest de la Mongolie ? Ça, en revanche, il ne l'a pas dit. »

Ainsi donc, Morimoto a raconté qu'elle était une orpheline, et non une prostituée. Une vague de soulagement lui traverse le corps tout entier. Ces hommes sont bienveillants. Jamais ils ne violeraient une orpheline. Voilà peut-être pourquoi Morimoto leur a raconté cette histoire. Pour ne pas qu'ils lui fassent de mal. Sans doute voulait-il la laisser en sécurité en attendant de revenir. Hana enfouit son visage dans ses mains pour que l'homme ne puisse pas voir son expression.

« Ah, le sujet est encore sensible, dit-il en interprétant mal son geste. Nous parlerons plus tard. » Là-dessus, il se lève. « Viens », dit-il en lui indiquant la sortie.

Hana le suit. L'homme va la conduire jusqu'aux autres. Ses pieds sont douloureux et elle craint que ses blessures ne se soient rouvertes, mais elle presse quand même le pas, refusant de montrer ses faiblesses. Pendant toute la durée du trajet, elle ne cesse de se demander ce que Morimoto a bien pu manigancer. *Bien sûr qu'il va revenir*, conclut-elle. Sa respiration est moins aisée que quelques heures plus tôt.

Après au moins un kilomètre et demi de marche, les herbes laissent place à de petites broussailles. Devant eux se dressent des montagnes si hautes que le ciel, derrière, ne se voit plus. Le terrain est raide et Hana a mal aux mollets, mais elle continue, prenant soin de ne pas serrer l'homme de trop près. Peut-être l'emmène-t-il au loin, dans un lieu reculé, plutôt qu'à l'endroit où se trouve le reste de la famille. L'homme est peut-être le plus âgé du camp, mais il semble aussi le plus puissant.

En arrivant au sommet d'une petite colline, il ralentit puis s'arrête, les poings sur les hanches. Hana s'immobilise à son tour, tout en restant à un mètre de lui, et contemple la vallée. Des tiges vertes surmontées de grosses boules s'étalent à perte de vue, jusqu'au pied de la montagne la plus proche. Quelques fleurs rouges comme du sang parsèment le champ, même si la plupart ont perdu leurs pétales. Altan et la femme, accompagnés par Ganbaatar et l'autre jeune homme, remontent lentement les travées en s'arrêtant devant chaque boule.

« Qu'est-ce que vous cultivez ? demande Hana.

— Tu n'as jamais vu un champ de pavot ? » s'étonne l'homme.

Hana secoue la tête et rougit en le voyant qui semble la sonder.

« Tu n'as jamais vu une fleur de pavot ? Tu sais pourquoi on en plante ? » Il se tourne vers elle. Hana recule d'un pas pour se rapprocher du champ, pour se rapprocher d'Altan. « Pour l'opium, poursuit-il en souriant. Suis-moi, mon plus jeune fils va t'apprendre tout ce qu'il faut savoir. »

L'homme se met en route avant même qu'Hana n'ait pu répondre. Clouée sur place, elle le regarde partir. La mère d'Altan lève la tête et lui lance de grands signes. Hana sait qu'elle sourit, même si la distance l'empêche de bien distinguer son visage. À son tour, Altan se retourne et lui fait signe. Puis il crie son nom, et, aussitôt, Hana se sent redevenir celle qu'elle était autrefois – pas la fille du bordel, non. Elle se sent redevenir elle-même, car ces gens ne sont pas comme les soldats. Elle suit alors l'homme jusqu'au champ de pavot, et Altan l'accueille avec un sourire.

Peut-être cultivent-ils de l'opium, le fléau de la Chine, mais cela ne veut rien dire pour Hana. Elle repense à Hinata et à son thé, et se réjouit que ce breuvage ait pu aider son amie.

Dans le champ, Altan lui montre comment fendre le bulbe de la fleur avec un couteau pour en extraire les graines. Un grand nombre d'entre eux ont déjà été ouverts pour permettre à Ganbaatar de récolter les graines dans de petits morceaux de tissu. Le rôle d'Altan et d'Hana consiste à entailler les bulbes. Hana travaille dans une travée parallèle afin qu'Altan puisse garder un œil sur elle, même si la technique s'acquiert vite. De temps à autre, il rejoint Hana pour rectifier l'inclinaison de sa lame. À la tombée du jour, le petit groupe a couvert presque les trois quarts du champ. Même si Altan a partagé son déjeuner avec elle, Hana est affamée.

C'est alors que le père d'Altan l'appelle, et ce dernier répond en criant. Les parents font ensuite demi-tour vers le camp. Les poneys apparaissent, sortis de nulle part. Ils suivent le couple comme des chiens fidèles, trottant vers leur enclos sans cesser de relever la tête pour se toucher la queue ou la crinière. Hana lève les yeux vers le ciel violacé. L'ombre noire d'un oiseau aux ailes immenses plane sur le champ, peut-être l'un de ces faucons dont parlait Morimoto. Ganbaatar les rejoint et tend une flasque à Altan, qui dévisse le bouchon et la porte à ses lèvres avant de se reprendre pour l'offrir à Hana en riant timidement.

« Eau ? » demande-t-elle.

Altan hausse les épaules. Hana attrape la flasque et sent son contenu. Une odeur âcre de lait caillé lui envahit les narines. Elle recule aussitôt en rendant son breuvage à Altan, qui éclate de rire avant de prendre une longue rasade. Toujours en souriant, il lui propose à nouveau d'essayer. La flasque tendue vers Hana, il lui dit quelque chose qu'elle ne comprend pas. Ganbaatar éclate de rire et secoue la tête. Cédant à la curiosité, elle finit par accepter. Elle porte la flasque à ses lèvres et prend une gorgée.

Le lait fermenté est si fort qu'Hana tousse, sentant sa gorge chauffer. Altan lui demande d'en reprendre, en riant. Elle finit par boire une grosse gorgée avant de lui rendre la flasque. Tout content de lui, Altan prend une dernière rasade avant de la ranger à l'intérieur de son deel.

L'oiseau s'est remis à tournoyer. Hana lève les yeux vers le ciel. À cet instant, Ganbaatar pousse un sifflement strident, le bras tendu devant lui. Ébahie, Hana voit alors l'immense oiseau tourner encore deux fois avant de venir se poser sur lui. C'est un aigle royal. Altan sourit à Hana, puis caresse son plumage. L'oiseau perché comme un roi sur le bras de Ganbaatar est splendide. Ce dernier dit quelque chose et Hana se tourne vers lui. Ganbaatar lui montre l'aigle, mais elle hésite. Il lui demande de le caresser, exactement comme l'avait fait la femme pour qu'Hana et le chien deviennent amis.

Hana se rapproche de quelques pas, effrayée à l'idée que l'aigle n'apprécie guère son geste et lui arrache les yeux avec ses énormes serres. Ses plumes d'un brun roux luisent sous le soleil couchant. Hana brûle de le toucher, de sentir la douceur de ce plumage. Une main en l'air, elle s'approche lentement.

Ganbaatar et Altan hurlent de rire en voyant l'oiseau répondre par un coup de bec. Hana fait un bond en arrière, regardant les deux garçons d'un air incrédule.

« Il aurait pu m'arracher un doigt », leur crie-t-elle, furieuse de les voir se moquer de la sorte.

Lorsqu'il se rend compte de sa maladresse, Altan s'arrête net et secoue le bras de Ganbaatar, en vain. L'aîné continue de rire tout en caressant le cou de son oiseau.

Hana décide de partir, mais Altan lui attrape fermement le poignet pour la retenir. Hana s'apprête à se débattre, mais Altan lui sourit avant de donner une claque sur le bras de Ganbaatar tout en le rabrouant sèchement. L'air honteux, Ganbaatar ne parvient plus à regarder Hana en face. Il s'empresse de couvrir la tête de l'aigle avec une capuche. Les yeux de l'oiseau cachés, Altan fait signe à Hana de le caresser.

De nouveau, Hana hésite. Mieux vaudrait peut-être partir pour éviter que les garçons ne lui jouent encore un mauvais tour, mais quelque chose dans l'expression d'Altan la fait changer d'avis. Elle s'approche de l'aigle et fait une nouvelle tentative. Les yeux rivés sur son bec, elle se prépare à recevoir un nouveau coup, mais, cette fois, ses doigts se posent sur sa gorge soyeuse sans déclencher la moindre réaction.

Un rire de surprise lui échappe. À présent, Hana se moque de montrer sa joie à ces garçons. Les muscles puissants de l'aigle ondoient sous son plumage et Hana le contemple, époustouflée. À son tour, Ganbaatar se remet à sourire tout en caressant l'oiseau. Hana le regarde et se rend compte, pour la première fois, qu'elle se fiche de ce que pensent ces garçons. À cet instant, seuls comptent le moment présent et la joie que lui procure cette créature qui les surpasse, tous autant qu'ils sont.

*

Le petit groupe remonte la colline pour retourner vers le camp. Le reste du chemin se déroule en silence. Au-dessus de leur tête, des oiseaux piaillent en regagnant leur nid. Un petit vent frais balaye les hautes herbes sur lesquelles se promènent les doigts d'Hana.

Elle ne cesse de penser à sa relation avec Altan. Ce garçon sait comment garder la bonne distance avec elle, comment la mettre à l'aise au lieu d'apparaître comme une menace. Altan ressemble au garçon de son village qui lui rendait visite sur l'étal de sa mère. Poli et curieux, tout en étant assez intelligent pour connaître les limites.

Malgré la barrière du langage, Hana sait d'instinct que les premiers pas vers l'amitié ont été franchis. Délibérément, elle scrute le paysage qui s'étale tout autour d'elle pour éviter de le regarder, mais sent chacun de ses mouvements comme si une partie de lui s'était imprégnée en elle.

À l'approche du camp, le chien aboie et se précipite à leur rencontre. Sachant que son dîner sera bientôt servi, il bondit de joie, lèche la main d'Hana puis saute sur Altan en lui frôlant l'oreille. Altan le repousse en riant. Ganbaatar lance alors un signe à Hana avant de disparaître sous sa yourte.

Altan le suit pour déposer son panier à l'intérieur avant de ressortir et de se mettre à courir derrière le chien. Hana se surprend à les regarder d'un air attendri. Elle s'arrête près de l'enclos et caresse le plus petit poney tout en continuant à observer le garçon jouer avec son chien, tandis que la nuit continue de tomber.

La soirée se déroule comme toutes les autres, à ceci près qu'Altan est assis à côté d'Hana, à la place qu'occupe habituellement sa mère. Hana s'efforce de faire comme si de rien n'était, mais la tâche n'est pas facile. Altan ne cesse de lui sourire en chantant, de la taquiner en la poussant tandis qu'il se balance pour l'encourager à se joindre à eux. Tous les autres font mine de n'avoir rien remarqué et, petit à petit, le malaise qu'Hana avait ressenti face à ces étrangers se dissipe pour laisser place à un sentiment de partage en famille, de convivialité retrouvée. Mais impossible de chanter, de sourire ou de rire en leur présence. Il est encore trop tôt. Malgré tout, Hana se permet de se balancer au rythme de la musique, très légèrement, juste assez pour que le sourire d'Altan devienne encore plus grand, que les hommes chantent encore plus fort et que les yeux de la mère brillent d'un plus bel éclat à la lumière du feu de camp.

Ganbaatar se lève lorsque la dernière braise rouge achève de se consumer. Le père d'Altan le raccompagne jusqu'à l'entrée de la yourte avec l'autre jeune homme logé sur le camp. Hana ignore encore son prénom. Leur chant continue de résonner tandis qu'ils regagnent leur yourte. C'est alors qu'Altan s'en va fouiller à l'intérieur d'un coffre posé contre le mur du fond. De retour auprès d'Hana, il lui tend quelque chose. C'est une petite pochette en cuir. Hana hésite et se tourne vers la mère pour recevoir son approbation, mais cette dernière est occupée à ranger. Altan insiste, pressant la petite pochette dans la main d'Hana qui l'accepte, de peur de l'offenser. Elle dénoue avec précaution les lanières de cuir et ouvre la pochette. À l'intérieur se trouve un morceau d'étoffe douce comme de la soie. Impatient de montrer son cadeau, Altan le sort de la pochette pour dérouler une magnifique ceinture brodée.

Même dans la pénombre, les motifs colorés sont splendides, mêlant des bleus, des rouges et des oranges radieux. Déployée entre Altan et Hana, la ceinture brille de mille feux. Altan lui fait signe de la nouer autour de sa taille. Méfiante, Hana ne bouge pas, mais

Altan répète son geste avec un sourire, en secouant la tête. Tout doucement, il lui passe alors la ceinture autour de la taille et la ferme à l'aide d'un double nœud. Le cœur d'Hana tressaille devant une si grande proximité. Altan se recule pour admirer le résultat, puis hoche la tête d'un air satisfait.

Là-dessus, il tourne les talons et sort de la yourte pour suivre les autres hommes. Les joues d'Hana s'empourprent lorsque la mère remarque la ceinture. Mais cette dernière acquiesce et lui sourit. Puis elles installent ensemble les fourrures servant de couchage pour toute la famille. Pendant que la mère a le dos tourné, Hana en profite pour pétrir entre ses doigts la soie douce et contempler ses ornements colorés. Les motifs sombres égayés par des fleurs rouges et jaunes, et les feuilles vertes entourées de vigne noire sont de toute beauté. Tout a été brodé à la main. La femme a dû se donner de la peine afin de confectionner cette merveille pour Altan ; Hana se demande ce que cette dernière doit penser en la voyant nouée à sa taille.

Cette nuit-là, les rêves d'Hana sont remplis de chaleur et de bruits mélodieux. Il y a la cithare de son père et le rire de sa mère qui résonnent à travers leur modeste maison, et Hana qui danse avec sa petite sœur en tourbillonnant, pieds nus. Tout semble réel : la chaleur du feu, la chanson de son père, ses doigts pinçant les cordes tendues de l'instrument. Hana parvient même à sentir les effluves iodés de la mer qui s'engouffrent par les persiennes. La voilà de retour, comme si elle n'était jamais partie, comme si aucune de ces atrocités ne lui était jamais arrivée. Hana danse en tenant les petites mains de sa sœur et, la tête rejetée en arrière, chante ces paroles qu'elle connaît par cœur. Sa mère tape des mains ; Hana voudrait que ce moment ne s'arrête jamais.

C'est alors qu'un chien aboie non loin de là. Le cri de la bête déclenche quelque chose dans sa tête. Puis un nouvel aboiement retentit, trois éclats profonds. Hana s'arrête de danser. Ses bras pendent le long de son corps, mais personne ne semble le remarquer. La fête se poursuit sans elle. Sa sœur continue de tourbillonner comme une feuille prise dans la tempête. Sa mère laisse éclater des rires joyeux, doux et sucrés. Elle est en train de rêver. Elle ne veut pas les quitter, mais sent le réveil approcher. *Ne t'arrête pas, s'il te plaît*, dit-elle à son père lorsqu'il cesse de jouer. Leurs regards se croisent ; les yeux de son père sont remplis de regret. Hana n'entend maintenant plus que les oiseaux qui, à l'extérieur de la yourte, piaillent dans le petit matin, appelant les habitants des steppes à sortir de leur sommeil. Hana se retourne sur son matelas de fourrure et, d'un seul coup, se réveille.

Emi

Séoul, décembre 2011

Dans la petite chambre d'hôpital, les regards sont braqués sur Emi. Toute cette attention l'oppresse ; pourquoi ne pouvaient-ils pas simplement l'emmener voir la statue ?

« J'ai soif », déclare-t-elle.

Lane propose d'aller chercher de l'eau.

« Maman, tu devrais te reposer un peu, lui dit YoonHui en voulant l'aider à s'allonger.

— Non, je n'ai pas le temps de me reposer, proteste Emi. Il faut que j'aille voir la statue.

— Ça peut attendre. Repose-toi quelques semaines et, une fois que tu seras remise sur pied, nous t'emmènerons voir la statue.

— Quelques semaines ? s'écrie Emi, plus fort qu'elle ne le voulait. Mais je n'ai pas quelques semaines. Tu n'as donc pas compris ? »

Elle arrache les couvertures et menace de sortir du lit.

« Maman, l'avertit son fils en se précipitant vers elle. Tu ne sortiras pas d'ici. Crois-moi, je n'hésiterai pas à t'attacher au lit. »

Emi s'arrête. Elle croirait entendre le père de son fils. Elle se tourne et le dévisage, frappée de stupeur.

« Tu es comme ton père », lui souffle-t-elle sans pouvoir s'en empêcher.

Son fils reste interdit. Ses sourcils se froncent et son visage frémit de colère.

« Pourquoi est-ce que tu le détestes tellement ? » dit-il d'une voix étranglée.

Emi a trop de blessures à l'âme, et malgré tous ses efforts, ces blessures ont atteint ses enfants, comprend-elle à présent. Son dernier voyage à Séoul à la recherche de sa sœur a fait voler en éclats les portes de son passé.

« Beaucoup trop de raisons ont fait que nous ne nous entendions pas, votre père et moi. Mais c'est entre lui et moi.

— Il est mort, répond son fils à voix basse. Cela fait cinq ans qu'il est mort. Tu ne peux donc pas lui pardonner ? »

Un lourd malaise gagne la chambre. De retour avec son verre d'eau, Lane hésite à entrer. Emi lui fait signe d'approcher. Lane lui tend le verre et tout le monde regarde Emi le vider en quelques gorgées. Elle ne s'arrête pas avant la dernière goutte. Une fois son verre posé sur le chariot près du lit, son fils lui prend la main.

« Dis-le-moi, s'il te plaît. Qu'a-t-il pu faire de si impardonnable ? Je dois connaître la vérité. Je mérite de la connaître. Nous le méritons tous les deux », ajoute-t-il en prenant la main de YoonHui.

Debout côte à côte, Hyoung et YoonHui ont l'air de deux enfants. Sur leur visage, les années semblent soudain s'être envolées ; Emi ne voit plus en eux que les deux amours de sa vie, les deux raisons pour lesquelles elle avait survécu à ce mariage forcé. Grâce à eux, Emi avait réussi à ne pas regarder derrière elle. Il est de son devoir de leur dire la vérité, mais elle est terrifiée.

« Je ne vous ai jamais raconté comment est morte votre grand-mère, dit-elle.

— Maman, commence son fils, mais YoonHui le fait taire.

— Raconte-nous, Maman. Raconte-nous comment notre grand-mère est morte, dit sa fille en prenant la main d'Emi.

— C'était juste avant le début de la guerre de Corée. Votre père et moi n'étions pas mariés depuis longtemps, mais il n'avait aucune confiance en votre grand-mère. Il la traitait de rouge, très souvent.

— De rouge ? De communiste, vous voulez dire ? intervient Lane.

— Oui, de sympathisante nord-coréenne. De rebelle.

— Papa n'était qu'un simple pêcheur ! » proteste Hyoung.

On dirait à l'entendre que son enfance vient de s'écrouler ou de s'éclairer d'un jour nouveau.

« Il a d'abord été policier, répond Emi. Avant de devenir pêcheur. Et pas le meilleur qui fût. »

La guerre de Corée est un sujet que connaît bien YoonHui. Il s'agit de sa spécialité en tant que professeur de littérature coréenne. Cette dernière garde le silence, mais Emi sait qu'elle est en train de se remémorer les événements survenus pendant ces années.

« Et notre grand-mère, alors ? demande son fils, impatient, comme toujours.

— Les rebelles communistes faisaient des descentes la nuit, dans les villages. Ils profitaient de la fumée qui s'élevait des habitations incendiées par la police pour se dissimuler. Ils venaient enrôler de nouveaux membres parmi les survivants dont les maisons avaient été détruites. Ils faisaient aussi du porte-à-porte pour récolter du matériel et des victuailles. Le travail de votre père en tant que policier était de débusquer les rebelles, mais aussi de punir ceux qui les aidaient. Il n'a jamais fait confiance à votre grand-mère ; peu importe ce que j'ai pu dire pour le convaincre du contraire, il a toujours été persuadé qu'elle les appuyait. Il la traitait de rebelle, de rouge… ouvertement, parfois.

— Et c'était vrai ? » demande son fils.

Emi s'arrête, puis change de position dans son lit trop dur. Ces souvenirs semblent si proches maintenant qu'elle les laisse ressurgir. La douleur est proche, également. Des images de son voyage en avion inondent ses pensées. À la place du sol lustré, Emi a l'impression de voir sous son lit d'hôpital la terre vue du ciel, avec une piste d'atterrissage mouchetée de mottes de terre fraîchement retournée.

« Je ne sais pas. Je passais mon temps en mer, à plonger. Votre père interdisait à votre grand-mère de m'accompagner. Il ne lui faisait pas confiance. Je travaillais donc toute seule et le soir, en rentrant, je m'écroulais tellement j'étais fatiguée. J'étais jeune, à l'époque. Il y a beaucoup de choses que je ne comprenais pas. Il y en a toujours, d'ailleurs.

« Et puis, un jour, quand je suis rentrée, je n'ai pas trouvé votre grand-mère. Votre père a refusé de me dire où elle était. Je suis allée demander partout dans le village si quelqu'un l'avait vue. Personne n'a rien voulu me dire. Les gens avaient trop peur de votre père. »

Emi pose une main sur son front en revoyant le visage de ces gens lorsqu'elle les croisait.

« Je me souviens de ça, intervient sa fille. Tout le monde le regardait d'un drôle d'air. J'étais trop petite pour faire le rapprochement, mais maintenant que tu le dis… Ils avaient tous peur de lui. »

Le regard de sa fille suffit à faire souffrir Emi. Dans un seul petit cœur se cachent tant de mensonges, tant de secrets. Comme Emi aurait aimé avoir un cœur plus grand, comme celui de son amie JinHee ; l'éclat de son rire par-dessus le bruit des vagues est l'incarnation même de la joie.

« Il l'a dénoncée, c'est ça ? » demande YoonHui.

Sa voix est remplie de certitude, comme si YoonHui savait depuis tout ce temps. Mais cela est impossible. Elle n'était même pas née, à l'époque.

« Il a toujours refusé de l'avouer. Toujours. Même sur son lit de mort », répond Emi, le regard rivé sur ses mains. Elle lève la tête et croise celui de sa fille. « Mais je savais, tout au fond de moi, qu'il était coupable. Je l'ai toujours su. Mon mariage avec votre père n'était pas un mariage d'amour. Je sais que vous l'avez ressenti. Nous avons été obligés de nous marier à cause de la guerre. Il faisait partie de la police. Et il a travaillé pour le gouvernement, par la suite. »

Emi espère ne pas devoir raconter à ses enfants le jour de son mariage forcé ; cette histoire leur ferait trop mal. Ses mains tremblent légèrement. Emi ne parvient pas à les maîtriser. Son fils les prend entre les siennes et sa chaleur redonne du courage à Emi.

« J'avais quatorze ans et je venais de me marier avec votre père quand la guerre a de nouveau menacé d'éclater. Votre grand-mère a disparu seulement quelques mois après que cette nouvelle vie a commencé. J'étais totalement désemparée. Je me retrouvais seule dans cette maison, avec cet étranger qui me terrorisait. J'avais besoin d'elle. J'aurais donné n'importe quoi pour la retrouver. Et les mois ont passé, puis les années, sans aucun signe de vie. On aurait dit qu'elle s'était volatilisée. »

Emi s'arrête en repensant au supplice qu'elle avait enduré pour ne pas devenir folle. Les Japonais avaient pris sa sœur. Les Coréens avaient pris son père. Et voilà qu'on lui enlevait aussi sa mère. Elle se retrouvait seule.

« J'étais enceinte de toi lorsque j'ai fini par apprendre qu'elle avait été exécutée, dit-elle en se tournant vers Hyoung. Deux ans s'étaient écoulés sans la moindre nouvelle quand, un jour, une amie est venue frapper à notre porte pour m'annoncer qu'ils avaient exécuté tous les prisonniers politiques. J'ai couru au poste de police pour tenter de savoir si elle faisait partie des condamnés, mais comme personne ne voulait me répondre, j'ai demandé à voir la liste des prisonniers. La paperasse, le gouvernement adorait ça. Ils consignaient tout. Votre père m'a suivie jusqu'au poste. Il leur a demandé de ne pas me montrer la liste. Je l'ai menacé de me suicider avec l'enfant s'il les empêchait de me la donner. C'est à ce moment-là que je lui ai appris que j'attendais un bébé. »

Tandis que ces mots se déversent, elle ne parvient pas à regarder son fils, rongée par la culpabilité. Emi a l'impression de se trouver devant un tribunal pour avoir été une mauvaise mère. Si elle devait se défendre devant des jurés, sa plaidoirie ne les inciterait sans doute pas à voter en sa faveur.

Son mari l'avait regardée comme s'il venait de recevoir un coup de poignard en plein ventre.

« Tu es enceinte ? » s'était-il exclamé.

Dans le bureau du poste, tout le monde s'était tu. Plusieurs policiers s'étaient discrètement éclipsés. Emi ne pouvait pas le regarder dans les yeux. Elle fixait le bureau – le même, s'était-elle aperçue, qui lui avait servi à signer son contrat de mariage avec HyunMo.

« Oui.

— Depuis quand le sais-tu ? »

De la tendresse était apparue dans ses yeux, comme dans ceux d'un homme amoureux. Mais comment y croire ? HyunMo ne l'avait épousée que pour mettre la main sur les terres de sa famille. Il avait tenté de la toucher, mais Emi s'était écartée. Depuis ce jour, HyunMo avait continué de s'acquitter du devoir conjugal, le soir, mais durant la journée Emi refusait de se laisser approcher. Une entente tacite s'était mise en place, leur permettant de supporter cette vie à deux forcée.

« Je le sais depuis quelques mois. Il faut que ma mère soit auprès de moi. Sans elle, je n'y arriverai pas. »

Emi l'avait supplié du regard, incapable d'exprimer cette nécessité avec des mots. Elle n'avait que seize ans et était terrifiée à l'idée de donner la vie, à l'idée de devenir mère – mais, plus que tout, à l'idée d'élever un enfant tout en menant cette vie où plus rien ne lui appartenait.

« Et maintenant, tu menaces notre enfant ? »

HyunMo avait l'air de se sentir trahi, mais Emi s'en moquait. En lui volant ses terres, en lui volant son innocence et en l'empêchant à présent de connaître la vérité, ne l'avait-il pas trahie le premier ? La tête haute, Emi l'avait dardé d'un regard assassin.

« Oui. »

Elle avait alors vu les épaules de HyunMo s'affaisser, mais il n'avait rien ajouté de plus. Ouvrant la porte d'un bureau, il avait appelé un officier.

« Laissez-la voir la liste.

— Mais, monsieur, avait bredouillé l'officier en regardant tour à tour HyunMo et Emi nerveusement.

— Faites ce que je vous dis. »

HyunMo avait quitté la pièce comme un homme brisé. Jamais plus Emi ne l'avait revu dans un tel état. À partir de ce jour, il s'était fermé à elle comme pour l'empêcher de pouvoir à nouveau le blesser. Il était devenu un père qui prenait des décisions sans jamais la consulter, comme celle d'envoyer leur fille à l'école. De temps à autre, il tentait de se rapprocher d'elle, physiquement ou non, mais chaque fois Emi se dérobait. Elle ne lui avait jamais pardonné son rôle dans la disparition et la mort de sa mère.

Sans quitter des yeux le visage de ses enfants, Emi termine son récit :

« Il est sorti du poste après m'avoir donné la permission de voir la liste. Il savait que je trouverais le nom de ma mère. C'était lui qui l'avait fait mettre dessus. Je n'avais même pas besoin de la lire pour le savoir. Mais j'ai quand même regardé, j'ai parcouru des centaines de noms jusqu'à tomber sur le sien. Depuis tout ce temps, elle avait été retenue prisonnière. Et puis, un jour, ils l'ont exécutée. »

Après avoir lu le nom de sa mère sur la liste, Emi avait marché jusqu'à la mer, décidée à se jeter de la plus haute falaise. Elle était seule au monde et portait dans son ventre la progéniture de l'ennemi. Mais une fois près du bord, vacillant sous le vent puissant d'octobre, elle n'avait pu s'y résoudre. Car elle avait compris qu'elle aimait le bébé qui grandissait en elle.

« Tu m'as sauvé la vie, dit-elle en levant les yeux vers son fils. Si je n'avais pas été enceinte, j'ignore comment j'aurais survécu. Tu as été la raison pour laquelle je me suis accrochée. Toi qui allais renfermer un petit bout de moi, de ma mère, de mon père, et même de ma sœur. Leur sang coule dans tes veines. Voilà ce que j'ai pensé à l'époque, et aujourd'hui, je le vois. Je les ai enterrés dans mon cœur ce jour-là. Je n'avais pas le choix. Je l'ai fait pour toi et pour moi. Et puis je suis retournée à ton père, et je n'ai plus jamais parlé de tout cela à personne… jusqu'à aujourd'hui.

— Maman », souffle son fils, les yeux rougis. Voilà des années qu'Emi ne l'a pas vu la regarder avec une telle tendresse. « Je n'aurais jamais pensé…

— Bien sûr que non. C'était ton père, il était normal que tu l'aimes. Je n'avais pas le droit de t'en empêcher.

— Mais il a tué ta mère… notre grand-mère. »

Ses mots résonnent dans le silence. Emi se doute de ce qu'il pense. Dans leur tête, son fils et sa fille sont en train de se repasser leur enfance, de comprendre tous ces moments où ils l'avaient vue repousser les avances de leur père, ne pas rire à ses blagues, ou même dormir à ses côtés. Combien de fois l'avaient-ils trouvée assise sur le perron, tard le soir, sans savoir pourquoi ? C'était ainsi qu'Emi les avait protégés, les avait préservés des horreurs de ce monde. Depuis toujours, Emi avait tout fait pour que ses enfants ne connaissent pas les souffrances qu'elle avait endurées. Les tenir dans l'ignorance était l'acte le plus généreux. Et c'était par amour qu'elle l'avait fait.

« Oui, il a été responsable de la mort de votre grand-mère, mais il n'était qu'un pantin du gouvernement. C'était la guerre. Les gens n'hésitaient pas à commettre les pires atrocités envers leur prochain. Et beaucoup, beaucoup ont perdu la vie. Et ceux qui survivent paient, d'une manière ou d'une autre. »

La guerre de Corée avait été une véritable boucherie. Emi se souvient de ces voisins qui se dénonçaient les uns les autres – déjà plusieurs années avant le début officiel des hostilités, en 1950. Tout le monde voulait accuser l'autre d'être un espion avant d'être soi-même accusé. Un grand nombre de plongeuses, parmi les camarades de sa mère, s'étaient mises à manquer à l'appel. Toutes les mères perdaient leur fils ainsi que leur fille – ou se retrouvaient avec un gendre à qui elles ne pourraient jamais se fier. L'île tout entière pleurait ses disparus.

Ceux d'Emi étaient enterrés sous l'aéroport international de Jeju, cet ancien terrain d'aviation militaire déserté par les forces impériales japonaises à la fin de la Seconde Guerre mondiale. Plus de sept cents dissidents avaient été mis là-bas, parmi lesquels sa mère. Les prisonniers étaient amenés devant le peloton d'exécution avant que leurs corps ne soient jetés dans une fosse, entassés.

Au moment où l'extension de l'aéroport avait été construite pour en faire l'aéroport international que tout le monde connaissait, personne n'avait jamais parlé de ce qui se cachait sous les pistes d'atterrissage flambant neuves, mais ceux qui avaient vécu ces massacres n'avaient jamais oublié. C'était la raison pour laquelle Emi était incapable de voler. L'idée qu'un avion puisse rouler sur la fosse commune où sa mère avait été jetée lui retournait l'estomac.

Ainsi, à l'âge de seize ans, s'était-elle retrouvée orpheline, sans personne à aimer ; mais il y avait ce petit bout d'espoir qui, à l'intérieur d'elle, grandissait. Son fils était né en 1950, l'année où la guerre de Corée avait officiellement commencé, et sa fille était arrivée lorsqu'elle avait pris fin, trois ans après. HyunMo et Emi avaient passé ensemble la guerre et les années qui avaient suivi sans jamais rien dévoiler de leurs sentiments. Ce n'était que sur son lit de mort que son mari avait fini par parler.

Il était atteint d'un cancer. Ses poumons et son foie étaient rongés par des tumeurs. Il n'avait jamais quitté sa pipe, même lorsqu'il pêchait. À la fin de sa vie, il ne pesait plus que quarante kilos et avait à peine la force de lever la tête pour regarder ses enfants et son unique petit-fils.

« Merci de m'avoir donné ces enfants », était-il parvenu à articuler, le souffle court.

Emi lui tamponnait le front avec un linge humide. Elle s'était arrêtée, la main en l'air, et l'avait regardé dans les yeux – ce qu'elle n'avait plus jamais fait depuis que sa fille avait refusé de devenir une haenyeo. La cataracte avait rendu sa pupille droite laiteuse ; le blanc de ses yeux était jaune et zébré de petits vaisseaux éclatés. Il semblait bien plus vieux que son âge.

À quel point sa vie avait-elle été plus pénible que celle d'Emi ?

« Je t'ai toujours aimée », avait-il murmuré.

Puis il avait tendu la main pour la toucher mais, par réflexe, Emi s'était écartée. HyunMo l'avait regardée en clignant lentement des yeux, avec le même air déterminé qui, depuis toujours, le caractérisait.

« Je t'ai toujours aimée, à ma façon », avait-il ajouté en posant sa main sur sa poitrine creusée.

Emi le scrutait en se demandant à quel moment son mari était devenu un vieil homme.

« Ne continue pas à me haïr après ma mort », avait-il dit, et cette remarque l'avait prise de court.

En voyant son étonnement, HyunMo s'était esclaffé, mais son rire avait aussitôt été suivi par un accès de toux grasse. Doucement, Emi avait pressé ses mains contre sa poitrine pour l'empêcher de se soulever trop violemment. Une fois calmé, HyunMo avait posé ses mains sur les siennes en lui serrant légèrement les poignets.

« Fais brûler de l'encens pour mes ancêtres si tu décides un jour de me pardonner. »

Ses yeux injectés de sang cherchaient son regard comme pour la supplier d'insuffler de la vie dans son corps squelettique.

En le regardant dans les yeux, Emi avait eu l'impression de pouvoir lire dans les pensées d'un étranger.

« Te pardonner pour quoi ? Pour ce que tu as fait à ma mère ? » avait-elle finalement réussi à demander.

Sa voix était dure et remplie d'amertume. HyunMo lui avait lâché les poignets et ses mains étaient retombées sur le côté. Il s'était mis à cligner des yeux lentement, comme toujours ; chaque battement semblait durer une éternité. Puis une toux rauque s'était échappée de ses poumons encombrés. Il avait craché du sang noir comme de l'huile de moteur. Obéissant à son devoir d'épouse, Emi lui avait essuyé la bouche.

« Il y a tant de choses… mais pardonne-moi… pardonne-moi pour tout. »

Tels furent ses derniers mots. Pendant deux semaines encore, HyunMo s'était raccroché au maigre fil qui le rattachait à la vie. Emi n'aurait même pas souhaité à son pire ennemi d'être torturé ainsi. Lorsqu'il avait fini par s'éteindre, sa mort avait été un soulagement, mais pendant son enterrement, Emi avait été surprise de ressentir un soupçon de tristesse également. Peut-être était-ce le fait de voir pleurer ses enfants, mais elle n'en était pas sûre.

Même à présent, en repensant à cette mort atroce, Emi ne saurait dire ce qu'elle avait ressenti lorsque HyunMo avait fini par partir. Aujourd'hui, l'indifférence prédomine – cette froideur qu'elle avait toujours éprouvée en présence de son mari. À l'époque, Emi avait agi par devoir pour ne pas laisser sa colère déborder. Elle avait ravalé ses émotions, afin de pouvoir continuer à exister.

Sa sœur lui avait dit un jour qu'elle ressemblait à un papillon qui danse, rempli de joie et de vie, libre comme les oiseaux dans le ciel. Emi songe à ce moment où la petite fille qu'elle était avait disparu pour laisser place à cette ombre. Les moments difficiles de son enfance défilent dans sa tête, achevés par cet ultime épisode au poste de police, lorsqu'elle avait vu le nom de sa mère sur la liste. Ce jour-là, Emi et sa mère étaient mortes toutes les deux.

« Accepterais-tu de brûler de l'encens pour votre grand-mère ? demande soudain Emi à sa fille.

— Comment ? s'exclame YoonHui d'un air à la fois inquiet et meurtri.

— Je… je n'ai jamais fait brûler d'encens pour mes ancêtres… »

Mais sa voix s'éteint lorsque Emi revoit le visage de sa défunte mère. A-t-elle réussi à trouver la paix dans l'au-delà ?

« Ne te tracasse pas avec ces choses-là, Maman », intervient Hyoung. Une pointe de colère persiste dans sa voix. « Concentre-toi sur ton rétablissement. »

Il tente de sourire, mais Emi devine le combat qui se joue dans son esprit.

Révéler la vérité sur son passé a vidé Emi de ses forces. Ses paupières sont lourdes, comme attirées par la tentation du repos éternel. Ses doigts se posent sur son front et appuient jusqu'à ce que la douleur la ramène parmi les vivants. Il ne lui reste plus beaucoup de temps, mais sa détermination est forte. Pas question d'attendre que ses enfants se soient remis de ses révélations sur le crime de leur père ou sur sa propre vie. Emi a quelque chose à faire, et tout de suite.

« Je veux retourner à la statue. Il faut que je la revoie, déclare-t-elle tout à coup.

— Tu ne peux pas encore sortir de l'hôpital, tu es trop fragile, ton cœur ne le supporterait pas, insiste YoonHui, plus comme une mère qu'une fille dévouée. Nous irons dans quelques jours, une fois que tu seras remise sur pied.

— Non, il faut que j'y aille aujourd'hui. Maintenant. Il faut que je la voie maintenant.

— Mais, Maman, c'est impossible. Tu ne vas pas bien ! »

YoonHui crie à présent. Lane tente de la calmer. Hyoung reste silencieux quant à lui, les yeux rivés sur ses pieds.

« Je vais t'emmener », lâche-t-il soudain.

Sa voix n'est qu'un murmure, mais stoppe les cris de YoonHui.

« Pas question, lui rétorque-t-elle. Il faut qu'elle reste à l'hôpital pour recevoir son traitement. Elle ne peut pas y aller, pas maintenant. »

YoonHui semble sur le point de craquer. Lane passe un bras autour de son épaule. Elle console YoonHui comme une mère consolerait son enfant après une chute, à une différence près : ce n'est pas d'une égratignure au genou dont souffre YoonHui, mais au cœur.

Personne ne dit mot. Son fils quitte la chambre afin d'aller demander un fauteuil roulant aux infirmières. YoonHui reste silencieuse ; il n'y a plus rien à ajouter. Elle s'approche d'Emi et pose un baiser sur sa joue. Puis elle lui prend la main et redevient une petite fille tenant compagnie à sa mère, toutes deux assises devant l'océan, dans leur village. Sous le bruit des vagues qui se fracassent sur les rochers, YoonHui et Emi attendent en paix.

« J'aurais dû te suivre en mer. C'était mon devoir. J'ai failli. »

Sa voix est imprégnée de culpabilité. Des larmes ruissellent sur son menton. Lane les essuie du plat de la main. La tendresse qui les unit touche Emi au plus profond. De toute sa longue vie, jamais Emi n'a connu une telle complicité. D'une certaine manière, cette relation qu'entretient sa fille avec son amie est une consolation. Tout ce qu'elle a enduré valait sans doute la peine, puisque YoonHui a trouvé quelqu'un avec qui partager sa vie, quelqu'un qu'elle a choisi et qui l'aime aussi.

« Tu as suivi ton cœur. C'est ce que j'ai toujours voulu pour mes enfants. Je suis fière de vous… je suis fière des choix que vous avez faits dans vos vies. Je suis heureuse que vous ayez pu choisir. Je n'ai pas de plus grande satisfaction en tant que mère. Vous avez eu tout ce dont je n'ai jamais osé rêver. »

Hyoung revient avec le fauteuil. Le moment est venu de partir. Poussée par son fils, Emi sort de la chambre pour se diriger vers l'ascenseur. YoonHui et Lane les suivent sans protester, même si Emi ne peut pas les voir. Car elle regarde devant elle, regarde cette statue qui l'appelle.

Elle se concentre sur son visage doré, qui ressemble tant à celui de sa sœur, puis se laisse emporter par ses pensées, par son espoir de la retrouver toujours en vie, car cet espoir ne peut exister sans raison. Elle ressent jusque dans la moelle de ses os que sa sœur est liée à cette statue. Mais pour en être sûre, il faut qu'elle la voie de nouveau.

Hana

Mongolie, automne 1943

Les grognements du chien réveillent le reste de la yourte. L'homme – *aav ni*, « le père », un autre mot qu'Hana a appris –, allume une lampe à huile. La femme remue dans son lit. Hana fait semblant de dormir, mais le surveille discrètement. Puis le chien aboie. C'est un avertissement. L'homme s'habille à la hâte et secoue Altan du bout du pied pour le réveiller. Puis ils enfilent leurs bottes et, lampe à la main, se glissent dehors. Hana entend un homme les saluer juste avant que le rideau de l'entrée ne retombe, plongeant de nouveau la yourte dans l'obscurité. Un courant d'air froid s'infiltre à l'intérieur et fait frissonner Hana. Elle se blottit sous sa couverture.

Le silence est rompu par le chant perçant d'un oiseau. Un cheval approche au trot. Tout en prenant garde de ne pas réveiller la mère, Hana se faufile jusqu'au rideau et écoute. Le père d'Altan est en train de saluer le cavalier, et Hana l'entend qui répond. Elle reconnaît aussitôt sa voix.

Son cœur s'arrête brusquement de battre, toute sa tête se vide de son sang. Son souffle est coupé. Prise de panique, elle se met à haleter comme un poisson sorti de l'eau. Morimoto est de retour.

Plusieurs secondes interminables s'écoulent avant que son cœur ne se remette en marche. Hana est à genoux, le front sur le sol, peinant à reprendre sa respiration. Son ouïe et son toucher ne fonctionnent plus. Tout se passe comme si un trou noir l'avait absorbée. Puis, aussi vite que la crise de panique était arrivée, elle disparaît. Tout doucement, ses poumons se remplissent d'oxygène et, à nouveau, elle parvient à respirer. Elle attend encore que ses tremblements aient cessé pour poser son oreille contre le rideau.

Les hommes discutent en langue mongole. Le chien leur court autour. Hana soulève le pan de tissu, juste assez pour pouvoir regarder dehors. La lumière de la lampe à huile entre aussitôt dans la yourte. Hana se retourne vers la mère, mais celle-ci dort toujours.

Les deux hommes se tiennent devant la yourte. Une flasque à la main, Morimoto est en train de boire, exposant la peau blanche de sa gorge sous la lumière de la lampe. Il s'essuie la bouche du revers de la main et passe la flasque au père, qui boit à son tour avant de la ranger dans sa poche. Puis Morimoto déplie un morceau de papier et le lui tend. Impossible de voir de quoi il s'agit. Peut-être un plan ou une carte militaire ?

La lampe à huile tendue devant lui, le père d'Altan se penche pour examiner le document. Morimoto pointe du doigt plusieurs endroits en parlant à voix basse, comme pour rester discret. En voyant Altan revenir de l'enclos après avoir laissé le cheval avec les poneys, Morimoto s'empresse de replier le papier qu'il range dans la poche de son pantalon. Le père se redresse et fait un signe en direction de la yourte. Altan hoche la tête et s'en va vers le rideau.

Hana bondit vers sa couche et se glisse sous sa couverture juste avant qu'il ne rentre. Altan se réinstalle sur sa fourrure en marmonnant, bâille, remue plusieurs fois, et se rendort, respirant déjà bruyamment quand son père revient. Hana s'attend à voir apparaître Morimoto, mais rien. Le père d'Altan souffle sur la lampe à huile et s'installe auprès de sa femme. Ses ronflements s'élèvent rapidement.

Allongée dans le noir, Hana attend que Morimoto surgisse à côté d'elle. Il n'y a nulle part où se cacher. Elle tend sa couverture en la rentrant sous son corps, enroulée comme dans un linceul, pour se protéger de ses mains baladeuses. Morimoto est là, tout près, et Hana est certaine qu'il ne la laissera pas en paix, même pour une nuit. Les minutes se transforment en heures. Pourtant, Morimoto ne vient pas. Les paupières d'Hana sont lourdes et se ferment, malgré ses efforts.

Les oiseaux du petit matin piaillent au-dessus de leurs têtes et s'envolent dans le ciel clair. Hana rêve. Les ronflements du père d'Altan s'élèvent, plus forts encore que d'habitude, comme s'il se trouvait tout près d'elle. Elle est en train de sombrer de plus en plus profondément, de se laisser prendre entre les douces mains du sommeil, mais, soudain, ces mains ne sont plus si douces. Elles la tirent, la secouent. Hana se débat dans son sommeil, tente de les repousser, quand des doigts, violemment, s'immiscent entre ses jambes. Ses yeux s'ouvrent. Morimoto est là.

« Est-ce qu'ils t'ont violée ? » lui murmure-t-il en la piquant avec sa joue mal rasée.

Sous le choc, Hana reste muette. Elle se tortille pour s'éloigner, mais Morimoto la cloue au sol.

« Est-ce qu'ils ont posé la main sur toi ? » demande-t-il d'une voix dure.

Hana parvient à secouer la tête.

« Tu en es sûre ? » insiste-t-il en continuant de la toucher.

Mais soudain, la colère monte à la gorge d'Hana. Lui qui l'a violée, qui lui a fait subir des atrocités qu'elle n'aurait même pas imaginées, comment ose-t-il accuser les seuls hommes bienveillants rencontrés depuis son enlèvement ? Tout son corps se tend, et sa voix sort brusquement.

« Ils ne m'ont pas violée. Ces hommes ont bon cœur, pas comme les soldats… pas comme vous. »

Ses doigts s'arrêtent tout à coup. Morimoto retire sa main. Même dans le noir, Hana sait qu'il bouillonne de rage. Elle s'empresse de refermer son deel et de nouer solidement sa ceinture en soie. Sans un mot de plus, Morimoto se lève et sort de la yourte. Hana ne parvient pas à trouver le sommeil. Elle écoute à la place les bruits de la famille endormie à côté d'elle et imagine ce qu'aurait pu être sa vie si Morimoto n'était pas revenu.

Au matin, le père d'Altan est le premier à se lever. Il secoue son fils puis ils sortent tous les deux. Hana les observe et voit Altan se retourner vers elle avant de partir. Elle s'empresse de fermer les yeux. Lorsqu'elle les rouvre, Altan a disparu. La mère dort toujours. Hana ignore ce que Morimoto a mijoté, s'il prévoit de l'emmener aujourd'hui ou de rester au camp encore quelques jours. Lorsqu'elle ferme les yeux, son visage emplit ses pensées comme un esprit maléfique, mortel et menaçant. Elle se redresse en sursaut et chasse cette image, puis décide de se mettre à ses tâches quotidiennes comme si rien n'avait changé.

Après avoir allumé le poêle, elle range son couchage dans le coffre, ainsi que celui du père et d'Altan. La mère se réveille doucement et s'assoit. Elle regarde Hana en souriant. Ce geste chaleureux, pourtant si simple, manque de la faire céder. L'envie de fondre en larmes devant cette femme est immense, mais Hana la ravale. Elle s'incline alors profondément afin d'accomplir le sebae, rituel coréen, pour la remercier de sa gentillesse. La femme pousse un petit cri d'étonnement. Hana s'incline trois fois. Lorsqu'elle se relève, la mère d'Altan courbe la tête en signe de gratitude. Puis Hana se retourne pour sortir de la yourte et commencer sa matinée, puisque Morimoto n'est pas revenu la chercher.

Elle trait d'abord la vache puis, un par un, emporte ses seaux jusqu'à la baratte pour y déverser le lait frais. De retour dans l'enclos, elle se charge de donner des quartiers de pomme aux poneys. Tout se déroule sous l'œil attentif de Morimoto, du père, d'Altan, de Ganbaatar, du jeune homme dont Hana ignore le nom, et de la mère. Même le chien semble suivre chacun de ses mouvements. Tout se passe comme si chacun savait que son séjour sur le camp touchait à sa fin.

Altan ne vient pas la voir dans l'enclos comme les jours précédents. Il semble garder ses distances, occupé à faire des fagots près des broussailles pendant que Ganbaatar joue avec son aigle. À plusieurs reprises, leurs regards se croisent, mais Altan détourne toujours les yeux rapidement. Assis sur un tabouret, Morimoto nettoie son pistolet. Chaque pièce est frottée méthodiquement avant d'être alignée sur un petit chiffon.

Ganbaatar relâche son aigle, qui s'élance en poussant un grand cri. Tout le monde le regarde s'élever vers le ciel. Morimoto finit par rompre ce silence ébahi.

« Magnifique, n'est-ce pas ? »

Il a parlé en japonais. Hana sait qu'il s'adresse à elle, qu'il la regarde et attend qu'elle se retourne vers lui, mais elle ne quitte pas l'aigle des yeux.

« Il l'a eu quand il n'était qu'un oisillon, poursuit-il comme si de rien n'était. Et maintenant, il est ses yeux et son arc, qui chasse pour lui en plein hiver lorsque les temps sont durs. »

Au-dessus de leur tête, l'aigle décrit des cercles de plus en plus grands. Il pourrait partir pour toujours, mais demeure fidèle, comme si de longues chaînes invisibles le reliaient au bras de son maître.

« Il le fait dormir dans sa tente, le nourrit à la main, le cajole ; cet aigle est comme un membre de la famille, plus précieux encore qu'une épouse ou un enfant. »

C'est à ce moment-là qu'Hana se retourne. L'idée qu'un animal puisse valoir davantage qu'une épouse ou un enfant l'interpelle. Hana se demande si Morimoto dit vrai ou essaye simplement de faire passer les Mongols pour des barbares. Mais elle se souvient alors de leur relation avec les poneys, de la manière dont les animaux les suivent comme des canetons derrière leur mère, et tous les soins et l'attention que leur porte Ganbaatar, chaque matin. Morimoto dit peut-être vrai.

Ganbaatar rappelle son aigle. Un cri perçant résonne avant que l'oiseau ne vienne se poser docilement sur son bras. Il lui caresse le poitrail et l'emmène à l'intérieur de sa yourte.

Le reste de la famille s'en va vers le champ de pavot en adressant un signe de tête à Morimoto. Hana se dépêche de les suivre pour ne pas rester seule en sa compagnie. Mais alors qu'elle contourne la yourte, elle se retrouve soudain nez à nez avec lui, qui lui bloque le passage.

« Où est-ce que tu vas ? »

Il sent la graisse et le métal.

« J'ai du travail à faire au champ. »

Elle recule de quelques pas et regarde Altan s'éloigner par-dessus l'épaule de Morimoto, en priant pour qu'il s'arrête et l'attende.

« Ton travail ici est terminé », répond-il en la poussant vers l'entrée de la yourte.

Hana sait ce qu'il s'apprête à faire, sait qu'il n'a pensé qu'à cela durant tout son voyage jusqu'au camp. Si elle se laisse faire, cela ne durera pas longtemps. Morimoto sera satisfait, et Hana pourra retourner travailler comme si rien ne s'était passé.

En entrant, elle s'accroche au cadre de la yourte. Sa main s'agrippe, ses ongles s'enfoncent dans le bois. Morimoto soulève le rideau et tente de la tirer à l'intérieur, mais sa main s'accroche de plus belle et résiste. Il la regarde de haut en bas.

« Je ne t'ai pas manqué ? »

Un sourire se dessine sur ses lèvres, sincère, semble-t-il. On dirait un autre homme, un homme qui aurait oublié ce qu'il lui a fait. Hana ne parvient pas à le comprendre.

« Hein ? » insiste-t-il.

Sa question était donc sérieuse. Hana passe sa langue sur ses lèvres en se demandant quelle serait la meilleure réponse. Mais rien ne lui vient à l'esprit. Elle se contente de le regarder fixement, dans un silence abasourdi. Un nuage semble passer dans les yeux de Morimoto. Son visage s'assombrit. Il lui attrape le bras et la traîne à l'intérieur, derrière lui.

Hana est jetée par terre, puis Morimoto défait la ceinture de soie qu'Altan lui a offerte. Couché à même le sol sous son poids, son corps se déconnecte de son esprit. Cet état est son refuge. Ne pas se battre fait-il d'elle une prostituée ? Morimoto lui embrasse le cou. Si elle ne résiste pas, cela signifie-t-il qu'elle lui permet de continuer ?

Mais son instinct lui dicte de ne pas bouger. Morimoto lui ferait du mal – ou la tuerait. Ses mains pourraient lui briser le cou sans aucune peine, et plus jamais elle ne reverrait sa mère. Le visage d'Altan apparaît dans son imagination. Elle ne le reverrait pas, lui non plus. La tristesse qu'elle ressent la surprend.

Morimoto l'embrasse sur la bouche, mais Hana ne lui rend pas son baiser.

« Je m'attendais à un peu plus d'enthousiasme », souffle-t-il.

Fatiguée par ses délires, Hana ferme les yeux pour le faire disparaître.

« Je t'ai apporté quelque chose, lui susurre-t-il à l'oreille. Je te le donnerai après. »

Puis il reprend possession de son corps, déployant la même minutie que pour nettoyer les pièces de son pistolet. Hana garde les yeux fermés du début à la fin. Elle parvient cette fois à battre son record. Cent soixante-trois secondes sans respirer. Puis elle manque de s'évanouir.

*

Morimoto fume sa pipe pendant qu'Hana se rhabille. Son regard s'arrête sur la ceinture en soie qu'elle est en train de nouer autour de sa taille, prenant soin de ne pas faire de double nœud afin de ne pas attirer l'attention, mais Morimoto s'en aperçoit.

« Où est-ce que tu as eu ça ?

— Ça ? répète Hana. La femme mongole me l'a donné comme je n'avais rien à me mettre. Elle a brûlé les haillons que je portais à mon arrivée. »

Elle s'empresse de se détourner et commence à enfiler ses bottes. Mais Morimoto ne mord pas à l'hameçon. Tout en mâchonnant le bout de sa pipe, il lui dit :

« Non, pas le manteau. La jolie ceinture. Qu'est-ce que c'est ? De la soie ? »

Il lui fait signe d'approcher. Hana hésite. Morimoto lève un sourcil en la voyant tarder. Les yeux baissés, Hana marche jusqu'à lui puis s'agenouille. Morimoto pétrit l'étoffe entre ses doigts comme pour estimer sa valeur, puis il pose sa pipe sur ses cuisses et commence à défaire la ceinture. Hana serre le deel contre sa poitrine de peur qu'il ne la déshabille une seconde fois, mais il se contente de brandir la ceinture devant lui, surpris par ses motifs délicats.

« Ces dessins sont un signe d'honneur, dit-il tout en continuant d'examiner les broderies entrelacées. Qui t'a donné ça ?

— Est-ce si important ?

— Oui. C'est un cadeau. Un cadeau précieux.

— Cette famille doit être plus généreuse que vous ne le pensiez. »

Morimoto abaisse la ceinture pour la dévisager. Ses yeux de faucon l'exaspèrent. Hana détourne la tête.

« Les femmes ne portent pas de ceinture. Par commodité, ajoute-t-il avec un rictus. J'en déduis que celui qui t'a donné ça l'a fait dans une intention précise.

— La femme mongole en porte une.

— Ah, tu veux parler de sa ceinture à outils. Non, celle-ci est plutôt… un accessoire, vois-tu ? »

Hana lit dans son regard qu'il l'accuse de mentir, même s'il ne le dit pas. Un silence s'installe. Puis Morimoto éclate de rire et lui jette la ceinture au visage. Son cadeau tombe par terre, mais Hana ne le ramasse pas. Morimoto reprend sa pipe, tire dessus, puis lui crache la fumée au visage. Les yeux d'Hana s'embuent. Elle tousse.

« Comme ça, il y en a un qui a jeté son dévolu sur toi ? Lequel ? Le jeune, l'ami de Ganbaatar ? Ou le petit ? Quel est celui qui veut que tu lui appartiennes ? »

Terrifiée pour Altan, Hana tente de réfléchir vite. Si elle parvient à l'énerver, Morimoto dirigera peut-être sa colère sur elle plutôt que sur lui.

« Les hommes ici ne sont pas comme vous. Il n'y a que vous pour croire que je vous appartiens, même si vous savez que je ferais n'importe quoi pour vous fuir. »

Morimoto se redresse et la regarde comme s'il s'apprêtait à la frapper. Hana se raidit, prête à recevoir ses coups. Mais il change brusquement de tactique et se met à sourire, tel un serpent qui se prépare à bondir.

« On peut passer toute la journée ici, si c'est ce que tu veux. Ou bien tu peux me dire lequel t'a fait ce cadeau. »

Hana refuse de le regarder. À la place, elle se concentre sur les bleus et les jaunes chatoyants qui ornent la ceinture. Son cœur est déjà gonflé de regrets.

« Nous partons demain matin », annonce-t-il pour lui arracher une réaction.

Voyant qu'elle ne dit rien, il ajoute :

« Ça lui laissera une dernière nuit pour rêver du futur qu'il ne vivra jamais avec toi. »

Le fond de vérité que renferment ces mots la brise. À l'intérieur, Hana s'effondre. Mais elle garde le dos droit, s'interdisant de lui montrer combien ses paroles lui font mal.

« Pourquoi dois-je partir avec vous ? »

La question l'a peut-être étonné, mais Morimoto ne laisse rien paraître. Il continue à tirer sur sa pipe et répond en levant les mains :

« J'ai besoin de toi. Il n'y a que toi qui puisses me consoler dans mon malheur. »

Son malheur ? Au bordel, Morimoto l'avait forcée à rester éveillée des nuits entières pour l'écouter se plaindre, elle qui ne demandait qu'un peu de repos après les tortures subies toute la journée. Comme un fantôme, il apparaissait dans sa chambre et la tirait de son sommeil pour exiger qu'il la serve. C'était ensuite qu'il l'obligeait à l'écouter. Hana résiste à l'envie de lui cracher à la figure, mais Morimoto lui touche la joue, prêt à se lancer dans un nouveau monologue.

« Les Américains ont tué ma famille, commence-t-il et, tout à coup, son regard devient lointain. Ma femme, mon jeune fils. Je les avais envoyés vivre avec mon frère, en Californie, avant que la guerre n'éclate. Je pensais qu'ils seraient en sécurité là-bas. »

Son attitude change petit à petit. Il semble maintenant abattu.

« Que leur est-il arrivé ? » demande Hana, malgré elle. Morimoto n'avait jamais parlé de sa famille.

Il prend alors une profonde respiration et souffle si lentement qu'Hana se demande si sa question ne l'a pas froissé, mais il finit par poursuivre :

« Le Japon a bombardé les États-Unis. Le savais-tu ? Nous avons coulé leurs cuirassés dans une de leurs bases navales, à Hawaii. C'était une stratégie de dissuasion, mais cela n'a pas fonctionné. Au contraire, ces attaques ont mis les Américains hors d'eux, et ils sont entrés en guerre. Tous les Japonais des États-Unis ont été montrés du doigt comme des traîtres et des espions. Ils ont été forcés d'abandonner leur maison et tout ce qu'ils possédaient pour être jetés dans des camps. Mon fils est mort de faim, puis ma femme, rongée par le chagrin – ma femme que j'avais abandonnée pour aller me battre aux côtés de l'empereur –, s'est pendue. »

Hana absorbe ces mots, essayant d'imaginer la douleur qu'avait dû ressentir Morimoto en apprenant leur décès, lui qui avait envoyé sa femme et son fils aux États-Unis pour les protéger, tout ça pour qu'ils souffrent et périssent. Dans la pénombre de la yourte, Hana lève les yeux vers lui, mais impossible de voir en cet homme une personne digne de pitié. Il n'y a plus aucune part d'humanité en lui. Sans doute a-t-elle disparu avec sa famille.

« Quand je t'ai vue dans la mer, j'ai su que tu étais un cadeau que me faisaient les dieux. J'ai la certitude qu'ils te destinaient à moi et qu'un jour tu me donneras un nouveau fils. »

Jamais il ne la laissera partir. Hana est écœurée en entendant ses projets. Elle pourrait accepter de partir avec lui pour s'échapper au moment où il s'y attendra le moins. Des visions de leur vie future lui traversent l'esprit, mais en définitive Hana se voit en train de s'enfuir avec un bébé dans les bras. Le fils de Morimoto. Plutôt mourir que d'avoir un enfant avec lui. Mais c'est alors qu'elle se corrige : plutôt *tuer Morimoto* que d'avoir un enfant avec lui – à moins qu'il ne la tue le premier.

Morimoto abaisse sa pipe et sort un petit étui de la poche de son manteau. Hana le regarde l'ouvrir en espérant à moitié qu'elle renferme sa photo. C'est une idée absurde, mais qui a le mérite de donner l'impression qu'Hana est impatiente de découvrir ce qu'il lui a apporté.

« Tiens, c'est pour toi », dit-il en sortant fièrement deux bracelets en or.

Déçue, Hana regarde fixement ces breloques. Morimoto s'approche d'elle et glisse les deux bracelets autour de son maigre poignet. Ils s'entrechoquent en tintant avec le même bruit que des chaînes.

« Ils te plaisent ? » demande-t-il.

Hana sait comment le satisfaire. Un simple hochement de tête, et Morimoto sera content. Au prix d'un effort immense, elle accomplit ce geste.

*

Dans le champ de pavot, Hana garde ses distances avec Altan et les autres. Elle ne peut s'empêcher de craindre qu'ils ne sentent sur elle l'odeur du sexe ou devinent quelque chose. Se transformeraient-ils à leur tour en bêtes sauvages s'ils savaient ce qu'elle représente réellement pour Morimoto ? Le couteau, si léger dans sa main la veille, paraît bien lourd à présent. Hana a toutes les peines du monde à fendre les bulbes des fleurs. Morimoto, quant à lui, est occupé à discuter avec le père, mais ne cesse de jeter des coups d'œil dans sa direction.

Dans la travée, Altan passe devant elle. Son ombre s'étend soudain sur le visage d'Hana, mais elle fait mine de l'ignorer et préfère s'éloigner dans la direction opposée. Maintenant qu'elle est en marche, il lui semble impossible de s'arrêter. Tout se passe comme si ses pieds avaient à eux seuls le pouvoir de tout commander. Quelques instants plus tard, Hana a quitté le champ de pavot et se dirige loin des autres, vers les montagnes. L'immense masse rocheuse semble lui dire de venir à elle, et Hana ne peut ignorer son appel. Morimoto la suit, mais elle ne s'arrête pas.

Il se résout à lui couper la route, perché sur l'un des poneys. Elle tente de le contourner, en vain. Ils jouent au chat et à la souris, mais pas question pour Hana de devenir sa proie. Au lieu de courir, elle contourne le poney à chaque fois. Morimoto finit par se lasser et descendre de selle pour l'attraper et la traîner en direction du champ de pavot. Hana se débat. Morimoto la serre contre lui. Elle n'est qu'un poisson qui frétille entre les mains vigoureuses d'un pêcheur. Si la volonté du pêcheur est plus grande que celle du poisson, alors le poisson n'a pas la moindre chance de s'en sortir. La volonté de Morimoto est forte ; Hana ne peut pas s'échapper.

« Ne m'oblige pas à te ligoter devant eux. Je n'hésiterai pas à le faire, mais je n'en ai pas envie. »

Son souffle est rauque dans son oreille.

« Je m'en moque. Faites-leur donc voir ce que je suis pour vous. Rien d'autre qu'un animal.

— Pas un animal, non. Tu es ma femme. Tu n'as pas encore compris ? »

Il tente de l'embrasser, mais elle le repousse.

« Vous avez déjà une femme. Elle est morte. Quelle chance pour elle. »

À ces mots, Morimoto la frappe. Hana s'écroule par terre en saignant du nez. Des gouttes lui ruissellent dans la bouche. Elle se lèche les lèvres. Le goût de son sang lui rappelle que toutes ses forces ne sont pas épuisées.

« Je ne serai jamais votre femme, s'écrie-t-elle, puis elle lui jette au visage ses bracelets.

— Regarde autour de toi, rétorque Morimoto en écartant les bras. Tu n'as pas le choix. »

Puis il éclate de rire, le visage tourné vers le ciel, en secouant la tête comme s'il la plaignait. Il ramasse ensuite les bracelets et lui tend la main pour l'aider à se relever. Hana crache dessus. Morimoto s'arrête et bombe le torse. Sans la quitter des yeux, il lèche alors la salive tombée sur sa main, avant de s'en aller en direction du champ.

Hana passe un long moment à le regarder avant de le suivre, se demandant ce que Morimoto lui réserve pour la suite. Leur départ est prévu le lendemain matin, puis débutera leur vie à deux en tant que mari et femme. Il n'y aurait aucune différence à vivre en cage. Altan se tient au milieu du champ de pavot ; Hana ne parvient pas à distinguer son expression au moment où Morimoto passe devant lui pour continuer son chemin vers le camp. Il ne bouge qu'en apercevant Hana qui revient au champ et lui lance un regard interrogateur, mais Hana ne lui répond pas. Ce garçon est trop jeune, trop innocent pour comprendre. En l'espace de quelques mois, Hana a vécu plus de choses que lui durant toute sa vie. Alors elle garde la tête basse et reprend son travail, fendant les bulbes des fleurs, un par un.

*

Personne ne chante sous la yourte ce soir-là. Le père et Morimoto passent des cartes en revue pendant qu'Altan fait la tête dans un coin. Hana se remémore ces derniers jours. Ses souvenirs s'égrènent comme des feuilles d'arbre tombées dans un tourbillon, qui tournent et tournent en rond sans jamais s'arrêter. Hana est ce tourbillon ; elle aspire ces souvenirs et refuse de les laisser s'en aller. Si elle ne revoyait jamais sa maison, elle pourrait être heureuse ici. Cette prise de conscience lui fait peur. Ainsi donc, elle serait capable de tirer un trait sur sa mère, son père, et même sa sœur, pour ne plus jamais revoir Morimoto ni aucun soldat comme lui.

Au moment du coucher, Hana s'étonne de découvrir que Morimoto est invité à partager la yourte avec eux. Il s'installe près d'Altan, de l'autre côté du poêle. Sa présence l'étouffe. Morimoto a tué la sérénité qu'elle ressentait en présence de ces gens. Hana tente de se souvenir de la première fois où cette paix l'avait envahie, mais son esprit se bloque, comme si ses souvenirs étaient partis. Paniquée, elle ouvre les yeux et tente de réfléchir dans le noir de la yourte, quand, soudain, une idée, une seule, jaillit : *Je sais où la mère d'Altan range les couteaux de travail.*

Hana visualise parfaitement celui qu'elle veut : le petit avec un manche en os, le plus affûté – celui d'Altan. Elle l'avait utilisé lors de sa première matinée dans le champ. Avec ce couteau, les bulbes se fendent sans le moindre effort, rapidement, et avec précision. C'est un petit objet, facile à manier. Il suffirait de s'approcher de Morimoto, le couteau caché dans ses longues manches, et de s'agenouiller près de lui innocemment. Cela ne serait pas plus compliqué que de découper un mollusque accroché sur le récif. Un seul coup, net et ferme, et Hana serait libérée.

Elle imagine la lame contre sa gorge, la voit déjà glisser de gauche à droite, connaît la pression qu'il faudrait exercer pour transpercer la chair. Elle se repasse cette image, en boucle, jusqu'à ce que sa main se lève et accomplisse ce geste dans le vide pour s'entraîner, avec une assurance de plus en plus grande.

Prenant appui sur la douce fourrure étalée par terre, Hana se relève et s'assoit à genoux. Elle attend, guettant les corps qui l'entourent pendant quelques instants. Les deux hommes dorment profondément et, entre chacun de leurs ronflements, Hana perçoit la respiration régulière de la mère. Altan dort blotti contre le mur, parfaitement immobile. Alors Hana se lève et balaye du regard les murs incurvés de la yourte. Les bruits de la famille endormie la rassurent. Sa propre respiration, calme et profonde, l'aide à stabiliser les battements de son cœur qui s'emballe tandis qu'elle contourne la mère d'Altan et se faufile à pas de loup entre les silhouettes allongées.

Les couteaux sont rangés dans une boîte en bois près du coffre à ravitaillement. Hana prend soin de cracher sur ses charnières qui grincent, en priant pour que sa salive suffise à lubrifier le métal. Le couvercle se soulève sans aucun bruit ou presque. À l'intérieur, la petite lame du couteau au manche en os luit, comme destinée à accomplir cette tâche funeste. Lorsque Hana le retire de la boîte, un courant semble passer dans sa main et remonter le long de son bras, jusque dans sa poitrine.

Galvanisée, elle referme la boîte et, levant le couteau devant elle, répète le geste qu'elle doit accomplir. La prise en main est bonne, le mouvement est fluide. Il ne reste plus qu'à contourner la tête du père pour arriver jusqu'à Morimoto. Sur la pointe des pieds, Hana s'approche en prenant garde d'avancer le plus lentement possible pour ne pas provoquer de souffle d'air et faire bouger les poils de la fourrure étalée par terre. Pas à pas, elle parvient à le dépasser, sans jamais cesser de regarder autour d'elle. Le bruit de ses pas est étouffé par les bruits de respiration. Morimoto n'est plus qu'à quelques mètres de là. Hana s'oblige à se calmer. Un pas, puis deux. Encore trois et elle sera devant lui, le dominant de toute sa hauteur. Hana l'écoute dormir ; reconnaître les sons familiers la met en rage. Elle serre le couteau un peu plus fort encore et visualise sa main qui glisse, puissante et gracieuse à la fois. Sa décision est prise.

Elle prend une grande inspiration avant de s'agenouiller près de lui. Combien de fois, à l'inverse, s'est-elle retrouvée allongée sous son poids ? Hana sait identifier chez lui le sommeil profond, car elle profitait de ces moments pour se lever et se rendre aux toilettes ou jusqu'à sa bassine pour se laver. Elle observe son visage, seulement éclairé par les braises qui rougeoient encore dans le poêle. Ses paupières clignotent. À chaque battement, sa haine monte davantage. Le moment est venu.

Le couteau semble prendre vie et se dresse au-dessus de sa gorge nue. Ses mains picotent, comme anesthésiées. *Un geste. Rien qu'un seul. Vas-y.* La voix de son père la surprend. Ces mots lui viennent de son enfance. Du jour où Hana avait vidé un poisson pour la première fois. Ses viscères étaient gluants et mouillés, et le poisson avait continué à frétiller dans sa main, comme pour nager. Il n'y aura pas de différence. Hana pense aussi au bœuf à la patte cassée. Acte terrible, mais nécessaire. Pour survivre, pour retrouver sa liberté.

Doucement, Hana pose la lame contre le cou de Morimoto. Elle retient sa respiration et calcule la pression requise pour couper la trachée sans qu'il crie. Puis elle souffle profondément et contracte le ventre et le bras avant que sa main ne se mette en mouvement, de gauche à droite – exactement comme elle l'avait imaginé. Mais tout d'un coup, Hana sent ses bras tirés vers le haut. Son corps bascule vers l'arrière. Désorientée par cette violence soudaine, elle tombe par terre. Quelques instants lui sont nécessaires pour se rendre compte qu'elle a atterri sur quelqu'un. Elle se bat pour récupérer le couteau la première, mais les mains de l'autre personne sont puissantes et ses gestes sûrs. Elle se retourne pour voir son visage. Altan.

La main serrée sur son poignet, Altan appuie jusqu'à lui faire lâcher le couteau puis l'attrape pour le glisser dans sa ceinture. Tous les deux sont à bout de souffle. Hana se retient de lui crier dessus pour ne pas réveiller les autres. Altan, lui, ne dit rien, mais son expression parle pour lui. De la stupeur, ou peut-être du dégoût.

Hana le fusille du regard même si, au fond d'elle, elle souhaiterait pouvoir s'expliquer. Mais il ne comprendrait jamais. Leurs moyens de communication sont trop limités.

Altan se lève d'un bond et sort de la yourte, mais Hana ne le suit pas. Il y a d'autres couteaux dans la boîte. Elle pourrait aller en récupérer un et terminer le travail, mais ce qu'elle a lu dans ses yeux l'empêche d'aller plus loin. Il ne lui pardonnerait jamais. Elle se retourne vers Morimoto, l'homme à cause duquel elle a failli commettre un crime. Elle pourrait aller au bout de son projet, mais elle ne vaudrait alors pas mieux que lui ni que les hommes qui l'ont torturée. Pourtant, l'idée est difficile à accepter. Quel intérêt aurait-elle à valoir mieux qu'eux ?

Les yeux rivés sur Morimoto, Hana serre les dents, frustrée, furieuse, étourdie par la haine. Ses ongles qui s'enfoncent dans la chair de ses poings crispés lui procurent un mince soulagement. La douleur : Hana a tissé une relation particulière avec elle. Cette sensation la réveille. Le visage d'Altan l'envahit comme une lune malade qui se lève. L'expression gravée sur son visage est une tache dans son esprit. L'innocence qu'il y avait dans ses yeux a disparu. Comment a-t-elle pu en arriver là ?

Morimoto dort toujours. Hana s'imagine une dernière fois faire glisser la lame en travers de sa gorge, avant de regagner sa fourrure sans un bruit et de se coucher dessus. Son corps s'avachit sur le pelage soyeux comme si elle venait de parcourir mille kilomètres à pied. Un jour de sommeil tout entier ne lui suffirait pas à récupérer tant la perspective de repartir le lendemain matin avec Morimoto l'épuise.

Plus jamais elle ne reverra Altan, et la dernière image qu'elle gardera de lui sera celle de son visage horrifié, lorsque leurs regards s'étaient croisés. Hana sait ce qu'Altan a dû lire dans ses yeux, sait ce qu'il a pensé en la voyant fureter dans le noir pour aller ôter la vie à un homme qui dormait. Altan a vu en elle une créature infâme. Sans doute la méprise-t-il. Hana ferme les yeux et espère, le matin venu, qu'elle ne tombera pas sur lui, que la répugnance qu'elle lui inspire le tiendra à distance le temps qu'elle s'en aille. Elle ferme alors les yeux de toutes ses forces et tente de se convaincre qu'elle peut rester insensible.

*

Plus tard cette nuit-là, quelqu'un la réveille. Morimoto, se dit-elle. Son bras se lève aussitôt devant son visage, mais une voix jeune retentit. Un doigt sur la bouche, Altan lui fait signe de le suivre. Il s'est habillé et porte une sacoche de cuir à l'épaule. Hana se redresse. Sans la regarder, il lui tend la paire de bottes en daim que la mère lui a donnée. Elle les enfile, puis le suit dehors.

Ganbaatar les attend à l'extérieur de la yourte, près de l'entrée. Hana n'en croit pas ses yeux. Il pose un doigt sur sa bouche, comme Altan vient de le faire. Hana se fige, incapable de comprendre ce qu'ils projettent. Sans lâcher sa main, Altan la tire pour qu'ils s'éloignent de la yourte. Ganbaatar leur emboîte le pas et tous les trois se dirigent vers la petite yourte, derrière l'enclos. C'est à ce moment-là qu'Hana se rend compte du danger qui la guette.

Elle lâche brusquement la main d'Altan et se retourne pour courir, mais Ganbaatar est derrière elle et l'attrape par les épaules pour la pousser vers l'avant. Hana se débat, mais il ne la frappe pas. À la place, il lui murmure quelque chose à l'oreille, doucement ; Hana ne comprend pas un mot, mais une chose est sûre, elle n'attendra pas d'apprendre par elle-même ce que veulent les deux garçons. Elle se jette en avant et lui donne un coup de tête. Sa vision se trouble. Ganbaatar la relâche et Hana tourne les talons pour s'enfuir, mais Altan a déjà attrapé la ceinture de soie nouée à sa taille. Elle tente de la lui arracher, mais il s'accroche en secouant lentement la tête. Sur son visage ne transparaît aucune colère, plutôt de l'inquiétude. Il ne cesse de jeter des coups d'œil derrière eux, en direction de la yourte.

« Hana », souffle-t-il pour la calmer, avant de lâcher la ceinture.

Hana arrête de tirer et attend des explications. Altan désigne la petite yourte. Deux poneys sont attachés au piquet, entièrement sellés, comme préparés pour un long voyage. Altan s'empare alors de la sacoche pendue à son épaule et l'ouvre pour lui montrer son contenu. À l'intérieur sont emballées plusieurs rations de nourriture. Il y a aussi de l'eau, ainsi que d'autres accessoires utiles. Lentement, Hana finit par comprendre. Altan veut l'aider à s'enfuir.

Tout en se frottant le visage, Ganbaatar lui sourit et pointe du doigt le front d'Hana. Elle lui rend son sourire et se frotte le front à son tour, sentant la douleur monter. Puis le petit groupe poursuit son chemin jusqu'aux poneys. Ganbaatar l'aide à s'installer sur le poney blanc aux pattes noires. Altan sort le couteau glissé dans sa ceinture et le remet à Hana. Puis il dit quelque chose à Ganbaatar qui, en réponse, hoche la tête et lui donne une tape sur l'épaule avant de détacher les poneys. Altan saute en selle derrière Hana, à sa grande surprise. Elle jette un coup d'œil derrière son épaule pour le regarder, mais Altan se contente d'éperonner le poney qui s'élance dans la plaine. Le second poney se met en route derrière eux, sagement, comme si lui aussi savait où ils se rendaient.

Une fois dépassé le champ de pavot, Altan lance le poney au galop. Quelques instants plus tard, l'animal file à toute vitesse dans le noir, comme s'il avait effectué ce chemin des centaines de fois. Altan l'éperonne dès qu'il ralentit, freiné par les changements de terrain. L'angoisse du garçon est si contagieuse qu'Hana se met elle aussi à pousser le cheval, à l'encourager de toutes ses forces, intérieurement. Ils gravissent à présent une côte jonchée de pierres, sans doute le pied de la montagne que l'on apercevait derrière le camp.

Les étoiles brillent au-dessus de leurs têtes. Hana est à l'affût, guettant le bruit d'autres sabots. Imaginer Morimoto lancé à leur poursuite fait encore monter l'adrénaline. À plusieurs reprises, Hana croit entendre son cheval noir galoper derrière eux, mais il ne s'agit chaque fois que de son imagination.

Lorsque le soleil commence à se lever sur la plaine, Hana découvre enfin le chemin que suit le poney. C'est un petit sentier de chèvres qui serpente sur la montagne. Ils n'en ont gravi qu'un quart, si bien qu'Hana ne peut pas encore apercevoir le paysage qui s'étale derrière les arbres et les rochers autour d'eux. La peur d'être poursuivis lui noue l'estomac.

Elle trouve un peu de réconfort entre les bras d'Altan qui l'encercle pour tenir les rênes. Où l'emmène-t-il, et combien de temps encore restera-t-il avec elle ? Hana l'ignore, mais elle est heureuse qu'il l'ait accompagnée. Elle voit encore le dégoût qu'elle avait lu sur son visage quelques heures plus tôt. En y repensant, une telle honte et une telle culpabilité l'assaillent qu'elle voudrait disparaître sous terre. Son seul lot de consolation est qu'Altan n'a aucune idée de ce que lui a fait subir Morimoto, aucune idée des projets qu'il nourrissait. Peut-être l'aurait-il laissée faire glisser la lame sur son cou, s'il avait su. Ils n'auraient alors pas eu besoin de s'enfuir. Toutes ces pensées la hantent tandis que le soleil se lève et que le poney gravit la montagne avec de plus en plus de peine, jusqu'à ce qu'il s'arrête.

Altan aide Hana à descendre à terre avant de retirer la selle pour l'attacher sur le dos du second poney. Puis il fait boire dans sa main le premier, éreinté, avant d'aider Hana à remonter et s'installer derrière elle. Le petit groupe poursuit son ascension sur le sentier escarpé. Hana tente d'oublier la douleur provoquée par cette longue course effrénée. Son estomac est toujours noué, mais désormais à cause de la petite chance qu'ils pourraient avoir de réussir : si Morimoto a dormi toute la nuit et vient seulement de découvrir sa disparition, grâce à l'aide d'Altan, Hana pourrait réellement retrouver sa liberté. L'idée semble trop belle, alors elle s'efforce de se contrôler, de tempérer son optimisme, et décide de se concentrer sur le soleil levant, sur les pas assurés du poney et sur les bras d'Altan qui la serrent tandis qu'il les conduit à travers la brume du petit matin.

Ils finissent par atteindre le sommet. Le poney poursuit son chemin sur l'autre versant de la montagne, galopant plus facilement en descente qu'en montée. À présent lancé au grand galop, il esquive les obstacles qui jonchent le sentier avec une agilité remarquable, si vivement qu'Hana peine à s'accrocher. Voyant ses difficultés, Altan la serre contre son torse. Tous deux ne forment plus qu'un sur la montagne. En dessous d'eux s'étalent des prairies qui ondoient comme un grand océan vert. Hana pourrait vivre ici, mais au moment où cette pensée surgit, un bruit de pierres, derrière eux, l'interpelle.

Elle pense d'abord à l'autre poney, sans doute un peu à la traîne, mais elle regarde derrière son épaule pour en avoir le cœur net et son souffle se coupe. Ses poumons semblent pris dans un étau. Le cheval de Morimoto galope à toute vitesse sur le sentier derrière eux. Des coups de fouet transpercent l'air. Altan l'a entendu, lui aussi, et éperonne de plus belle le poney qui lui obéit, vaillamment. Quelques instants plus tard, Altan et Hana poursuivent leur course dans la plaine.

Le poney galope trop vite pour leur permettre de se retourner, mais la progression du cheval se devine rien qu'en écoutant les sifflements du fouet. Morimoto se rapproche. Avec ses deux cavaliers, le poney est trop lourd. Même lancé au grand galop sur le plat de la plaine, il ne pourra jamais distancer l'étalon de Morimoto.

Altan se risque à jeter un coup d'œil derrière son épaule et lâche ce qui ressemble à un juron. Il éperonne de nouveau le poney, l'encourage à accélérer, mais la bête est au maximum de ses capacités. Puis, soudain, Altan est happé en arrière et tombe de selle. Hana se retourne et l'aperçoit, recroquevillé par terre. Comme une vulgaire proie, Morimoto l'a attrapé avec son lasso. Son cheval s'est arrêté devant Altan. Le poney, quant à lui, est toujours lancé au grand galop. Hana attrape les rênes et lui crie d'avancer, prête à tout pour s'enfuir, mais elle ne peut s'empêcher de jeter un dernier coup d'œil derrière elle. Descendu à terre, Morimoto est en train de massacrer Altan à coups de poing. Il va le tuer, cela ne fait aucun doute.

Hana ne peut pas l'abandonner. Un gémissement de rage, de tristesse et de regret mêlés lui échappe. L'écho résonne à travers la steppe et, brusquement, le poney s'arrête. Hana lui fait faire demi-tour pour revenir sur ses pas, pour retourner vers Altan, retourner vers sa captivité – si ce n'est pas la mort qui l'attend là-bas.

Morimoto a grimpé sur Altan, ses bras volent, multiplient les coups puissants. De nouveau, le poney galope, mais Hana redoute qu'il n'arrive pas à temps. Elle entend les coups qui pleuvent sur le visage d'Altan, même à travers le fracas des sabots. Puis, en approchant, elle se souvient du couteau glissé dans sa ceinture et passe une main sur sa taille pour s'assurer qu'il n'est pas tombé. C'est alors que le poney s'arrête en dérapant. L'instant d'après, Hana se retrouve à terre, sur ses jambes flageolantes.

En la voyant arriver, Morimoto se relève et attrape Altan pour le mettre à genoux. Ses poings ruissellent de sang. Il se tourne vers Hana, une main posée sur son sabre. Hana tâte le couteau glissé dans sa ceinture. Le contact du manche en os lisse la rassure tandis qu'elle se prépare à se sacrifier.

Le visage d'Altan est en train d'enfler. Son œil droit ne s'ouvre plus. Les mots qu'il crie à Morimoto résonnent comme des balles de pistolet, mais qui, chaque fois, manquent leur cible. Toute l'attention de Morimoto est tournée vers Hana. Ses yeux noirs brillent sous le soleil de midi. Hana se souvient de leur toute première rencontre et de sa petite sœur cachée au pied de l'éperon rocheux. Ce jour-là aussi, elle s'était jetée dans la gueule du loup. Comme si son destin était de toujours se livrer à lui.

L'espace d'une seconde, elle s'imagine, sautant en selle pour remonter sur le poney avant de disparaître dans un nuage de poussière. À cette pensée, ses sens s'aiguisent. Mais même si cette image l'attire, Hana sait qu'elle ne deviendra jamais réalité. Sa vie n'aurait plus aucun sens si elle laissait Altan mourir ici. Le garçon crie toujours, semble insulter Morimoto – mais ses attaques sont dérisoires face au pouvoir d'un soldat aussi aguerri. La main de Morimoto n'a pas quitté le manche de son sabre. Mais alors qu'Hana n'est plus qu'à quelques pas de lui, Altan se lève d'un bond.

« Arrêtez », crie-t-elle à Morimoto d'une voix calme, mais ferme, lorsqu'il dégaine son sabre.

Altan brandit une main dans sa direction, comme pour lui interdire d'approcher. Elle secoue lentement la tête.

« Ne lui faites pas de mal, dit-elle.

— Et pourquoi devrais-je t'écouter ? »

L'expression sur le visage de Morimoto est aussi sombre que son regard. Son envie de tuer Altan est évidente. Un geste, et la tête du garçon roulerait par terre sans jamais plus pouvoir admirer le ciel bleu de Mongolie ni donner à voir son sourire radieux.

« Parce que je suis revenue. Je suis à vous, dit-elle.

— Alors je vais peut-être vous tuer tous les deux. »

Un grand sourire se dessine sur ses lèvres, le même que sur les masques des créatures maléfiques que portaient les danseurs folkloriques lors du *talchum*, dans son village. Morimoto est un dieu malfaisant venu la punir pour ses péchés commis dans une autre vie.

« Tuez-moi si vous voulez, mais épargnez-le. Ce n'est qu'un garçon. Il n'a rien à voir là-dedans. »

Morimoto semble réfléchir ; il ne la quitte pas des yeux. Hana commence à craindre pour leurs vies à tous les deux. Elle s'approche d'Altan et pose la main sur son visage tuméfié.

« Je suis sincèrement désolée », lui souffle-t-elle, même s'il ne la comprend pas.

Mais Altan l'empêche d'aller plus loin et tente de la faire reculer en direction du poney. Hana résiste. Les larmes d'Altan se mélangent au sang qui s'écoule de sa bouche. De toutes ses forces, il tente de la pousser vers le poney, en criant, mais Hana ne bouge pas d'un pouce. Il finit par glisser et s'effondre sur l'herbe sèche, continuant de la tirer, accroché à ses jambes. Altan et Hana ressemblent à deux acteurs au beau milieu d'une scène. Sur les lèvres de leur seul spectateur apparaît un sourire de plaisir sadique. C'est une tragédie qu'ils jouent, mais Hana doit résister coûte que coûte, pour Altan. À présent dressé sur ses genoux, le front contre sa cuisse, il sanglote en l'implorant, prononçant des mots que seul Morimoto peut comprendre. Hana regarde fixement son bourreau, sans ciller. Ce n'est qu'au moment où ce dernier finit par détourner la tête qu'Hana se penche vers le garçon.

Elle lève son visage puis, en lui caressant la joue, s'agenouille à ses côtés et lui baise tendrement le front. Prenant ses mains entre les siennes, elle l'aide à se relever. Altan la supplie, mais elle secoue la tête puis, au prix d'un effort surhumain, lui sourit.

« Ça va aller, souffle-t-elle. Rentre chez toi, je t'en prie. »

Altan lui dit quelque chose en lui serrant les mains. Il regarde derrière son épaule et crie contre Morimoto, mais Hana tourne son visage vers elle et l'oblige à la regarder dans les yeux.

« Altan, rentre chez toi », répète-t-elle, plus fermement cette fois.

Elle le pousse en direction du poney. Au départ, Altan résiste, mais Hana insiste jusqu'à ce que le garçon n'ait plus d'autre choix que d'agripper la selle et se hisser dessus. Perché sur le dos de la bête, il la regarde.

« Au revoir, Altan, lui dit-elle avant de s'incliner.

— Hana », répond-il, et sa voix déraille.

Hana secoue la tête puis se retourne et pointe du doigt la montagne et le sentier, pointe du doigt le camp où il sera en sécurité. Mais Altan fixe toujours Morimoto. Pendant un instant, Hana craint qu'il ne le charge avec son poney. Elle fait un pas sur le côté pour faire barrage, par précaution. Mais Altan semble s'être résigné et la regarde une dernière fois avant de faire demi-tour avec le poney et de l'éperonner. L'animal s'élance au galop à travers la plaine, la laissant seule avec Morimoto.

Le regard d'Hana s'accroche au garçon comme si sa vie en dépendait. Il n'est maintenant plus qu'un point qui s'éloigne dans l'ombre de la montagne. Mais même après qu'il a disparu, elle continue de le guetter au loin, sur les immenses rochers. Ce n'est qu'au moment où la silhouette du poney s'est totalement fondue dans la montagne que sa main se serre sur le manche du couteau rangé dans sa ceinture.

Les bottes de Morimoto crissent sur l'herbe sèche. Il approche, mais Hana ne se retourne pas. L'image d'Altan s'éloignant au galop brûle encore. Ses épaules s'affaissent, et le courage qui l'animait quelques instants plus tôt l'abandonne. Les yeux rivés sur le sol, Hana attend Morimoto. Il s'arrête derrière elle. Agrippée à son couteau, elle se retourne alors face à lui.

« Tu m'as déshonoré, dit-il. T'enfuir avec ce garçon… Tu as tout gâché ! Je ne pourrai plus jamais te faire confiance. Tu ne comprends donc rien ? »

Morimoto fulmine. Sa main se tend vers elle pour lui attraper le poignet, mais Hana est trop rapide. Elle brandit son couteau et l'abaisse, pointé droit sur son cœur. Mais Morimoto l'a déjà stoppée. Hana lutte de toutes ses forces pour approcher la pointe de la poitrine du soldat. Son visage est collé à celui de Morimoto, abasourdi, mais il ne tarde pas à se ressaisir et lui tord le poignet. Le couteau tombe dans l'herbe. Morimoto se met alors à parler, mais Hana ne perd pas une seconde. Elle se jette en avant pour lui donner un coup de genou entre les jambes et s'arrache enfin à lui.

Morimoto est plié en deux. Hana s'écarte, tout en sachant qu'elle ne parviendra pas à lui échapper avec son étalon, que toute tentative serait vaine, mais ses jambes ne veulent pas l'écouter. Elle se retourne et se met à courir. Lancée sur les pas d'Altan, elle s'élance vers la montagne, même si sa raison lui crie qu'elle n'y arrivera pas.

Morimoto ne la poursuit pas sur son cheval. Il s'élance derrière elle à pied, mais, même ainsi, Hana ne fait pas le poids. Ses doigts s'accrochent bientôt à ses cheveux et la tirent en arrière. Son souffle se coupe en percutant le sol rocailleux. À moitié assommée, Hana se met à hurler lorsque Morimoto la tire jusqu'au cheval par les cheveux. Ses mains s'accrochent à ses poignets, mais la douleur reste toujours aussi vive. Ses pieds s'agitent par terre pour tenter de la soutenir. Puis, tout à coup, Morimoto s'arrête et la relâche. Hana s'écroule par terre, les mains sur le visage. Elle reçoit un coup de pied dans le ventre.

« Je devrais te tuer », dit-il.

Hana est recroquevillée. Morimoto la frappe de nouveau, cette fois dans les tibias. Puis il lui attrape les avant-bras, ôtant ses mains de son visage. Hana se débat, mais Morimoto la domine. Il l'enjambe et s'assoit sur elle, lui clouant les bras sur le sol. Hana n'est plus qu'un animal pris dans le piège d'un chasseur.

« Arrête », lui crie-t-il en la secouant, et sa tête heurte le sol.

Des étoiles dansent devant ses yeux. Le ciel semble avancer vers elle. Écrasée par le poids de Morimoto, Hana a l'impression de se noyer dans l'air pesant. Il devient trop dur de respirer.

« Pourquoi est-ce que tu fuis tout le temps ? Après tout ce que je t'ai raconté, après tout ce que j'ai prévu pour nous ! »

À ces mots, la tête de Morimoto tombe en avant et se pose près de la sienne. Sa barbe de trois jours lui pique la tempe. Couchés ainsi, Morimoto et elle pourraient passer pour deux amoureux pique-niquant sur l'herbe d'un parc. Le cheval et le poney qui broutent à côté parachèvent le tableau. Cet endroit pourrait devenir sa maison. Le confort de la yourte l'appelle. Le vent passe dans ses cheveux. Une odeur de terre chaude emplit l'air. Il y a là une douceur qui lui rappelle son île. Hana ferme les yeux et se souvient du sourire de sa petite sœur.

« J'avais une belle vie. Vous me l'avez prise. Je ne l'oublierai jamais », dit-elle.

Le corps de Morimoto se raidit. Hana le sent se tendre des pieds à la tête au-dessus d'elle. Elle lève les yeux vers lui, se préparant à ce que les coups pleuvent. Impossible de déchiffrer son expression. Son visage est vide.

« Ça ne m'intéresse plus », dit-il.

Puis il s'appuie par terre et se redresse pour s'agenouiller. Hana s'assoit à son tour, redoutant de savoir ce qu'il s'apprête à faire. Le regard de Morimoto s'arrête au loin, au-delà de la steppe. Les mains en visière, il semble scruter quelque chose à l'horizon puis, tout à coup, se relève. Lorsqu'il baisse les yeux vers elle, Hana le découvre saisi de panique. Son regard ne cesse de se poser tour à tour sur l'horizon puis sur elle, comme s'il cherchait à prendre une décision. Il siffle alors son cheval. L'étalon s'approche. Voyant Morimoto monter sur son dos, Hana craint de finir piétinée par ses sabots.

Cette mort lui convient. Périr dans ce lieu où elle a brièvement renoué avec la bonté du monde.

Sous les bourrasques du vent, Hana reste immobile. Ses cheveux lui fouettent le visage. Puis le cheval hennit au-dessus d'elle et s'en va au galop. Stupéfaite, Hana regarde Morimoto s'éloigner vers la montagne. Le bruit des sabots finit par s'éteindre, emporté par le vent.

Morimoto l'a abandonnée. Tout se met à vaciller à l'instant où elle se rend compte qu'elle est libre. Les battements de son cœur résonnent à l'arrière de son crâne, à l'endroit où sa tête a heurté le sol. Elle prend plusieurs respirations profondes avant de s'agenouiller sur l'herbe. Morimoto est parti. Pour de bon. Hana ne parvient pas à y croire. Elle n'arrive pas à croire que le délire de cet homme ait enfin cessé et qu'il ait fini par la laisser partir. Elle est libre. Cette idée la fait sourire, même après ce calvaire, et ce sourire lui fait du bien.

Le second poney broute toujours à quelques mètres de là. Il connaît son chemin pour rentrer chez lui, connaît le chemin qui la ramènera jusqu'au camp, jusqu'à Altan et sa famille. Le visage du garçon inonde son esprit. Elle n'a pas entendu le vrombissement lointain des camions qui avancent vers elle.

Elle se relève alors et saute en selle avant d'éperonner doucement le poney. Mais au lieu de se mettre en route, l'animal tourne la tête pour regarder derrière, et Hana l'imite. Un convoi militaire se dirige dans leur direction. Soudain, tout s'éclaire. Morimoto ne l'a pas abandonnée au milieu de la steppe. Morimoto n'a pas décidé de lui rendre sa liberté. À moins d'un kilomètre, trois gros camions et un tank, suivis par une troupe de soldats à cheval, approchent. Un drapeau flotte à l'arrière du tank, rouge sang, avec une étoile jaune, une faucille et un marteau dans le coin supérieur gauche. Un convoi militaire soviétique. Comme un lâche, Morimoto a fui, la laissant seule face à l'inconnu.

Hana crie dans l'oreille du poney en lui battant frénétiquement les flancs jusqu'à ce qu'il se mette en route, lentement au départ, puis de plus en plus vite. Lancée au galop, elle regarde derrière son épaule. Quatre cavaliers se sont détachés du convoi pour partir à sa poursuite. Leurs chevaux sont grands et rapides. Elle ne pourra pas leur échapper. Devant elle, au loin, elle aperçoit alors un minuscule point, une tache sombre contre le ciel clair. Sur son cheval, Morimoto se sauve à toute allure.

Le poney ralentit, mais elle ne le laisse pas s'arrêter. Elle continue de l'éperonner, hurle dans son oreille, gémit dans sa crinière, l'implorant d'avancer, de ne pas la laisser tomber. Puis ses sabots se mettent à gratter le sol alors qu'un fracas assourdissant se rapproche, recouvrant les bruits du petit poney. L'escadron passe sans ralentir. Ils poursuivent leur chemin, filant au grand galop à travers la steppe comme si Hana était invisible. Mais il n'y a que trois soldats parmi eux.

Le quatrième s'est arrêté près d'elle. Une pellicule de sueur recouvre la robe fauve de son cheval. De l'écume sort de sa bouche. Le soldat soviétique lui prend les rênes et entraîne son poney, au trot. Les deux montures halètent. Hana lève les yeux vers le visage de l'inconnu. C'est un homme aux grands yeux marron, aux cheveux clairs, avec un nez busqué. Il ne lui adresse pas un mot et se contente de désigner son pistolet à sa ceinture, rangé dans son fourreau, avant d'agiter le doigt de gauche à droite avec un petit sourire. Il fait alors demi-tour et reprend la direction du convoi.

Hana jette un coup d'œil derrière son épaule. Les trois taches noires sont en train de rattraper la quatrième. Morimoto ne s'en tirera pas. Les cavaliers sont trop rapides. Il va être fait prisonnier, lui aussi. Hana sait que les soldats soviétiques ne peuvent rien lui faire qu'elle n'ait déjà subi, à part la tuer – mais à cet instant, cette perspective lui importe peu. Elle préfère penser à Morimoto. À tout ce qu'ils lui feront et qu'il n'a jamais connu. La douleur, la torture, l'humiliation – toutes ces choses, Morimoto va les découvrir, pour la première fois. Cette pensée laisse dans sa bouche un goût sucré, comme un abricot tout juste cueilli, mûri sous le soleil d'été.

*

Le soldat soviétique conduit Hana jusqu'au dernier camion du convoi. Plusieurs prisonniers sont déjà entassés à l'intérieur. La plupart sont des Chinois, reconnaissables à leur manteau capitonné et à leur col montant, mais Hana remarque également deux jeunes Coréennes qui se tiennent par la main, serrées l'une contre l'autre. Lorsque Hana arrive devant le hayon, tous font semblant de ne pas l'avoir vue. Deux autres soldats armés sont assis parmi les prisonniers. Prenant garde de ne bousculer personne, Hana se faufile à l'arrière du camion, aussi loin d'eux que possible.

L'une des Coréennes s'écarte pour lui laisser de la place. Hana se glisse à côté d'elle. Aucune des deux filles ne parle. Leur tête est courbée et leur regard rivé sur leurs cuisses. Hana, quant à elle, scrute l'horizon.

Les trois cavaliers sont en train de revenir. Pendant qu'ils se rapprochent, Hana cherche à savoir si Morimoto se trouve parmi eux. C'est alors qu'elle l'aperçoit sur le dos d'un cheval, derrière l'un des soldats. Il ne s'en est pas sorti.

Son cœur tambourine dans sa poitrine. Morimoto a les mains ligotées dans le dos. L'une de ses lèvres est enflée. La jambe gauche de son pantalon semble trempée de sang. Il passe devant le camion sans un regard pour elle. Assis sur le cheval, le dos droit, il fixe des yeux l'épaule du soldat, comme si de rien n'était, comme s'il n'avait pas peur et ne risquait rien. Mais cette manière de s'asseoir et sa jambe sanguinolente le trahissent ; Hana sait que le sort qui l'attend le terrifie. Les soldats vont lui faire subir un interrogatoire, le torturer et le tueront sans doute, dès lors qu'il aura tout révélé. Une vague de satisfaction l'envahit.

Puis les cavaliers prennent la tête du convoi. Hana perd de vue Morimoto. Se retournant vers la steppe, elle se demande ce qu'est devenu son magnifique étalon. Comment auraient-ils pu laisser partir un si puissant, un si solide animal ? Hana rêverait de le voir galoper dans la steppe, muscles saillants, pour retrouver Altan et vivre libre et heureux, loin des soldats. Elle s'accroche à cette image, mais, petit à petit, la satisfaction provoquée par l'arrestation de Morimoto se dissipe, jusqu'à ce qu'elle se retrouve à grelotter dans le camion, au milieu des prisonniers silencieux.

*

Un loup hurle au loin. Ses cris solitaires se réverbèrent sur les collines qui entourent la steppe. Voilà des heures que le convoi se dirige vers elles. Plus loin derrière se dressent des montagnes au sommet bleuté qui lui rappellent le mont Hallasan. Le soleil se reflète sur des nuages orangés alors que la nuit s'apprête à tomber. Hana regarde disparaître les derniers rayons et tente de graver dans sa mémoire l'image de ces somptueuses traînées de lumière. L'obscurité est synonyme de terreur. Sa mère lui avait toujours dit de ne jamais aller plonger après la nuit tombée. C'est à ce moment-là que les créatures des profondeurs se réveillent et partent chasser.

« Avec la nuit sortent les monstres des abysses qui cherchent la lumière », lui avait-elle dit un soir, tandis qu'elles nageaient vers le rivage.

Hana n'avait jamais passé une journée aussi longue en mer. Le crépuscule commençait à tomber, mais elle voulait continuer à plonger. Elle n'avait attrapé que deux conques dans ses filets.

« JinSook en a trouvé quatre hier. Je ne peux pas rentrer avec si peu. Elle a un an de moins que moi !

— Que dis-tu ? Tu devrais être fière de ce que tu as réussi à pêcher. Le soleil est en train de disparaître. La journée est terminée. »

Sa mère avait continué à nager vers la côte devant Hana, qui n'avait cessé de rouspéter tout au long du trajet.

« Juste encore un peu, s'il te plaît ! Je suis sûre que je vais en trouver deux autres en un rien de temps. Il doit y avoir des conques près de la vieille ancre où les algues sont récoltées. »

Une fois sur la terre ferme, sa mère avait ôté son masque et s'était légèrement penchée vers elle pour la regarder dans les yeux. Hana avait aussitôt cessé de se plaindre.

« Je ne pense pas que tu aimerais rencontrer les créatures des profondeurs qui sortent le soir. »

Certaine que sa mère se moquait d'elle, Hana avait répondu :

« Ne t'inquiète pas pour moi. Elles ne m'auraient même pas remarquée, puisque je n'ai pas de lumière.

— Oh, mais si, avait répondu sa mère, les sourcils levés.

— Ah ? Et comment ?

— À cause de ta peau. »

Hana l'avait regardée d'un air sceptique, mais sa mère avait ajouté en lui caressant la joue :

« Blanche comme le lait, pure comme le duvet d'une jeune oie. Au milieu des ténèbres, aucun trésor ne brille davantage. »

Hana avait baissé les yeux vers ses bras et ses jambes. Ils n'avaient pas grand-chose de blanc. Elle était même toute bronzée à force de nager autant.

« Je suis brune, je n'ai plus la peau blanche comme Emiko », avait-elle répondu en désignant sa sœur qui les attendait devant les seaux.

Les joues de la petite étaient rouges de fatigue et ses cheveux tout collés sur son front.

« J'ai réussi à chasser les mouettes. Qu'est-ce qu'elles avaient faim aujourd'hui ! Regarde, il y en a une qui m'a picoré la main ! s'était-elle exclamée en montrant une petite égratignure à Hana.

— Laquelle t'a fait ça ? » avait-elle demandé.

Ses histoires de pêche avaient été instantanément oubliées. Une vilaine mouette avait attaqué Emiko. Elle devait lui donner une leçon, sans quoi toute la bande d'oiseaux allait s'en prendre à elle.

« Celle-là, avec les cercles gris autour des yeux », s'était écriée Emiko.

La mouette avait repéré quelque chose sur le sable et tentait de s'en approcher, sans se douter qu'Hana l'observait. Cette dernière avait alors ramassé une petite pierre et, en fermant un œil, s'était mise à viser. La pierre avait atterri dans le dos de la mouette, qui s'était envolée en piaillant.

« Vite, allons-y ! avait crié Hana, puis elle s'était lancée à sa poursuite sur la plage qui prolongeait leur petite crique. Viens, Petite Sœur, cours !

— Attends-moi ! criait Emiko derrière elle, en s'élançant aussi vite que ses petites jambes le permettaient. Prends garde à toi, la mouette ! » avait-elle lancé en levant la tête vers le ciel, et toutes les deux avaient continué à courir le long de la côte, jusqu'à ce qu'elles n'en puissent plus.

Elles s'étaient écroulées sur la plage, aspirant de grandes goulées d'air iodé pour reprendre leur souffle. Le visage tourné vers le ciel, Hana regardait les mouettes décrire de grands cercles sous les nuages. La petite main de sa sœur s'était glissée dans la sienne, puis elles étaient restées étendues là, toutes les deux, à regarder les nuages passer au-dessus d'elles. Une fois reposée, sa petite sœur avait bondi sur ses pieds.

« On fait la course jusqu'à la maison, s'était-elle écriée avant de repartir à toutes jambes vers la crique.

— Hé, mais tu es partie avant, ce n'est pas juste ! » avait répondu Hana, mais Emiko n'avait fait qu'accélérer en riant.

Elle avait continué à rire pendant toute la course, et encore plus quand Hana l'avait dépassée.

Le rire d'Emiko résonne dans sa tête, le bruit de la joie. Puis Hana sursaute en sentant une main lui toucher le bras.

« À quoi tu penses ? murmure la fille assise à côté d'elle.

— Comment ? » répond Hana en regardant tour à tour la fille et les soldats.

L'un d'entre eux s'est endormi, mais l'autre est en train d'astiquer son arme avec un chiffon gras.

La fille pose un doigt sur ses lèvres, en les frôlant à peine.

« Tu souriais, souffle-t-elle, puis elle baisse les yeux vers ses mains tremblantes et les enfouit entre ses cuisses.

— C'est vrai ? demande Hana.

— Oui, je t'assure. Tu devais penser à quelque chose de merveilleux pour sourire dans un moment pareil », dit la fille.

Hana baisse la tête. Le rire d'Emiko s'est envolé. Elle tente de le faire retentir à nouveau, mais impossible.

« Merveilleux, oui », dit-elle.

Elle sent le regard de la fille sur elle. Un regard envieux. Combien de temps a-t-elle dû voyager dans ce camion pour que la simple évocation d'un souvenir heureux provoque en elle une telle convoitise ? Hana croise son regard. Ses yeux sont injectés de sang. Ses bras sont couverts de vieux bleus. Une pustule violette a poussé sur sa joue.

« Je me souvenais du rire de ma sœur. Elle n'a que neuf ans.

— Moi, j'ai un petit frère – il a cinq ans. Il me manque.

— Ma sœur me manque aussi.

— Et son rire, à quoi ressemblait-il ? »

Hana s'arrête pour penser à ce son qu'elle ne parvient plus à entendre. Les vrombissements du moteur l'empêchent de ressurgir. Elle se retourne vers les yeux désespérés de la fille, souhaitant lui apporter un peu de réconfort, si elle le peut. Levant la tête vers le ciel, elle se concentre sur la première étoile qui se révèle sur la voûte noire.

« Il ressemblait à un oiseau qui se laisse porter avec grâce par la brise d'été, comme soulevé par les vagues, et qui caresse le bout des branches d'arbres lorsqu'il passe. Il ressemblait… à la liberté. »

La fille reste silencieuse pendant un long moment. Elle ne regarde plus Hana. Puis le camion s'arrête en toussant, et la fille s'essuie discrètement la joue avant que le soldat ne donne l'ordre à tous les prisonniers de se lever. Il en attrape quelques-uns pour les mettre sur pied tandis que le hayon s'abaisse et que deux autres Soviétiques somment tout le monde d'évacuer. En se levant, Hana tente de voir le visage de la fille.

« Je te demande pardon si je t'ai rendue triste », se dépêche-t-elle de lui murmurer.

La fille se retourne en se mettant en marche et lui souffle :

« J'ai réussi à l'entendre. »

Puis elle sourit.

Ce témoignage de bonheur, même fugace, réchauffe le cœur d'Hana. Mais sitôt qu'elle descend du camion, sa joie se transforme en peur. La file de prisonniers est en train de suivre les deux soldats dans le noir. Ces hommes sont des barbares, immenses, larges, tout en muscles. Hana les voit déjà, jouant au tir à la corde avec son corps pour la démembrer, chacun au bout d'une jambe, avant que le soldat qui lui arrache la tête ne crie victoire. Au moins, elle serait morte. Tout serait plus simple alors.

Plusieurs feux de camp brillent au loin. Dans le noir, les mots de sa mère lui reviennent à l'esprit : *Avec la nuit vient la terreur.* Le rire de sa sœur n'a plus sa place dans cet endroit, même si Hana brûlerait de l'entendre, ne serait-ce qu'une dernière fois. La fille derrière elle s'est mise à gémir, mais personne ne la rassure. Hana, elle aussi, marche sans rien dire. Les prisonniers sont des fantômes en train de pénétrer dans un nouveau royaume.

Les Soviétiques s'arrêtent devant une grande tente beige et indiquent aux prisonniers d'y entrer. Tout le monde obéit, baissant la tête au moment de se faufiler par la petite ouverture. Mais lorsque vient le tour d'Hana, l'un des soldats pose une main sur son épaule. Trop apeurée pour le regarder, Hana garde les yeux rivés sur les gens attroupés à l'intérieur de la tente. Le soldat lui dit quelque chose, mais elle ne le comprend pas. Puis il se répète, plus fort cette fois. Hana est obligée de se tourner vers lui.

Le soldat examine son visage avant d'extraire Hana de la file. Il fait signe aux suivants de continuer à entrer, sans lui lâcher le bras. Puis il aboie un ordre à son camarade qui, en réponse, prend position devant l'entrée de la tente, arme à la main. Hana est emmenée par le même chemin qu'à l'aller. *Le moment est arrivé*, se dit-elle. Ils vont « l'inaugurer », comme l'avait fait Morimoto sur le ferry. Hana trébuche dans le noir. Ses doigts de pied ne cessent de buter sur les pierres qui jonchent l'herbe pelée. Mais le soldat l'agrippe solidement pour l'empêcher de tomber ou de prendre la fuite. De nouveau, Hana s'est fait kidnapper, mais cette fois par des hommes deux fois plus grands et dix fois plus forts qu'elle.

En retournant jusqu'au convoi, le soldat et elle croisent plusieurs autres hommes qui marchent par petits groupes de deux ou trois. Certains la remarquent, tandis que d'autres semblent trop occupés pour tourner la tête. Une sorte de tension règne autour d'eux, alors même qu'elle se trouve à présent loin du camp. Il y a dans l'air comme de l'électricité, chose qu'elle n'avait pas remarquée plus tôt, lorsqu'elle se trouvait entassée avec les autres prisonniers. Maintenant qu'elle se retrouve toute seule, Hana perçoit clairement cette énergie qui émane de chaque Soviétique qu'elle dépasse.

Le soldat s'arrête devant le tank qui roulait avec le convoi. Le drapeau rouge est immobile dans la nuit calme. Deux soldats se dressent au sommet de ce monstre de métal, leur arme braquée sur un homme agenouillé sur le sol brut. Un feu de camp brûle à quelques mètres de là, éclairant d'autres soldats postés en demi-cercle autour du prisonnier à terre. L'homme n'a plus figure humaine. Son visage a doublé de volume. Son arcade sourcilière est ouverte et saigne sur sa joue, cachant la moitié de sa face comme une peinture de guerre. Il baisse le regard, mais Hana n'est pas sûre que ses yeux gonflés et en sang soient encore capables de voir.

Deux soldats sortent du demi-cercle et s'approchent de lui. L'un d'entre eux lui parle ; le second, un homme aux larges épaules, traduit en japonais.

« Épargne-toi cette agonie et dis-nous ce que nous voulons savoir. »

L'interprète parle un japonais approximatif, avec un fort accent. Le premier soldat, chargé de conduire l'interrogatoire, jette un coup d'œil vers Hana. Elle se met à trembler. L'homme agenouillé par terre est Morimoto. Elle ne peut détacher son regard de son visage défiguré. Son corps tout entier est pris de violents soubresauts. Le voir dans cet état ne lui procure aucune satisfaction. Hana est terrifiée. Pourquoi l'ont-ils amenée ici ? Va-t-elle subir le même sort que lui ?

« Elle parlera si tu refuses de le faire. »

L'officier adresse un signe de tête au soldat qui la retient. Ce dernier lui tord alors les bras pour la forcer à se mettre à genoux. Trois mètres à peine la séparent de Morimoto. Il ne lève pas la tête et se contente de respirer par son nez cassé, sans dire un mot, en faisant retentir un sifflement laborieux.

Puis l'officier lui envoie un coup, et Morimoto s'effondre. Deux soldats se précipitent pour le remettre à genoux. De la terre et de l'herbe sont collées à son visage en sang. Il ressemble à un monstre à présent, dépourvu de toute humanité. Voilà donc ce que font les hommes à leurs semblables en temps de guerre. Hana ne saurait dire si leur sort est pire que celui fait aux femmes. Elle ne peut détacher son regard de ce visage effroyable.

« Où sont tes complices ? crie l'interprète. Nous savons que tu es un espion, que tu as franchi la frontière dans le but de recueillir des informations pour ton empereur. Nous savons que ces traîtres mongols te sont venus en aide. Où sont-ils ? Donne-nous leur nom. »

Altan. Altan est en danger. Si Morimoto parle, il sera exécuté. Altan, sa mère, son père et Ganbaatar, qui tous ignorent que les troupes soviétiques ne sont qu'à quelques heures de leur camp. Mais Morimoto peut-il encore faire preuve de loyauté envers ses amis après ce qu'Altan a fait ? Serait-il capable de les trahir pour se venger ? Sa tête se tourne vers Hana, et soudain, ses yeux semblent reprendre vie. Mais impossible de lire son expression sur son visage tuméfié.

Craignant que le moindre de ses gestes ne déclenche ses aveux, Hana reste immobile comme une pierre. Les Soviétiques se lanceraient aux trousses des Mongols comme des torpilles sous-marines, frappant de nuit, sans leur laisser la moindre chance – tout cela à cause d'elle. L'officier continue de crier et l'interprète de traduire, quand, tout à coup, Morimoto lève une main. Le cœur d'Hana cogne si fort que ses battements résonnent dans ses oreilles comme le tonnerre qui gronde.

« Je vous ai déjà dit », commence-t-il d'une voix éraillée, mais sa gorge semble alors se bloquer. Les mots mettent quelques instants à revenir. « Je transporte…

— Oui, nous le savons, tu transportes des femmes », rétorque l'interprète d'un ton impatient, avant de soupirer. Puis il se tourne vers Hana. « Parle. Dit-il la vérité ? Es-tu bien une prostituée au service des soldats japonais ? »

Cette question est un couteau qui lui transperce le ventre. Morimoto leur a donc raconté qu'elle se prostituait pour les soldats de l'empereur. Elle revoit soudain des images de sa captivité : son enlèvement sur la plage, puis la première fois que Morimoto l'a violée, les longues files de soldats devant sa porte, les coups, les examens médicaux forcés, la faim, la colère, puis son évasion… tout se fond en une lumière dorée qui irradie la mère d'Altan et ses mains si douces, l'auréolant comme un esprit divin. Le temps s'épaissit, Hana a l'impression de revivre dix fois ces souvenirs avant de pouvoir parler.

« Je suis ce qu'il dit. »

Ces mots ont le goût de la cendre, mais Hana se raccroche à l'image d'Altan. Morimoto crache une giclée de sang sur la terre nue. Impossible pour Hana de détourner son regard de cette bouche pleine de dents cassées.

« Où projetait-il de t'emmener ? »

C'est à ce moment-là qu'une histoire des filles du bordel lui revient en mémoire.

« Il m'a promis que les dettes de mon père seraient annulées si je venais travailler en Mandchourie. »

L'interprète traduit sa réponse à l'officier, et tous les deux discutent pendant quelques instants avant de se retourner vers Morimoto.

« Comment as-tu atterri en Mongolie ? »

Les yeux de Morimoto restent braqués sur Hana. Il ne bouge pas d'un centimètre en parlant. Sa voix est morne.

« Elle s'est échappée… et je l'ai traquée jusque-là. J'allais la ramener en Mandchourie quand vous nous avez trouvés.

— Tu veux nous faire croire que cette gamine en haillons, affamée, est arrivée toute seule jusqu'ici ?

— Elle a de la ressource », dit-il en s'esclaffant, avant de se mettre à tousser. Puis il se plie en deux et vomit du sang. Lorsqu'il se redresse, son attention est tournée vers l'interprète. « Je ne la perdrais pas de vue un seul instant, si j'étais vous. »

L'interprète se charge de transmettre l'information. Hana sent alors tous les regards se tourner vers elle et la jauger. Les soldats semblent curieux, mais leur curiosité est loin d'égaler la haine que Morimoto ressent visiblement pour elle. En la dénonçant comme prostituée pour l'armée japonaise, Morimoto a annihilé toutes ses chances de s'en sortir. Morimoto a fait en sorte que son calvaire se poursuive.

L'officier donne une dernière consigne à l'interprète avant de s'en aller vers le camp. L'interprète et les autres soldats restent à leur place. Le groupe semble gagné par une sorte d'excitation. Puis l'interprète sort lentement le sabre de Morimoto de son fourreau, désormais attaché à sa propre ceinture. Hana ne l'avait pas remarqué. La lame de métal étincelle à la lumière du feu. Morimoto avait menacé de couper la tête d'Altan avec cette arme. C'est alors que l'interprète jette le sabre par terre, aux pieds de Morimoto, avant de faire un pas en arrière.

« Ramasse. »

Morimoto ne réagit pas. Peut-être est-il trop mal en point pour se lever, sans parler de ramasser le sabre.

« Nous avons souvent entendu parler de ces fascinants rituels que pratiquent les samouraïs, ajoute-t-il sans se soucier que Morimoto n'ait pas obéi. Mais nous n'avons jamais eu la chance d'en voir un en vrai. »

Il jette un coup d'œil en direction des autres soldats qui se sont attroupés autour de lui et l'encouragent à poursuivre.

« Nous t'offrons donc le choix. Nous montrer ce rituel ancestral et mourir dignement, de tes propres mains, ou te faire tuer par eux. » Il désigne les hommes qui l'entourent. « Et je peux te promettre que cette mort sera tout sauf digne. »

Toujours agenouillée par terre, Hana observe Morimoto. Lentement, il lève alors une main pour attraper son sabre et manque de s'écrouler par terre tant cet effort lui coûte. Hana étouffe un cri. Morimoto reprend son équilibre, puis se redresse en prenant appui sur le sabre. Visiblement éprouvé, il s'arrête pour reprendre son souffle. Le bruit de sa respiration montre à lui seul comme il souffre. Du sang gargouille quand l'air s'engouffre dans sa bouche.

La tête haute, il soulève le sabre et l'inspecte. La lame glisse sur son doigt, aussi tranchante qu'un rasoir. Un filet de sang apparaît à la surface de sa peau. Hana grimace. Pourtant, impossible de ne pas regarder jusqu'au bout.

Morimoto la scrute, mais ses yeux gonflés ne laissent deviner quoi que ce soit. Sans doute est-il en train de sourire, savourant ce geste ultime qui la laissera aux mains d'un ennemi encore plus terrible que lui.

« Alors, quelle est ta décision ? » demande sèchement l'interprète, quand soudain Morimoto se plante la lame en plein ventre.

Tout le monde se fige. Même Hana reste clouée sur place, à cet instant. Le sabre est enfoncé profondément. Puis, sans pousser le moindre cri, Morimoto donne un coup à l'horizontale, vers la droite. Son visage est tordu de douleur. Le blanc des dents qui lui restent luit sous la lumière du feu et, sous les flammes qui vacillent, son visage boursouflé et sanguinolent semble grotesque. Hana voudrait s'enfuir, mais le soldat qui la garde lui serre si fort le bras qu'elle ne peut qu'assister, horrifiée, aux derniers instants du harakiri.

L'un des hommes se retourne brusquement, sur le point de vomir, mais Morimoto n'en a pas fini. Les mains tremblantes, il sort lentement la lame de son ventre et, d'un geste vif, se tranche la gorge. Vidé de toutes ses forces, son corps s'effondre sur la terre noire. Morimoto n'est plus le dieu de la mort. Gangnim aura fini par avoir raison de lui.

Le silence s'abat, épais comme le sang qui s'échappe du cadavre. Le soulagement qu'Hana pensait éprouver ne vient pas. Il n'y a que du vide à la place. Même la peur de savoir ce que lui réservent les soldats ne parvient pas à revenir. Tout se passe comme si la violence dont Morimoto a fait preuve contre lui-même l'avait contaminée, ne laissant en elle qu'un profond désespoir.

Un par un, les soldats se dispersent. Même le soldat qui la garde s'éloigne, comme si les hommes voulaient à présent la laisser seule pour voir ce qu'elle ferait en compagnie de ce cadavre. Alors Hana se lève et marche vers lui. Elle s'agenouille devant le corps sans vie de Morimoto et ne bouge plus, fascinée par la misérable carcasse de cet homme dont la simple présence était pour elle une torture. L'uniforme autrefois impeccable de Morimoto est imbibé de sang. Son visage sans vie ressemble à celui d'une bête. Ses yeux ouverts ont la même expression que ceux d'un poisson pourri. Ce corps inerte commence à la perturber. Morimoto n'est plus qu'un tas de chair et de sang, gisant sur une steppe de Mongolie.

Sans se soucier des regards, Hana plonge la main dans la poche du cadavre. Elle en sort le portrait en noir et blanc de la fille qu'elle était auparavant. La photo est tachée de sang. Elle s'empresse de l'essuyer sur son deel et la glisse dans sa propre poche, gagnée par un grand soulagement. Morimoto ne possède plus rien d'elle.

Après un long moment, son regard parvient à se détacher des restes du caporal. L'interprète apparaît à côté d'elle juste à cet instant. Il la dévisage comme s'il cherchait à lire ses pensées. Hana décide de le devancer.

« Je le haïssais », explique-t-elle d'une voix monotone, en se demandant si le soldat l'a vue prendre le portrait.

Ses mots sont aussi vides qu'elle. L'interprète ne répond pas. Il fait demi-tour et l'emmène en direction du camp. Arrivés devant la tente où se trouvent les autres prisonniers, le garde s'écarte pour la laisser passer. Hana jette un dernier regard à l'interprète avant de se baisser pour entrer. Peut-être l'a-t-il vue prendre la photo, mais il ne semble pas s'en soucier.

Le regard d'Hana tombe sur des dizaines de visages en entrant. Certains sont enfouis dans les mains des prisonniers qui pleurent en silence, craignant de faire le moindre bruit, tandis que d'autres semblent sonnés, hagards. Sous la lumière de la lampe, Hana balaye l'espace du regard pour tenter d'apercevoir les Coréennes. Serrées les unes contre les autres, les deux filles se trouvent tout au fond de la tente, derrière deux Chinois ligotés. Hana se faufile entre les prisonniers pour aller s'asseoir à leur côté.

« Tu as du sang sur ton manteau », dit la plus âgée.

Hana jette un coup d'œil à son deel, mais s'aperçoit que la fille regarde fixement les éclaboussures qui lui barrent la poitrine. Elle tente de les essuyer avec sa manche.

« Qu'est-ce qu'ils t'ont fait ? » demande la fille.

Ses yeux sont pleins d'innocence.

« Ils ont tué l'homme qui m'a kidnappée. Un soldat japonais. »

Tant de fois, Hana avait rêvé de le voir mourir – au point de tenter de le tuer, cette nuit-là, dans la yourte. C'était grâce à Altan qu'elle n'avait pas perdu sa part d'humanité, ou s'en était du moins souvenue. Le dégoût qu'elle avait lu sur son visage l'avait tirée des griffes du mal. Grâce à lui, Hana ne s'était pas abaissée à devenir une meurtrière. Certes, la tentation était revenue, dans la steppe, lorsqu'elle avait vu Morimoto s'en prendre à son ami avec une violence inouïe, mais cette fois elle avait échoué.

« Personne ne mérite de mourir comme ça », finit-elle par dire.

La fille hoche la tête. Puis, en touchant la ceinture attachée à sa taille, elle lui dit :

« C'est très joli. »

Hana promène ses doigts sur la soie. Sur le fond bleu foncé, les fleurs rouge et jaune qui illuminent les entrelacs de vigne noir et vert semblent prendre vie, rayonnant de beauté dans cet endroit sordide.

Morimoto avait dit à l'interprète qu'Hana était une prostituée. Le moment arrivera forcément où les soldats reviendront la chercher. Son destin est scellé. Une fatigue indescriptible s'abat soudain sur elle.

Cette fois, Hana se battra, décide-t-elle, même si cela doit lui coûter la vie.

« Il faut que je vous dise quelque chose, s'empresse-t-elle alors de souffler aux deux Coréennes. Si les soldats me reprennent et que je ne reviens pas, je veux que quelqu'un connaisse mon histoire. »

Les deux filles hochent la tête pour lui signifier de continuer.

« Je m'appelle Hana. »

Et là-dessus, Hana commence à raconter son histoire. Sa vie d'haenyeo et ce jour où, en plongeant dans les eaux de son île, elle avait vu ce soldat japonais marcher vers sa sœur, sur la plage. Les mots se déversent de sa bouche comme l'eau d'une cascade. La perspective de mourir l'oblige à tout dire. Hana parle du bordel, parle des autres filles, et de Keiko, aussi. Elle parle de la famille mongole, de leurs animaux et de son ami, Altan, pour finir vidée, à la fin de son récit, comme si elle avait évacué tout ce qu'elle renfermait de meilleur pour qu'il ne reste plus qu'une coquille vide.

À leur tour, les deux Coréennes lui racontent leur vie. Il s'agit de deux sœurs originaires d'un village du nord de la Corée, proche de la frontière avec la Mandchourie. La police locale les avait piégées en leur proposant de les raccompagner chez elles dans leur camion, un soir, après avoir récolté des pommes dans un verger. Les policiers les avaient conduites droit à la frontière pour les livrer à un trafiquant japonais. Avec cinq autres filles, elles avaient alors embarqué dans un train affrété pour l'extrême nord de la Mandchourie. Mais avant d'arriver à destination, les deux sœurs avaient réussi à sauter du wagon, une nuit. Elles avaient ensuite marché aussi loin qu'elles avaient pu. En passant une chaîne de montagnes, elles ne s'étaient pas rendu compte qu'elles étaient arrivées en Mongolie. Les Soviétiques les avaient attrapées à l'aube, quelques jours avant Hana.

Main dans la main, Hana et les deux sœurs forment un petit cercle dans cet espace confiné, laissant couler leurs larmes tout en se regardant pour se souvenir de chacun de leurs traits. Puis le rideau de la tente se soulève, et l'interprète revient. Les prisonniers les plus proches de l'ouverture reculent jusqu'à s'entasser sur leurs voisins. Mais l'interprète les ignore, balayant le groupe du regard jusqu'à tomber sur Hana.

« Toi, viens avec moi », lui ordonne-t-il.

Tous les regards la suivent. Les deux Chinois se retournent pour la voir. Sur leur visage se lit une expression désolée. Ils savent que son tour est venu d'être torturée. Hana se lève. Elle jette un dernier regard aux deux sœurs et s'empresse de leur murmurer :

« Ne m'oubliez pas. »

Puis elle glisse une main dans sa poche pour récupérer la photo de celle qu'elle était, celle qu'elle espère redevenir.

« Plus vite que ça », crie le soldat.

D'une main tremblante, Hana tend la photo à l'aînée avant de partir rapidement.

Trébuchant derrière l'interprète, elle s'enfonce dans la nuit. Puis le soldat la pousse à l'intérieur d'une petite tente, sans doute ses quartiers privés. Il lui fait signe de s'asseoir sur un lit de camp. Les bruits du dehors remplissent l'atmosphère, des soldats qui discutent en passant, le vrombissement des moteurs de camion. Mais en dépit de toute cette agitation, Hana parvient à percevoir le crépitement étouffé de la lampe à pétrole qui éclaire la tente.

L'interprète se tient de l'autre côté, près de l'entrée. Il semble occupé à chercher quelque chose dans sa poche. Hana n'a jamais vu d'hommes aussi imposants que les Soviétiques. Assise de cette manière, elle croirait être en présence d'un ours affamé. Le soldat est appuyé sur l'un des poteaux métalliques. Il tape sur une petite tabatière pour remplir une fine feuille de papier blanc qu'il roule d'un geste expert, avant de la lécher sur toute sa longueur pour la coller.

Il allume sa cigarette et tire dessus, en prenant son temps, comme si Hana n'était pas là, en train de l'attendre. Une fois sa cigarette complètement consumée, le soldat la jette par terre et fait deux pas vers Hana. Encore deux autres, et il sera sur elle. Son expression est grave.

« Pourquoi es-tu vêtue comme une Mongole ? » lui demande-t-il.

Hana baisse les yeux vers son deel plein de terre et de sang, puis regarde l'homme en se demandant comment répondre sans mettre en danger Altan et sa famille.

« Tu es japonaise, non ? Alors pourquoi porter ce costume ridicule ? » insiste-t-il en désignant son deel.

Il défait les deux premiers boutons de son uniforme. Hana s'abstient de répondre à sa question ou de lui dire qu'elle est coréenne. Elle regarde la main du soldat plonger à l'intérieur de sa poche de poitrine, pour en ressortir avec une flasque brune en métal.

« Ma vodka. Ou du moins ce qu'il en reste. Cela fait des mois que je m'économise à cause de ce pays de malheur. Je n'en ai presque plus. » Il prend une gorgée, faisant tourner l'alcool dans sa bouche avant de l'avaler avec un soupir de satisfaction. « Dis-moi la vérité. Je le verrai si tu mens. »

Hana prend une courte respiration avant de laisser les mots se déverser, d'une traite.

« Des Mongols m'ont trouvée lorsque j'ai franchi la chaîne de montagnes. J'étais presque nue, car le bordel ne nous fournissait pas de vêtements. C'est pour cette raison qu'ils m'ont donné ça.

— Combien de jours es-tu restée avec eux ?

— Seulement quelques-uns.

— Et où se trouvait leur camp ? »

Elle hésite.

« Ne réfléchis pas. Réponds.

— Je ne sais pas.

— Tu mens.

— Non. Je ne sais vraiment pas où se trouve leur camp.

— Je t'avais dit de ne pas me mentir. »

Là-dessus, il range sa flasque et s'approche d'elle en préparant sa main, comme pour la gifler.

« Je vous dis la vérité. Quand… quand j'ai su que le soldat… », bégaye-t-elle en pensant à la mort de Morimoto. Son visage sanguinolent surgit dans son esprit. Hana est obligée de secouer la tête pour le chasser. « Quand j'ai su qu'il se trouvait dans le camp, j'ai volé un poney et je me suis enfuie. J'ai galopé aussi loin que je le pouvais. Il faisait nuit, je ne savais pas où j'allais. Je ne pensais qu'à m'échapper. Je savais que, sinon, il me ramènerait au bordel. Alors j'ai avancé… »

Hana attend de sentir la main de l'homme s'abattre sur elle, mais rien. Le soldat lève la tête et croise les mains dans son dos.

« Je suis sûr que c'était un espion », dit-il en la fixant, comme si elle détenait une réponse. Puis son expression change ; l'un de ses sourcils se lève. « Ou bien un trafiquant d'opium ? C'est comme ça que ton empereur finance cette guerre. Tu étais au courant ? Tu savais que ton grand Hirohito tirait profit de l'opium comme un vulgaire trafiquant ? Tout l'Occident en profite pour fabriquer de l'héroïne, des décoctions… Cet homme, nous avons retrouvé de l'opium sur lui. » L'interprète se penche pour ramasser les affaires de Morimoto derrière une petite table. Sa sacoche est tachée de sang. « Pas de quoi entretenir tout un régiment, mais assez pour empocher pas mal d'argent. Tu savais qu'il transportait ça ? »

Hana se sent soudain épuisée. Elle pose son front sur le lit de camp. Ce cauchemar semble durer depuis mille ans, et elle n'en est toujours pas tirée. Morimoto comptait peut-être revendre cet opium et se servir de l'argent pour commencer une nouvelle vie ; ou peut-être était-il un trafiquant. Elle ne le saura jamais.

« Je n'en avais aucune idée. Il m'a enlevée à ma famille et m'a vendue dans un bordel. Je ne peux rien vous dire de plus. »

Elle se rend compte que ses yeux se sont fermés en sentant les mains de l'homme se poser sur elle pour dénouer sa ceinture. *Je vous demande pardon*, murmure-t-elle aux siens, malgré les kilomètres. Elle voit alors Emiko, seule lors de sa cérémonie d'accueil parmi les haenyeo et cette image lui fend le cœur, mais elle s'oblige à l'oublier. Réunissant ses dernières forces, Hana se jette contre le soldat. Pris de court, l'homme tombe du lit. Alors Hana l'enjambe et attrape le pistolet rangé à sa ceinture, puis elle se relève et braque le canon sur la poitrine du Soviétique.

« Si tu me tues, tu es morte. Et je te promets qu'ils ne seront pas aussi gentils avec toi que je l'ai été.

— Gentils ? Vous ne savez même pas ce que ce mot veut dire. Vous nous traitez comme des chiennes. Vous, les soldats, vous, les hommes, êtes les pires créatures que porte cette terre. Vous semez la haine, la douleur et la souffrance partout où vous passez. Je vous méprise, tous autant que vous êtes. »

Avant qu'il ne puisse répondre, Hana appuie sur la gâchette. Mais le coup ne part pas. Des gouttes de sueur se mettent à perler sur son front. Elle appuie de nouveau, plus fort cette fois, mais toujours rien. Le soldat se redresse. Hana recule tout en manipulant l'arme avec frénésie pour trouver le cran de sécurité. À présent debout, l'homme se jette sur elle. Hana tombe en arrière et tente de se débattre, mais il n'y a rien à faire face à un poids et une force pareils. Il lui tord le poignet pour l'obliger à lâcher le pistolet, avant de la frapper au visage avec la crosse. Sa bouche se remplit de sang.

« Debout. À genoux », ordonne-t-il.

Hana s'exécute, étourdie. Le soldat retire le cran de sécurité. Hana garde les yeux rivés sur ses bottes tandis qu'un filet de sang lui coule sur le menton. Elle est à des centaines de kilomètres, sur une plage de galets noirs. Le soleil brille au-dessus d'elle et réchauffe ses longs cheveux. Le rire de sa sœur se mêle au bruit des vagues.

« Tes derniers mots ? »

L'homme est essoufflé. Sa poitrine se soulève et s'abaisse.

« Je n'ai jamais été une prostituée.

— C'est tout ce que tu as à dire ? fait-il en lui riant au nez. Tout le monde se fiche de savoir qui tu étais. Tu n'es rien. »

Là-dessus, son doigt se pose sur la gâchette.

« Je suis une haenyeo », dit-elle en le foudroyant du regard. Les mots se mettent à sortir, pareils à une confession. « Comme ma mère, comme sa mère avant elle, et comme ma sœur le sera un jour, ainsi que ses filles – je n'ai jamais été rien d'autre qu'une fille de la mer. Ni vous ni aucun homme ne pourrez me l'enlever. »

Le soldat ricane, mais elle ne l'entend pas. Elle est ailleurs, dans une autre sphère. Elle ferme les yeux. Les rayons du soleil lui réchauffent le sang ; leur chaleur se diffuse jusque sur sa langue. Le vent balaye ses cheveux. La mer gonfle autour d'elle et l'appelle, *Hana*.

Elle ressent la douleur avant d'avoir compris ce qui s'était passé. Ses yeux s'ouvrent, mais le sang trouble sa vision. Elle parvient à reprendre ses esprits, brièvement, juste le temps de voir l'interprète brandir une main et abattre une nouvelle fois la crosse du pistolet sur sa tempe. Hana s'écroule par terre. La dernière chose qu'elle aperçoit est la pointe d'une botte qui se rapproche d'elle.

Emi

Séoul, décembre 2011

En arrivant devant l'ambassade du Japon, Emi refuse de retourner dans son fauteuil roulant, mais son fils lui interdit formellement de se rendre jusqu'à la statue en marchant. Son cœur et sa jambe gauche ne le supporteraient pas.

« Soit je te pousse, soit tu retournes à l'hôpital. À toi de voir », lui dit-il.

Emi ne se souvient pas avoir jamais parlé sur ce ton à son fils, petit, mais sans doute l'a-t-elle fait. Malgré tout l'amour qu'elle portait à ses enfants, leur montrer des signes d'affection lui était difficile : son mari aurait exigé qu'elle en fasse autant avec lui, se serait mis à réclamer de la tendresse en voyant qu'Emi était capable d'en donner. Pour survivre, mieux valait aimer ses enfants sans le leur montrer.

Son mari avait cessé d'être odieux avec elle après la naissance de leur fils. Peut-être parce qu'ils ne se parlaient presque plus. HyunMo était si mauvais pêcheur qu'il préférait s'occuper des enfants pendant qu'elle plongeait. Il la rejoignait avec eux au marché.

Assise sur les épaules de son père, sa fille battait des mains devant les passants qui la regardaient, toute joyeuse d'être perchée si haut. Son fils le suivait comme son ombre ; tous deux étaient inséparables. Cela devait expliquer la colère qui avait habité Hyoung à la disparition de son père. Privé de celui qui le protégeait du monde, il se retrouvait désormais exposé aux rayons brûlants du soleil.

Emi finit par céder et laisse son fils sortir le fauteuil du coffre de la voiture. Quelques instants plus tard, tous deux remontent le chemin pavé menant à la statue. L'ambassade semble à présent si petite, si banale. Les fenêtres ne la dominent plus comme de grands yeux vides. S'obligeant à détacher son regard du bâtiment, Emi tourne la tête et découvre alors la statue.

Une jeune fille sans âge est assise sur une chaise au dossier droit. À côté d'elle se trouve une chaise vide, qui attend d'être occupée. La jeune fille porte l'habit traditionnel, le hanbok ; ses pieds nus pendent juste au-dessus du sol. Quelqu'un a pris soin de la couvrir par ce temps d'hiver, avec un bonnet, une écharpe et un plaid. Alors qu'il ne reste que quelques mètres, Emi arrête son fils.

« Je veux finir à pied », lui dit-elle.

Hyoung commence à protester, mais la main d'Emi se lève et le fait taire. Elle s'agrippe au bras du fauteuil roulant et, rassemblant toutes ses forces, se soulève jusqu'à ce que ses jambes la soutiennent. Très lentement, comme lorsqu'elle cheminait vers la mer tandis que les premiers rayons de l'aube se levaient, elle se met en marche vers la jeune fille assise.

Sa jambe gauche traîne, mais elle refuse d'accepter la main de son fils. Chaque pas lui donne l'impression d'avancer dans une boue épaisse. Son regard est rivé sur le visage de la jeune fille. Emi puise sa force dans la profonde bienveillance, la souffrance, la clémence et la patience qui émanent de ses traits. Ce visage exprime l'attente, une longue et épuisante attente.

Au moment où elle finit par atteindre la statue, Emi se laisse tomber dans la chaise vide, à côté de la jeune fille. Quelques instants lui sont nécessaires pour reprendre sa respiration. Puis elle tend un bras pour attraper la main de la statue. Le bronze est froid, mais la main ridée d'Emi le réchauffe doucement en le massant. La jeune fille et elle sont assises toutes les deux, côte à côte, en silence. Emi se risque à jeter quelques coups d'œil en direction de son profil. Cette jeune fille est bien celle de ses souvenirs. Cette jeune fille est Hana.

Son fils, occupé à fumer une cigarette à quelques mètres de là, se met à tousser d'embarras. Il jette par terre son mégot à moitié consumé et l'écrase sous la pointe de sa chaussure. Emi lui sourit. Elle est retournée à l'époque où la guerre n'existait pas. Son innocence est intacte, protégée par sa petite famille, dans son village de bord de mer où elle jouait sur la plage à courir après les mouettes. Son unique travail consistait à les éloigner des prises du jour. Assise auprès de sa sœur, main dans la main, Emi sent le soleil sur son visage, un chaud soleil d'été. L'odeur de la brise marine lui parvient, ainsi que son goût iodé. L'hiver a disparu. C'est un jour d'été, lorsque tout n'avait pas encore basculé, lorsqu'ils étaient encore une famille.

« Qu'est-ce qui te fait sourire comme ça ? »

La voix de sa fille semble venir de l'autre bout de l'océan. Emi cherche à se concentrer sur YoonHui, à la voir, mais l'effort est trop grand. Il lui faudrait s'arracher à ce jour d'été pour revenir, et retraverser le temps.

« Dis-moi, Maman, insiste-t-elle, et tout à coup, sa voix est proche, comme si ses lèvres étaient collées à son oreille.

— C'est Hana, c'est ma sœur. J'ai fini par la retrouver, murmure-t-elle.

— Tu veux dire que cette statue te rappelle ta sœur ? »

Sa voix semble encore plus proche à présent, comme si Emi se parlait à elle-même et répondait à ses propres questions. Le soleil s'efface et la brise cesse petit à petit de lui caresser la joue.

« C'est Hana, répète-t-elle. C'est ma sœur, elle est là. »

Le cœur d'Emi est sur le point d'exploser. Elle presse une main contre sa poitrine et le vent glacial d'hiver s'engouffre dans la manche de son manteau. Les flocons de neige lui brûlent les joues. Lorsqu'elle ouvre les yeux, cela ne fait aucun doute : la voilà revenue. Sa fille est agenouillée près d'elle, une main sur son épaule. Le froid la fait grelotter.

« Maman ? »

YoonHui est redevenue une petite fille, indécise et inquiète. Emi se penche vers elle et lui embrasse le front. Lorsque YoonHui lève les yeux vers elle, Emi reconnaît dans la courbe de son visage les traits doux de sa mère et se surprend en découvrant que cette pensée ne provoque en elle aucune tristesse. À la place, elle ne ressent que de la paix.

Comme Emi aurait aimé ne pas avoir attendu toute une vie pour vivre ce moment. Mais on ne change pas le passé ; et le présent est tout ce qui lui reste.

« J'ai toujours été fière que tu ailles à l'université », dit-elle, mais sa voix n'est plus qu'un murmure éraillé.

Le visage de YoonHui se tord, et sa fille s'effondre sur les cuisses d'Emi. Son gros manteau de laine absorbe ses larmes.

« Je suis fière de vous deux », dit-elle, puis elle se tourne vers son fils.

Agenouillé devant elle, également, Hyoung prend sur lui pour ne pas pleurer.

Emi sourit et se retourne vers la statue. *Je ne t'ai jamais oubliée*, pense-t-elle, même si elle avait prétendu le contraire, pendant toutes ces années. Assise à côté d'elle, la statue semble lui pardonner. Hana a toujours été là, attendant d'être retrouvée. Comme Emi aurait aimé que ce moment dure toute une vie.

Hana

Mongolie, automne 1943

Hana revient à elle et sombre par intermittence. Au moment où elle parvient à ouvrir les yeux, il n'y a que de la terre autour d'elle, noire et dure. Elle tente de lever la tête, la main, la jambe, de faire n'importe quel geste qui lui prouverait qu'elle n'a pas quitté ce monde, mais impossible. Peut-être est-elle déjà morte ; son corps doit attendre que son esprit s'élève loin de cette vie de misère.

Dans sa tête défilent des souvenirs de son enfance, des fragments de bonheur qui viennent et disparaissent. Elle voit le visage de sa mère au-dessus d'elle, rayonnant et joyeux, radieux comme un lointain soleil. Ses rayons brillent sur sa joue et réchauffent sa peau anesthésiée. Hana se tourne vers ce halo comme une fleur suivant la course du soleil. La lumière l'appelle : *Hana, ouvre les yeux.*

Le soleil du petit matin lui donne le tournis. Un cri lointain transperce l'air. Une voix d'homme. Brusquement, Hana se rend compte que ses mains sont ligotées, et attachées à un poteau. Les Soviétiques s'affairent de toute part, prêts à lever le camp. Elle est encore en vie. L'interprète n'a donc pas tiré, finalement.

Tournée vers le soleil du matin, elle attend de découvrir le sort qui lui sera réservé. Une fois la dernière tente roulée, l'interprète arrive, un couteau de chasse à la main.

« Tu es réveillée », lui dit-il, et un grand sourire se dessine sur son visage d'étranger, si semblable à ceux de tous les soldats qu'Hana a connus au fil de sa courte vie.

Elle ne répond pas. Son mal de crâne l'empêche de se concentrer. L'homme s'agenouille près d'elle et coupe ses liens. Puis il libère ses chevilles avant de la soulever pour l'asseoir.

« Ta libération a été négociée », lui annonce-t-il, et Hana décèle dans sa voix une pointe d'excitation.

Elle suit alors son regard et découvre Altan, marchant dans sa direction. Son père et Ganbaatar suivent derrière lui. Ils sont partis à sa recherche. Une boule se forme dans sa gorge et sa respiration s'accélère. Même si elle se réjouit de les voir, Hana a peur qu'ils ne soient en danger. La famille d'Altan a-t-elle réellement réussi à convaincre les Soviétiques de la libérer ?

« Tu as des amis généreux », dit l'interprète une fois qu'ils se trouvent à proximité.

Altan adresse un signe de tête au soldat, qui lui répond par un éclat de rire joyeux. Mais pas un regard pour Hana. Tout se passe comme si les Mongols ne la voyaient pas. Hana ne dit rien et les suit du regard, sans pouvoir s'empêcher de fixer le visage boursouflé de son ami. Morimoto ne l'a pas épargné.

Le père passe alors devant et s'adresse à l'interprète en japonais. Il parle à voix basse ; Hana ne l'entend pas. Tout au long de leur échange, elle ne cesse de l'observer. Puis l'interprète baisse les yeux vers elle et, de nouveau, sourit.

« Tu es libre de partir », lui dit-il.

Enfin, il s'éloigne sans regarder derrière lui. Ce n'est qu'à ce moment-là que les Mongols se tournent vers Hana. Altan et son père lui attrapent les bras pour l'aider à se relever avant de l'épauler pour quitter le camp au plus vite. Regroupés tous ensemble, leurs poneys les attendent, et le cœur d'Hana se remplit de joie en découvrant le bel étalon de Morimoto parmi eux. Altan l'aide à monter en selle, puis saute derrière elle. Tandis que les chevaux galopent loin du camp, un cri retentit par-dessus le fracas des sabots. Un aigle.

En se retournant, Hana découvre l'aigle de Ganbaatar, perché sur l'avant-bras de l'interprète. Son cœur s'arrête de battre. L'oiseau pousse un nouveau cri. Ses yeux perçants lui permettent de voir son maître qui s'éloigne. Ganbaatar a donc donné ce qu'il aimait le plus au monde en échange de sa liberté. Morimoto avait dit qu'un aigle était plus précieux pour un Mongol qu'une épouse ou un enfant ; et pourtant, Ganbaatar a sacrifié le sien pour une fille qu'il connaissait à peine.

Elle tente de le regarder, mais Ganbaatar la dépasse, menant le petit groupe vers les montagnes. Les bras d'Altan se resserrent autour d'elle tandis que le poney accélère. Hana ignore ce que lui a coûté de convaincre Ganbaatar. Elle sait simplement qu'elle leur doit la vie, à tous les deux.

YoonHui

Île de Jeju, février 2012

« Je sais, Tante, je sais », répond YoonHui en plaçant sur son visage le vieux masque de sa mère.

Une fissure dans un coin obscurcit la vue, mais peu lui importe. Elle ne compte pas plonger trop profond, juste assez pour se souvenir de ce que ressentent les haenyeo, de ce que ressentait sa mère.

JinHee hoche la tête et abaisse son masque également. Pour les autres plongeuses, le signal est donné. Équipées de leurs palmes, elles s'en vont jusqu'à la mer et plongent une par une dans les vagues pour s'engouffrer vers les profondeurs de la terre, à la recherche des trésors qui les nourriront, qui leur permettront de payer les études de leurs petits-enfants, tout en perpétuant la mémoire de leur modèle, cette plongeuse que personne n'oubliera jamais.

YoonHui s'engouffre sous l'eau, surprise par la température glaciale de la mer. Elle retient son souffle malgré les efforts qui lui sont nécessaires pour lutter contre les courants. Un long chapelet de bulles s'échappe de ses narines, puis elle s'enfonce plus profond, suffisamment pour entendre battre ses tympans. Le monde sous-marin lui ouvre les bras ; des poissons filent de toute part à travers les champs d'algues qui ondulent sous les courants. Un crabe à la recherche de nourriture se sauve. Un poulpe rouge le guette, tapi non loin de là. Mais YoonHui n'a plus d'air. Lentement, elle s'élance vers la surface, sans quitter du regard le poulpe qui se glisse discrètement sur le sable.

JinHee est là lorsqu'elle remonte en prenant une grande bouffée d'air.

« Pas mal, pour une première.

— Il faut croire que je n'ai pas tout oublié », répond YoonHui.

Puis elle sourit, heureuse de se souvenir de ce que sa mère lui a enseigné. Elle n'était qu'une petite fille à l'époque où elle l'avait quittée ; elle est à présent une femme d'âge mûr. Pourquoi avoir mis tant de temps à retrouver le chemin de chez elle ?

« Elle était fière de toi, lui dit JinHee.

— Je sais », répond YoonHui.

Elle se retourne vers le rivage. Les plongeuses les plus âgées, assises sur les rochers, lui lancent de grands gestes de la main. Leur corps frêle ne supporterait pas de rester trop longtemps dans les eaux froides de février, mais elles ont tenu à l'accompagner, par respect.

Son frère est resté à Séoul, ainsi que son neveu. Mais avant de gagner l'île de Jeju, YoonHui est allée rendre une dernière visite à la statue ; la seule, depuis la mort de sa mère. Lane et son neveu étaient venus avec elle. Une fois arrivée sur ce lieu où sa mère avait vécu ses derniers instants de paix, une immense tristesse l'avait envahie. Le vent de février avait séché ses larmes sitôt qu'elles coulaient, si bien que YoonHui n'avait pas eu besoin de se cacher devant son neveu. YoungSook semblait si grand devant la statue ; son regard était resté planté dessus comme s'il s'attendait à ce que la jeune fille se lève et l'étreigne.

YoonHui avait été surprise de le voir s'incliner spontanément, profondément, comme pour rendre hommage à son aïeule. Le visage au ras de terre, il s'était relevé avant de recommencer ce geste, deux autres fois. Impressionnée et fière, YoonHui avait attrapé la main de Lane. Lorsque son neveu s'était redressé pour la dernière fois, ses épaules étaient légèrement voûtées, peut-être à cause de la tristesse ou de l'embarras ; mais le voir ainsi n'avait fait qu'émouvoir davantage YoonHui. Il s'était essuyé le nez avant de se tourner vers elle.

« Quelqu'un a déposé des fleurs », lui avait-il dit en montrant les cuisses de la statue.

Des pétales blancs dépassaient de la couverture en laine qu'une personne bienveillante avait offerte pour tenir chaud à la statue. YoonHui s'était approchée et, soulevant la couverture, avait révélé un bouquet de fleurs, symbole de deuil : des chrysanthèmes blancs. Les pétales étaient encore souples. YoonHui s'était penchée pour les sentir contre sa joue.

Au lendemain de l'enterrement, Lane s'était lancée à la recherche des artistes qui avaient créé la statue. Après quelques échanges par e-mail, ces derniers avaient accepté de partager avec elle la photo qui les avait inspirés. C'était un portrait en noir et blanc, marqué par le temps et taché de sang, qu'avait acquis la Maison du Partage, située dans la province du Gyeonggi, qui avait recueilli d'anciennes « femmes de réconfort » et abritait un musée qui leur était dédié, afin de leur offrir de bonnes conditions de vie et de faire connaître leur histoire aux visiteurs du monde entier.

La fille d'une femme capturée par des soldats russes au cours de la Seconde Guerre mondiale avait fait don de cette photo au musée de l'Esclavage sexuel militaire japonais ; les deux artistes l'avaient découverte lors d'une visite effectuée dans le cadre de leurs recherches. La légende sous le portrait disait : JEUNE FILLE HAENYEO, 1943. Son expression avait tout de suite capté l'attention des artistes, ainsi que le fait de voir ses cheveux attachés plutôt que coupés au carré comme sur la plupart des portraits. Bien entendu, la coiffure avait été modifiée pour coller au style des « femmes de réconfort » de l'époque, mais son visage à l'air solennel avait été reproduit à l'identique. Quelque chose dans le regard de cette fille avait su les toucher.

YoonHui avait contemplé ce visage grâce auquel sa mère avait pu reposer en paix.

« Au revoir, Tante Hana, avait-elle murmuré à la statue. Je regrette de ne pas t'avoir connue plus tôt. »

*

Lane se tient sur le rivage. Elle a déjà sympathisé avec les haenyeo. Elle lève les yeux et agite le bras en l'air. Depuis la mer, YoonHui lui répond. Sa main décrit de grandes courbes dans le ciel pour que les vieilles plongeuses puissent la voir également. Dans leur visage, dans leur corps assis sur la plage, dans leur gentillesse, YoonHui voit sa mère. Elle sent sa présence à travers ces femmes, et restera sur place pour brûler de l'encens en hommage à ses ancêtres jusqu'à avoir la certitude que l'esprit de sa mère a retrouvé le chemin de son île.

Alors YoonHui se retourne vers la plus ancienne amie de sa mère et plonge avec elle dans les profondeurs de l'océan jusqu'à ce que la pression de l'eau fasse résonner sur ses tympans des coups semblables aux battements d'un cœur.

Hana

Mongolie, hiver 1943

L'air froid balaye la peau d'Hana. Sur le bout de sa langue, elle parvient à sentir que l'herbe a jauni. Des mèches de cheveux volent sur son visage. Altan les dégage et les repousse derrière son oreille. Ses gestes sont doux. Il resserre autour d'elle la fourrure posée sur ses épaules.

« Froid ? » lui demande-t-il, employant l'un des mots de langue mongole qu'elle connaît.

Hana secoue la tête.

Le chien a posé la tête sur ses genoux. Il sent la rosée du matin. Ses poils mouillés effleurent le dos des mains d'Hana. Dès son retour sur le camp, le chien ne l'avait plus quittée, comme s'il l'avait adoptée, elle, l'enfant perdue, puis retrouvée brisée par ces épreuves douloureuses. Le chien adore poser la tête sur ses mains croisées, quand la jointure de ses doigts s'enfonce dans les plis de la peau qui pend sous son museau. Ses yeux se lèvent alors vers elle, comme pour vérifier que tout va bien, et Hana baisse la tête pour plonger son regard dans ses grands yeux sombres qui clignent lentement en même temps qu'elle. Hana a reçu tant d'attention, tant de gentillesse depuis son retour. C'est une renaissance pour elle.

Altan s'écarte. L'heure est de nouveau venue de lever le camp. Voilà la quatrième fois que les nomades changent de place depuis leur rencontre avec les Soviétiques. Sans doute s'agit-il d'une mesure de précaution, si jamais les Soviétiques changeaient d'avis, ou si les Japonais se lançaient à leur poursuite. Mais la famille ne parle pas de ces choses-là avec elle.

Le chien lui lèche la main. Il est temps de partir. Un poney attend à quelques mètres de là. Altan l'aide à se mettre debout. Depuis son retour, le garçon la traite comme une petite fille blessée. Hana a mis quelques jours à retrouver une vision nette, mais les maux de tête reviennent encore, parfois, des migraines atroces qui la clouent par terre pendant des heures. Grâce aux cataplasmes de la mère, le visage d'Altan a dégonflé rapidement. Il ne reste plus que de légères ecchymoses jaunes à la place de ses coquards. Le voilà presque redevenu comme avant.

Hana grimpe sur le poney tacheté, qui s'ébroue et remue la tête pour dégager sa frange de ses yeux. Tout doucement, Hana ramène sa crinière sur le côté. Elle peigne du bout des doigts le crin rêche, et le souvenir d'une autre époque survient, celui des algues qui lui chatouillaient les mains sous la mer, lorsque les eaux sombres l'entouraient. Puis le poney secoue la tête et se met en marche. L'image a disparu, remplacée par le vaste ciel bleu suspendu au-dessus d'elle et l'herbe jaunie qui se balance comme une vague infinie.

La beauté du paysage enveloppe la petite troupe comme un tableau. Dans un livre d'école, Hana avait un jour vu le dessin d'une caravane ; des paysans partant à la recherche d'une nouvelle maison, d'une nouvelle terre.

À l'époque, Hana s'était sentie soulagée en pensant qu'elle ne serait jamais forcée de partir avec toute sa maison contenue dans une roulotte, comme les enfants sur l'illustration. Un sentiment de supériorité l'habitait en tant que fille d'haenyeo qui, un jour, ramènerait à son tour de quoi faire vivre sa famille, serait à la tête de sa propre maison, maîtresse de son propre destin. Hana était alors persuadée que la mer lui fournirait toujours de quoi vivre. Mais elle chasse cette pensée de son esprit.

*

Les premières neiges recouvrent la steppe de Mongolie. Le camp est dressé au pied d'une chaîne de collines au sommet pelé. Un grand lac vert et bleu scintille à l'horizon.

« La mer, souffle Hana, oubliant la région dans laquelle ils se trouvent.

— Non, c'est le lac Uvs, répond Altan. Il y avait la mer à la place, autrefois, et puis la terre a formé une séparation. L'eau est salée, comme celle de l'océan. »

Mais Hana n'entend plus ses mots. Ses pas l'attirent vers ces couleurs familières. Altan l'appelle, mais elle continue, comme attirée par une force magnétique. Altan se met à la suivre, tel un gardien qui la protège, la main posée sur le bas de son dos.

« Où est-ce que tu vas ? » lui demande-t-il.

Puis, il ajoute, voyant qu'elle ne répond pas :

« Ce n'est pas prudent de nous éloigner autant du camp. Il y a des prédateurs là-bas. Ils sont attirés par les oiseaux qui vivent près du lac. »

Comme pour appuyer ses dires, une nuée de mouettes blanches s'envole tout à coup en criant et se disperse dans le ciel, effrayant un animal qu'Hana n'avait encore jamais vu. Elle s'arrête net, les yeux braqués sur cette drôle de bête à mi-chemin entre un chevreuil et un mouton.

« Salut, petit, lance Altan à l'animal qui s'enfuit, effrayé. C'est un *dzeren* ; leur viande est bonne à manger. »

Puis il éclate de rire comme s'il plaisantait, même si Hana ne comprend pas grand-chose de ce qu'il dit.

Elle regarde l'animal détaler dans les hautes herbes et se fondre au milieu des tiges brunes jusqu'à disparaître. Puis, se retournant vers le lac, elle poursuit son chemin vers les eaux bleues et vertes qui s'étalent derrière les roseaux. Des mouettes se laissent porter par les eaux calmes du lac, en lançant des cris à leurs semblables qui planent dans le vent glacial. De petits flocons de neige fondent sur les cils d'Hana. Le vent soulève ses cheveux ; la fourrure qui lui sert de châle lui chatouille la nuque. Hana respire à pleins poumons l'air salé, et les souvenirs inondent son esprit ; d'abord, le goût de la mer, puis celui de sa première plongée et du sifflement que sa mère émettait, le sumbisori, pour se vider les poumons à chaque remontée. Il y a aussi le rire de sa sœur dans le vent, et Emi dansant sur le rivage.

Hana défait sa ceinture et commence à retirer son deel.

« Mais qu'est-ce que tu fais ? lui demande Altan en essayant de l'empêcher de se déshabiller, en vain. Tu ne vas quand même pas te baigner là-dedans. Tu vas mourir de froid ! »

Mais l'appel de la mer est trop fort. Altan disparaît. Hypnotisée par l'eau, Hana ne ressent même aucune gêne à se retrouver nue devant lui. Libérée de ses vêtements, elle le repousse et se dirige vers le bord du lac. Altan tente de la suivre, de la retenir par le bras, mais Hana se dégage. Puis elle s'engouffre tout d'un coup dans le lac, poussant un petit cri lorsque l'eau glaciale lui coupe le souffle. Altan se précipite après elle, mais Hana est trop rapide. Son instinct se réveille. Quelques instants plus tard, elle a plongé sous les flots et disparaît vers le fond vaseux.

Depuis le début, ses désirs n'étaient qu'un rêve ; même si Hana était parvenue à rentrer, elle n'aurait jamais été tranquille chez elle. Les gens auraient posé des questions en la voyant réapparaître un beau jour chez sa mère. Et la guerre n'était pas terminée – sa rencontre avec les Soviétiques le lui avait fait clairement comprendre ; les Japonais détenaient toujours le contrôle de la Corée. S'ils remettaient la main sur elle, Hana serait sans doute renvoyée en Mandchourie au bordel, ou vers une destination encore plus terrible. Rester en Mongolie, auprès d'Altan et de sa famille, est une nécessité. Hana a fini par accepter cette idée.

En se rendant compte qu'elle est heureuse de rester avec eux, un poids s'est envolé de ses épaules. Toutes ses inquiétudes ont disparu. À la place, Hana se sent légère en pensant à sa nouvelle vie. Altan est la lumière qui l'attire vers la surface. Cette lumière finira par chasser les ténèbres qui, pendant trop longtemps, l'ont engloutie. Une décharge d'énergie lui traverse tout le corps. Prenant appui sur les fonds vaseux, Hana pousse sur ses jambes et s'élance vers la surface en suivant la trajectoire des bulles qui s'élèvent devant elle.

« En souvenir de ma chère sœur » (*Je Mang Me Ga*)[1]

Toi qui avais peur que la vie ou la mort ne t'emporte,
Tu es partie sans rien dire.
Comme des feuilles dans le vent d'automne précoce,
Nées sur une branche, emportées sans que personne ne sache où.
Ah ! Je ne te reverrai que dans l'au-delà.
Et chercherai la vérité en attendant qu'arrive ce jour !

---

1. Chanson écrite au VIIIe siècle par le maître Wolmyeong, moine bouddhiste, et traduite par Jeong Sook Lee, traducteur du coréen vers l'anglais et professeur à la School of Oriental and African Studies de l'Université de Londres.

Note de l'auteur : ce poème lyrique est une chanson populaire *hyangaa* composée à la mort de la sœur de maître Wolmyeong. Il m'arrive souvent de le relire afin de me rappeler que la douloureuse quête d'Emi n'est pas un cas unique.

Note de l'auteur

Certains historiens estiment qu'entre cinquante et deux cent mille femmes coréennes ont été kidnappées, piégées ou vendues comme esclaves sexuelles pour et par l'armée japonaise durant la période de colonisation de la Corée par le Japon. Les troupes japonaises se battaient pour la domination du monde. C'est en 1931 que le Japon a envahi la Mandchourie ; s'est ensuivie la seconde guerre sino-japonaise, à partir de 1937, avant la défaite de l'empire contre les Alliés, en 1945, à la fin de la Seconde Guerre mondiale. Un nombre incalculable de vies ont été détruites ou perdues par l'ensemble des pays impliqués.

De ces dizaines de milliers de femmes et de filles réduites à l'esclavage par l'armée japonaise, seules quarante-quatre survivantes sud-coréennes sont toujours de ce monde (au moment de l'écriture de ce livre) pour témoigner de leur captivité, de leurs conditions de vie et de la manière dont elles sont parvenues à rentrer chez elles. Nous ne saurons jamais ce qu'il est advenu des autres femmes qui ont péri avant d'avoir la possibilité de rendre compte de ce qu'elles avaient enduré. Beaucoup sont mortes loin de chez elles, et, comme Emi, leurs familles n'ont jamais eu vent de leur histoire tragique.

Beaucoup de ces *halmoni* (« grand-mères ») qui ont survécu à leur esclavage n'ont pas été libres de partager leur histoire avec leur entourage. La Corée était alors une société patriarcale fondée sur l'idéologie de Confucius, dans laquelle la pureté sexuelle d'une femme était de la plus haute importance. Ces survivantes se sont retrouvées forcées à souffrir en silence. Beaucoup ont été victimes de problèmes de santé, de stress post-traumatique, de difficultés à réintégrer la société. La plupart vivaient dans des conditions de pauvreté abjectes, sans famille pour prendre soin d'elles pendant leurs vieux jours. Certains historiens pensent que ces « femmes de réconfort » n'ont pas représenté une priorité pour le gouvernement coréen après la Seconde Guerre mondiale à cause du grand nombre de vies qu'a coûté la scission entre le Nord et le Sud qui a rapidement suivi. Arbitrairement séparée par le 38e parallèle, la péninsule s'est retrouvée définitivement coupée en deux. Le gouvernement sud-coréen a alors dû reconstruire les infrastructures détruites pendant la guerre. Il y avait à traiter plusieurs problèmes « plus importants ». Quarante ans ont été nécessaires pour que celui des « femmes de réconfort » revienne au premier plan, grâce aux révélations de Kim Hak-sun, qui a fait éclater son histoire au grand jour. Beaucoup d'autres « femmes de réconfort » se sont ensuite fait connaître, plus de deux cents au total, puisant dans leur courage.

En décembre 2015, un accord a été trouvé entre la Corée du Sud et le Japon au sujet de ces femmes. Les deux pays espéraient alors régler le conflit une fois pour toutes, afin de rétablir de bonnes relations internationales. Comme le caporal Morimoto avec Hana, le Japon a soumis des propositions à la Corée du Sud, dont l'une fut le retrait de la statue de la Paix érigée sur le parvis de l'ambassade du Japon à Séoul. Un premier pas vers la fin du déni concernant le sort de ces femmes était fait. Mais les halmoni ont rejeté cet « accord » et continué de chercher une vraie solution, accusant le Japon de simplement chercher à faire table rase de ce sombre passé, comme si les atrocités perpétrées par l'armée n'avaient jamais existé et que plus de deux cent mille femmes n'avaient jamais souffert ni péri dans ces circonstances atroces.

En mars 2016, je me suis rendue à Séoul afin de voir *Pyeonghwabi* (la statue de la Paix) de mes propres yeux, pour la première – et probablement dernière – fois. Ce fut une sorte de pèlerinage : partir à l'autre bout du monde à la découverte de ce symbole qui, pour moi, représentait non seulement les viols commis pendant la guerre sur des femmes ou jeunes filles coréennes, mais aussi sur toutes les femmes et jeunes filles à travers le monde, en Ouganda, en Sierra Leone, au Rwanda, en Birmanie, en Yougoslavie, en Syrie, en Irak, en Afghanistan, en Palestine, et dans bien d'autres pays. La liste des victimes de ces viols est encore longue et continuera de s'allonger tant que les souffrances faites aux femmes en temps de guerre ne seront pas dénoncées dans les livres d'histoire, que l'on ne commémorera pas ces tragédies dans les musées et qu'on ne leur rendra pas hommage en érigeant des monuments comme la statue de la Paix.

Durant l'écriture de ce livre, je suis tombée amoureuse d'Hana qui, pour moi, incarnait toutes ces femmes et filles victimes de ce sort. Je ne pouvais pas la laisser mourir entre les mains d'un soldat au milieu des steppes de Mongolie. Certes, ses chances de survivre étaient minces, mais la fin que j'ai choisie est celle que je souhaitais à Hana et aux autres filles qui ont vécu le même calvaire. Écrire l'histoire d'Emi a été ma façon à moi de sortir de l'horreur. J'ai adoré ce personnage. Après tout ce qu'Emi avait enduré, il était normal de la laisser découvrir que la statue était bel et bien celle de sa sœur, Hana. La véritable statue n'a pas été sculptée en mémoire d'une de ces « femmes de réconfort », mais une grande partie de cette histoire a été imaginée grâce à elle – histoire que je dédicace à toutes les femmes qui ont souffert ou qui souffrent encore à cause de la guerre.

*

L'histoire des conflits à travers le monde est jalonnée de vérités controversées et de mensonges d'État. Les événements auxquels je fais référence dans ce livre ne dérogent pas à cette règle. Ma volonté a été de me concentrer sur le récit de la vie d'individus plutôt que d'un peuple ou d'un pays. J'espère aussi avoir réussi à montrer l'ampleur des guerres de Corée, dans lesquelles sont intervenus un grand nombre de protagonistes, autres que le Japon. Il n'est pas exclu que certaines inexactitudes soient présentes dans ce travail de fiction, concernant certains lieux, dates ou événements. Toute erreur serait fortuite. En tant que fille de Coréenne ayant grandi au contact d'une communauté de femmes expatriées, j'ai toujours été fascinée par leur capacité à surmonter, par le rire et l'amitié, les épreuves auxquelles elles avaient dû faire face dans leur jeunesse, en Corée du Sud. En hommage à ces femmes sont inclus dans ce livre une chanson (« *Ga Si Ri* ») ainsi qu'un poème (« *Je Mang Me Ga* ») traduit par mon ami, le professeur Jeong Sook Lee. La chanson, datée entre le Xᵉ et le XIVᵉ siècle, n'a pas d'auteur connu, mais est très populaire parmi les écoliers, en Corée du Sud. Je voulais que les souvenirs d'Hana soient peuplés de quelques moments légers, comme lorsque son père chantait pour faire rire toute sa petite famille. Le poème, quant à lui, évoque la perte d'une sœur chère et l'espoir d'être un jour réunis dans l'au-delà. La perte d'un être aimé touche chacun de nous, à un moment ou à un autre de sa vie, et parfois, la douleur ne s'estompe jamais. Pour ma mère et pour ses amies, je sais que cette douleur ne s'effacera pas, mais se souvenir de leur histoire aide à la surmonter.

La guerre est une chose terrible et injuste. Lorsqu'elle s'arrête, des excuses doivent être faites, des réparations doivent être exigées, et le souvenir des épreuves endurées par les survivants doit perdurer. L'Allemagne est à ce titre un bon exemple. Ce pays tient à accomplir son devoir de mémoire et à réparer les crimes de guerre perpétrés contre les Juifs durant la Seconde Guerre mondiale. Aujourd'hui encore, l'Allemagne continue à se souvenir de cette partie sombre de son histoire. J'ai l'espoir que les gouvernements à venir perpétueront ces commémorations. Il est de notre devoir d'informer les générations futures au lieu de leur cacher les atrocités commises pendant la guerre ou de prétendre qu'elles n'ont jamais existé.

C'est en nous souvenant du passé que nous l'empêcherons de se répéter. Les livres d'histoire, les chansons, les romans, les pièces de théâtre, les films et les monuments commémoratifs sont essentiels pour nous aider à ne jamais oublier, afin de construire l'avenir sur la paix.

Mary Lynn Bracht

Remerciements

Une histoire nécessite souvent beaucoup de transformations avant de devenir un livre, et je suis très reconnaissante d'avoir pu compter sur tant de personnes au cours de cette aventure passionnante. Je remercie mille fois mes éditeurs, Tara Singh Carlson et Becky Hardie, pour leur soutien et leurs conseils tout au long du travail d'édition. Je suis extrêmement chanceuse d'avoir eu l'opportunité de travailler avec vous deux, ainsi qu'avec Charlotte Humphery et Helen Richard. Merci à mon incroyable agent, Rowan Lawton, et toute l'équipe de chez Furniss Lawton, d'avoir cru en moi et en mon livre. Liane-Louise Smith et Isha Karki, votre dévouement et votre positivité m'ont beaucoup aidée, merci. Merci à mes amis du Willesden Green Writers' Group – Lynn, Clare, Anne, Lily, Naa et Steve – d'avoir participé à toutes les différentes étapes de travail d'écriture ; vos commentaires ont été très précieux. Merci à mes professeurs de Birkbeck College – Mary Flanagan, Helen Harris, Courttia Newland et Sue Tyley – pour vos conseils et vos recommandations. À toute ma famille, tous mes amis, merci pour votre soutien et votre amour durant toutes ces années. Mes sincères remerciements à Tony, pour m'avoir encouragée à réaliser mon rêve. Enfin, je remercie mon merveilleux fils, dont l'amour et la bienveillance m'ont aidée à mener ce travail jusqu'au bout.

Dates clés

1905 La Corée entre sous protectorat japonais. Fin de l'Empire coréen.

1910 Le Japon annexe la Corée ; début des répressions contre les traditions et la culture coréennes.

1931 Le Japon envahit et occupe la Mandchourie.

1932 Création de l'État fantoche du Mandchoukouo.

1937 Début de la seconde guerre sino-japonaise ; la Chine reçoit le soutien de l'Allemagne, de l'Union soviétique et des États-Unis. Les conditions du déclenchement de la Seconde Guerre mondiale se mettent en place.

1938 Début de l'assimilation des Coréens colonisés par le Japon. La pratique des coutumes coréennes – langue, culte, art, musique – devient illégale.

1939 Le Japon renforce la participation des hommes et des femmes de Corée à l'effort de guerre.

1941 Attaque de Pearl Harbor par les Japonais. La seconde guerre sino-japonaise fait désormais partie de la guerre du Pacifique et de la Seconde Guerre mondiale.

1945 Août : les États-Unis lâchent des bombes atomiques sur Hiroshima et Nagasaki.

L'Union soviétique déclare la guerre au Japon, envahit la Mandchourie et entre en Corée du Nord.

Capitulation du Japon face aux forces alliées.

Fin de la Seconde Guerre mondiale.

Partition de la Corée, considérée comme annexion japonaise. Le nord du pays passe sous contrôle soviétique tandis que le sud, délimité par le 38e parallèle, passe sous contrôle américain. Débarquement des forces américaines en Corée du Sud.

Décembre : les États-Unis, le Royaume-Uni, l'Union soviétique et la République de Chine placent la Corée sous curatelle jusqu'à la mise en place d'un gouvernement unique, mais le projet de création d'un gouvernement national unifié avorte à cause des désaccords qui surviennent entre l'Union soviétique et les États-Unis dans le cadre de la guerre froide.

1948 Avril : Soulèvement de Jeju et massacre (également connu sous le nom de Soulèvement du 4 avril).

Août : à la suite des élections démocratiques du 10 mai, la République de Corée est officiellement proclamée au sud. Syngman Rhee devient le premier président.

Septembre : la République populaire démocratique de Corée est établie au nord. Kim Il-sung devient le Premier ministre.

Octobre : l'Union soviétique déclare la souveraineté du gouvernement de Kim Il-sung sur le nord et sur le sud de la Corée.

Décembre : les Nations unies déclarent le gouvernement de Syngman Rhee comme seul gouvernement légitime ; les États-Unis refusent d'offrir un soutien militaire au Sud, tandis que l'Union soviétique renforce considérablement ses liens avec le Nord.

Retrait des troupes soviétiques de Corée.

1949 Janvier : le leader nationaliste chinois Tchang Kaï-chek démissionne de la présidence.

Les troupes américaines se retirent de Corée. Fin de l'occupation alliée en Corée.

Octobre : Mao Zedong instaure la République populaire de Chine.

1950 Juin : la guerre de Corée éclate lorsque la Corée du Nord franchit la ligne de démarcation du 38e parallèle. La Corée du Nord est soutenue par l'Union soviétique et la Chine, tandis que la Corée du Sud est soutenue par les États-Unis et le reste des Nations unies. Le conflit fera plus de 1,2 million de victimes.

1953 Fin de la guerre de Corée. Les divisions entre la République populaire démocratique de Corée au nord et la République de Corée au sud demeurent intactes. Le traité de paix n'ayant jamais été signé par la Corée du Sud, les deux pays sont toujours officiellement en guerre.

1991 Kim Hak-sun révèle lors d'une conférence de presse son passé de victime d'esclavage sexuel militaire par les Japonais et lance des poursuites contre le gouvernement japonais.

1992 Janvier : première Manifestation du mercredi à Séoul.

Décembre : élection du premier président civil de Corée du Sud, Kim Young-sam.

1993 Août : la déclaration de Kono rédigée par le gouvernement japonais confirme l'exercice d'une coercition dans le but de recruter des « femmes de réconfort » contre leur volonté.

2007 Le gouvernement japonais retire sa déclaration.

2011 Décembre : millième Manifestation du mercredi à Séoul ; la statue de la Paix est dévoilée.

2015 Les gouvernements japonais et coréen du Sud annoncent un « accord historique » au sujet des « femmes de réconfort » – pour faire enlever la statue de la Paix et ne plus jamais soulever cette question.

Bibliographie

Si vous souhaitez en savoir plus sur l'histoire de la Corée, de la Mongolie, des guerres d'Asie, ou sur tout autre sujet abordé dans ce livre, comme les haenyeo, voici la liste des livres qui m'ont aidée pendant mes recherches, parmi lesquels certains (marqués d'un astérisque) m'ont inspirée pour écrire ce roman.

C. Sarah Soh, *The Comfort women : Sexual Violence and Postcolonial Memory in Korea and Japan* [Les Femmes de réconfort : violences sexuelles et mémoire postcoloniale en Corée et au Japon]

George Hicks, *The Comfort Women : Japan's Brutal Regime of Enforced Prostitution in the Second World War* [Françoise Thévenod, *Les Esclaves sexuelles de l'armée japonaise*, éd. J. Grancher, 1996, pour la traduction française]

Yosano Akiko, Joshua A. Fogel (trad.), *Travels in Manchuria and Mongolia : A Feminist Poet from Japan Encounters Prewar China* [Voyages en Mandchourie et en Mongolie : quand une poète féministe japonaise part à la rencontre de la Chine d'avant-guerre]

When Sorry Isn't Enough : The Controversies over Apologies and Reparations for Human Injustice, éd. Roy L. Brooks [Quand le pardon ne suffit pas : controverses autour des excuses et des réparations liées aux injustices humaines]

Francis Pike, *Hirohito's War : The Pacific War, 1941-1945* [La Guerre d'Hirohito : la guerre du Pacifique, 1941-1945]

Robin Cross, *World War II in Photographs* [Photographies de la Seconde Guerre mondiale]

Linda Sue Park, *When My Name Was Keoko* [Quand je m'appelais Keoko]

Keith Pratt, *Everlasting Flower : A History of Korea* [L'Immortelle : histoire de la Corée]

John Man, *The Mongol Empire* [L'Empire mongol]

Carl Robinson, *Mongolia : Nomad Empire of Eternal Blue Sky* [La Mongolie : empire nomade d'éternel ciel bleu]

Kim Man Choong, *The Cloud Dream of the Nine* [John et Geneviève T. Park, *Le Songe des neuf nuages*, Maisonneuve et Larose, 2004, pour la traduction française]

Peter H. Lee, *A History of Korean Literature* [Histoire de la littérature coréenne]

Eri Hotta, *Japan 1941* [Japon, 1941]

Charles Holcombe, *A History of East Asia : From the Origins of Civilization to the Twenty-First Century* [Histoire de l'Extrême-Orient : des origines de la civilisation au XXIe siècle]

S.C.M. Paine, *The Wars for Asia, 1911–1949* [Les Guerres pour l'Asie, 1911-1949]

Martin Gilbert, *The Second World War : A Complete History* [Histoire complète de la Seconde Guerre mondiale]

George Childs Kohn, *Dictionary of Wars : Revised Edition* [Dictionnaire des guerres]

Miriam Kingsberg, *Moral Nation : Modern Japan and Narcotics in Global History* [La Nation morale : Japon moderne et narcotiques dans l'histoire]

Maxine Hong Kingston, *The Woman Warrior* [Andrée R. Picard, *Les Fantômes chinois de San Francisco*, Gallimard, 1979, pour la traduction française]

Paul Theroux, *Riding the Iron Rooster* [Anne Damour, *La Chine à petite vapeur*, Grasset, 2004, pour la traduction française]

Richard Kim, *Lost Names* [Les Noms perdus]

1914 : Goodbye to All That, éd. Lavinia Greenlaw [Au revoir, 1914]

Simon Winchester, *Korea* [Corée]

**True Stories of the Korean Comfort Women*, éd. Keith Howard [L'Histoire vraie des femmes de réconfort coréennes]

Arnold C. Brackman, *The Other Nuremberg : The Untold Story of the Tokyo War Crimes Trials* [L'Autre Nuremberg : l'histoire cachée des procès de Tokyo]

James Nestor, *Deep : Freediving, Renegade Science, and What the Ocean Tells Us About Ourselves* [En eaux profondes : plongée en apnée, science impie, et ce que l'océan nous révèle sur nous-mêmes]

*Iris Chang, *The Rape of Nanking : The Forgotten Holocaust of World War II* [Corinne Marotte, *Le Viol de Nankin : 1937, un des plus grands massacres du* XXe *siècle*, Payot & Rivages, 2010, pour la traduction française]

W.H. Auden, Christopher Isherwood, *Journey to a War* [Béatrice Vierne, *Journal de guerre en Chine*, éd. du Rocher, 2003, pour la traduction française]

Legacies of the Comfort Women of World War II, éd. Margaret Stetz et Bonnie B.C. Oh [Ce que les femmes de réconfort de la Seconde Guerre mondiale ont laissé derrière elles]

Max Hastings, *Inferno : The World at War, 1939-1945* [L'Enfer : le monde en guerre, 1939-1945]

Michael Meyer, *In Manchuria : A Village Called Wasteland and the Transformation of Rural China* [En Mandchourie : un village de ruines et les transformations de la Chine rurale]

Palani Mohan, *Hunting with Eagles : In the Realm of the Mongolian Kazakh* [Chasser avec les aigles : dans le royaume des Kazakhs de Mongolie]

I.F. Stone, *The Hidden History of the Korean War : America's First Vietnam* [L'Histoire cachée de la guerre de Corée : la première guerre du Vietnam]

Echoes from the Steppe : An Anthology of Contemporary Mongolian Women's Poetry, éd. Ruth O'Callaghan [L'Écho des steppes : anthologie de la poésie féminine mongole contemporaine]

Keith Pratt et Richard Rutt, *Korea : A Historical and Cultural Dictionary* [Dictionnaire historique et culturel de la Corée]

Brenda Paik Sunoo, *Moon Tides : Jeju Island Grannies of the Sea* [Les Grand-Mères de l'océan de l'île de Jeju]

The Hundred Years' War : Modern War Poems, éd. Neil Astley [La Guerre de Cent Ans : poèmes de guerre modernes]

*Nicholas D. Kristof et Sheryl WuDunn, *Half the Sky : How to Change the World* [Olivier Colette, *La Moitié du ciel : enquête sur des femmes extraordinaires qui combattent l'oppression*, les Arènes, 2010, pour la traduction française]

Cet ouvrage a été composé et mis en pages
par ÉTIANNE COMPOSITION
à Montrouge.

Imprimé en Espagne par
Liberdúplex
à Sant Llorenç d'Hortons (Barcelone)
en novembre 2021

POCKET - 92, avenue de France - 75013 Paris

S28754/09